بے درد

سلمیٰ کنول

سنگِ میل پبلی کیشنز، لاہور

891.4393 Salma Kanwal
Baydard/ Salma Kanwal.-
Lahore : Sang-e-Meel Publications,
2007.
280pp.
1. Urdu Literature - Novel.
I. Title.

2007
نیاز احمد نے
سنگ میل پبلی کیشنز لاہور
سے شائع کی۔

ISBN 969-35-1977-9

Sang-e-Meel Publications
25 Shahrah-e-Pakistan (Lower Mall), P.O. Box 997 Lahore-54000 PAKISTAN
Phones: 7220100-7228143 Fax: 7245101
http://www.sang-e-meel.com e-mail: smp@sang-e-meel.com

حاجی حنیف اینڈ سنز پرنٹرز، لاہور

طیارہ بلند ہوا تو اُس نے آنکھیں میچ لیں۔

''میں نے سنا ہے پاکستانی مرد بڑے باوفا ہوتے ہیں اسی لیے'اسی لیے۔''

طوبیٰ کے ہچکیوں میں ڈوبے الفاظ اس کے کانوں میں اب تک گونج رہے تھے۔''میں نے اپنے ملک کے کسی مرد کے بجائے تم سے محبت کی ہے۔ہاں آذر!تم سے'صرف تم سے!!''

دونوں بیروت کے ہوائی اڈے کی انتظار گاہ میں ایک نرم وگداز صوفے پر بیٹھے تھے۔ طوبیٰ کی گہری نیلی آنکھیں آنسو بہا رہی تھیں۔وہی آنکھیں جن میں اسے اپنی زندگی جگمگاتی نظر آیا کرتی تھی۔آج وہ اس کی جگمگاہٹوں کو دُھندلائے دے رہی تھیں۔

''صرف دو ماہ جانِ من!صرف دو ماہ بعد۔ان شاءاللہ میں یہاں تمہارے پاس ہوں گا۔''

خود اسے اس کی جدائی اتنی شاک گزر رہی تھی کہ اسے تسلی دینے کے لیے الفاظ بھی نہیں بن پا رہے تھے۔مرد ہوتے ہوئے بھی وہ اس وقت عورتوں کی مانند رونا چاہ رہا تھا۔چار سال کی دوستی' خلوص اور محبت دو ماہ کی جدائی کی لپیٹ میں آنے والی تھی۔دل ایسا دُکھی تھا' ایسا دھواں دھواں سا ہو رہا تھا کہ زندگی نے ایسی کیفیت کبھی بھی نہ پائی تھی۔

''حوصلہ کرو طوبیٰ!''اس نے بڑی مشکل سے اپنی رندھی ہوئی آواز کو تھوڑا سا درست کیا۔

اسی وقت فضا میں پی آئی اے کی طرف سے طیارے کی پرواز کے متعلق اعلان ہوا۔

آذر گھڑی دیکھتے ہوئے یکا یک اُٹھ کر کھڑا ہو گیا اور.....

پچھلے چار سال سے وہ اس ملک میں تھا۔یہاں کے رسم و رواج سے اچھی طرح واقف

بھی تھا۔ مگر جب طوبیٰ بے قرار ہو کر اتنے بہت لوگوں کی موجودگی میں زور زور سے چیخیں مارتے ہوئے اس سے لپٹ گئی تو وہ اُس کی دلجوئی کرنے کے بجائے گھبرا گھبرا کر اردگرد دیکھنے لگا۔

ہر طرف تقریباً ایسا ہی نظارہ تھا جیسے اس کے چاروں اطراف آئینے لگے تھے۔ کوئی بیٹا ماں سے جدا ہو رہا تھا' کوئی بھائی بہن سے' کوئی دوست دوست سے' کوئی شوہر اپنی بیوی سے۔ ایک دوسرے سے بغلگیر سب اپنے اپنے جذبوں میں گم تھے۔ کسی کو بھی ان کی طرف توجہ دینے کی فرصت نہ تھی۔ اس کی گھبراہٹ قدرے رفع ہو گئی۔

طوبیٰ کے مرمریں بازو اس کے گلے میں حمائل تھے۔ آنکھوں سے آنسو بہہ بہہ کر اس کے شہابی رُخساروں کو بھگوئے جا رہے تھے اور وہ ایڑیاں اُٹھائے آذر کے بلند و بالا قد پر سجے اس کے وجیہہ چہرے کو ہاتھوں میں لیے تک رہی تھی۔

''ارے ارے! صرف دو ماہ کی جدائی کے لیے یہ اتنا سب کچھ.....'' آذر کے لبوں پر شوخ سی مسکراہٹ پھیل گئی۔

مگر..... طوبیٰ نے اس مسکراہٹ کے بجائے اس کی آنکھوں میں پھیلی آنے والی جدائی کی نمی کو زیادہ غور سے دیکھا۔ وہ بے قابو سی ہو گئی۔ ہاتھوں میں تھامے اس کے چہرے کو اپنی طرف جھکاتے ہوئے بے اختیار اُس کے رُخساروں' اس کی پیشانی اور اس کی آنکھوں کو چومنے لگی۔

کس قدر محبت تھی اسے اس سے۔ گو اس کا اندازہ آذر کو بہت پیشتر سے تھا' مگر اس وقت اس کی کیفیت' اس کا عالم اور اس کی حالت اس کے جذبات کی گرمی کو پوری وضاحت سے واضح کر رہی تھی۔

وہ اس کی محبت کی اس گرمجوشی سے پگھلنے لگا۔ اس کے وجود کے لمس کی میٹھی میٹھی حدت اور اس کے معطر پیکر کی خوشبو نے اسے دیوانہ سا کر دیا۔ مگر اس کا جنم پاکستان میں اک مسلمان عورت کی کوکھ سے ہوا تھا جہاں اس کی فضاؤں اور ہواؤں میں حیا زندہ ہے' جہاں دس بیس سال کی بیاہی عورت بھی نہ صرف اپنے شوہر کے ساتھ اس طرح اظہارِ محبت کرنے سے شرماتی ہے بلکہ سب کی موجودگی میں اِک نگاہِ گرم سے بھی اسے نہیں دیکھ سکتی۔

آذر نے پھر گھبرا کر اردگرد دیکھا۔ وہی نفسا نفسی کا عالم تھا۔

''آذر! آذر!!'' ہچکیوں میں' بیقراریوں میں' وارفتگیوں میں ڈوبی طوبیٰ کی سرگوشی

کانوں میں اُتری تو وہ بھی بے قابو ہو گیا۔

''طوبیٰ! طوبیٰ!! میں جلد واپس آ جاؤں گا' شاید دو مہینے سے پہلے ہی۔''

آذر نے خود سے لپٹی ہوئی طوبیٰ کو پورے جوش' بڑی گرمی اور انتہائی والہانہ انداز میں اپنے بازوؤں میں جکڑ کر سینے کے ساتھ بھینچ لیا۔

''تمہارے بغیر میں خود وہاں اِک پل نہ گزار سکوں گا۔''

اس نے طوبیٰ کے لبوں کی لرزتی' کپکپاتی' تھرتھراتی پتیوں کو اپنے بھرے بھرے گرم ہونٹوں سے چھو لیا۔

یہ اس کی زندگی کا پہلا پیار تھا۔ اتنے عرصے سے وہ ایک دوسرے سے مل رہے تھے مگر اس کی گھٹی میں پڑی ہوئی حیا نے کبھی اسے طوبیٰ کے اتنا قریب نہیں ہونے دیا تھا۔

اور..... طوبیٰ' جو چار سال سے آذر کی محبت کے اس اظہار کی تمنائی تھی' اس عہد کی منتظر تھی' بے اختیار ہو اٹھی۔ ایک بار پھر پی آئی اے کی طرف سے اعلان ہوا۔

''اب مجھے یقین ہوا ہے کہ تم واپس آ جاؤ گے۔'' اس نے بھیگی بھیگی پلکیں جھپکتے ہوئے اور نیلی آنکھوں سے پیار کی مے چھلکاتے ہوئے مسکرا کر اسے دیکھا۔

''چار سال' پورے چار سال اس ایک لمحے کے لیے تم نے مجھے تڑپایا ہے اور یہ لمحہ' یہ لمحہ..... ہاں تم پاکستانی باوفا مرد ہو۔ اس لمحے کے ساتھ ضرور وفا کرو گے۔ مجھے یقین ہے آذر! مجھے یقین ہے۔ اب میں بڑے سکون اور بڑے صبر سے تمہارا انتظار کروں گی۔''

کس مشکل سے وہ طوبیٰ کو اپنے سے علیحدہ کر پایا تھا' یہ تو صرف یا اس کا دل جانتا تھا یا اس کے جذبے۔ آنکھیں میچے میچے اس نے اپنے ہونٹوں پر انگلیاں پھیریں جیسے اب بھی وہاں طوبیٰ کے نرم و نازک ہونٹ لرز رہے تھے۔

''پلیز!'' اک سریلی سی' نرم سی آواز اس کے کانوں میں اُتری تو اس نے چونک کر آنکھیں کھول دیں۔

چھوٹے سے ٹرے میں جانے کیا کیا لیے کھڑی اِک ایئر ہوسٹس اسے یوں آنکھیں بند کیے پڑا دیکھ رہی تھی اور مسکرا رہی تھی۔ گھبرا کر اس نے پھر اپنے ہونٹوں پر ہاتھ پھیرا جیسے طوبیٰ کے

ہونٹوں کے نشان اب بھی وہاں موجود تھے اور انہیں ہی دیکھ دیکھ کر وہ مسکرا رہی تھی۔

''لیجیے نا۔'' ہوا کی لہروں کی طرح مدھم سی آواز سرسرائی۔ اس نے سٹپٹا کر جلدی سے ٹرے میں سے اک مٹھی بھر لی۔

جانے کیا کیا تھا اس میں، یہ اس نے دیکھا ہی نہیں۔ وہ تو کسی مجرم کی طرح مسکراتی ہوئی ایئر ہوسٹس کو دیکھے جا رہا تھا جو اس کے جرم کو شاید عین موقع پر پکڑ چکی تھی۔

''کیا کسی ایسے عزیز دوست سے جدا ہوئے ہیں جو.....''

''نہیں، نہیں!'' اس نے گھبرا کر ایئر ہوسٹس کی بات پوری ہونے سے پہلے ہی اس کا جواب دے دیا۔ ''میں تو کسی کا عزیز دوست نہیں ہوں۔''

''عزیز دوست نہیں ہیں تو پھر بے درد دشمن ہوں گے۔''

ایئر ہوسٹس اس عجیب مگر دلچسپ اور معصوم مسافر کی گھبراہٹوں اور سٹپٹاہٹوں سے محظوظ ہوتے ہوئے، شوخی سے اس پر فقرہ کستے ہوئے دوسری طرف چلی گئی۔

''بیدرد دشمن..... بیدرد!'' یہ لفظ کتنے عرصہ بعد آج پھر اس کی سماعت سے ٹکرایا تھا۔ اتنا مانوس تھا وہ اس سے کہ اس کے ذہن میں اترتے ہی طوبیٰ کے معطر وجود کا لمس اس کے وجود سے علیحدہ ہٹ کر بیگانوں کی طرح پرے جا کھڑا ہوا۔

.....اور حال کی گزرگاہوں کے راہی کو صرف اس اک بیدرد سے لفظ نے انگلی سے پکڑے ہوئے ماضی کی وادیوں میں لے جا کر کھڑا کر دیا۔ وہاں طوبیٰ نہیں تھی۔ وہ سرزمین لبنان کی نہیں تھی۔ وہ پاکستان تھا.....اور پاکستان بیشک اس کا اپنا وطن تھا، مگر لبنان میں گزرنے والے پچھلے چار سال جیسا وہاں کچھ بھی نہیں تھا۔

نہ پیار تھا، نہ محبت، نہ خلوص، نہ اعتماد.....کچھ بھی تو نہیں تھا وہاں اس کے سب اپنے تھے۔ ماں باپ، بہن بھائی، دوسرے عزیز و اقارب.....مگر پھر بھی وہاں اس کے لیے کچھ نہیں تھا۔

.....لیکن وہ اس کا ماضی تھا، جو کبھی بھی اس سے جدا نہیں ہوسکتا تھا جس کی یادیں، تلخ، ترش ہی سہی، کبھی بھی اس سے علیحدہ نہیں ہوسکتی تھیں۔

''اماں! دیکھی آپ نے آذر کی حرکت۔ ہائے ہائے! یہ بے درد، یہ خاندان کی عزت کا دشمن کہاں سے ہمارے گھر میں پیدا ہو گیا۔''

''کیا ہوا بہو؟'' دادی اماں گھبرا کر برآمدے میں آ گئیں۔

''جا کر ذرا زلیخا کے گھر دیکھئے کیا تماشا ہو رہا ہے۔'' امی ہاتھوں میں سر تھامے تخت پر بیٹھی تھیں۔

''کیا ہو رہا ہے؟'' دادی اماں پریشانی سے پوچھنے لگیں۔

''رات جو آپ کے بیٹے کے ساتھ میرا ذرا سا جھگڑا ہو گیا تھا ناں وہ وہاں بیٹھا سب ان کے گوش گزار کر رہا ہے۔ اب کل ہی برادری میں پھیلی ہوئی افواہیں سنئے گا۔''

''تو بہو!'' دادی اماں قدرے نرم سی آواز میں بولیں ''میں نے کتنی بار تمہیں سمجھایا ہے کہ میاں بیوی میں کسی معاملے پر مخالفت ہو جایا کرے تو بچوں کے سامنے ہی جھگڑنا نہ شروع کر دیا کرو۔''

''پر اماں! میں تو سمجھی تھی بچے سو رہے ہیں۔''

''تمہیں جب غصہ آتا ہے تو پھر تمہیں کچھ اور سوجھتا بھی تو نہیں!'' دادی اماں قدرے اُلجھ کر بولیں ''جاگتے بچوں کو سویا ہوا سمجھ لیا ہو گا۔''

''اماں! پھر اسی کی طرفداری؟'' امی کا لہجہ بھی ترش ہو گیا۔

''چلو مانا بچے جاگ رہے تھے اور غصے میں مجھے پتہ نہیں چلا، مگر یہ بھی سوچئے..... دوسرے بچے بھی تو موجود تھے کسی نے کوئی بات کی کسی سے.....؟''

امی کا غصہ جوش میں آنے لگا۔

''خاور اور یاور بھی تو ہیں!''

''چھوٹا ہے سب سے' آہستہ آہستہ سمجھ جائے گا۔'' دادی اماں نے بات ختم کرنا چاہی۔

''چھوٹا ہے' چھوٹا ہے۔ یاور اور خاور بھی تو اس عمر سے گزرے تھے کیا مجال جو کبھی کوئی بات ہوئی ہو۔ مگر اس لڑکے نے تو حد ہی کر دی ہے۔ روز کوئی نہ کوئی فساد ہمارے لیے کھڑا کیا ہوتا ہے۔''

امی نے آخری داؤ لگایا۔ موٹے موٹے آنسو بہانے لگیں۔

''سارے خاندان میں تھو تھو ہو رہی ہے۔ کبھی ادھر سے شکایات آتی ہیں' تو کبھی ادھر سے آجاتی ہیں۔ کس کس کو منہ دکھاؤں اور کس کس سے منہ چھپاؤں۔''

''جب میں کوئی چوری کر کے یا کوئی جھوٹ ووٹ بول کر گھر میں آؤں گا تو امی! پھر منہ چھپائیے گا۔''

''اچھا تو تو نامراد! ہماری عزت کا دشمن! دروازے کے پیچھے کھڑا ساری باتیں سن رہا تھا۔''

امی کو اور کچھ نہ ملا تو پاس سے اس کی تختی اٹھا کر اسے مارنے کے لیے لپکیں۔

''سچی امی! چھپ کر نہیں وہاں کھلے دروازے کے درمیان میں کھڑا تھا۔ غصے میں آپ کو کچھ سوجھتا نہیں نا' تبھی میں بھی دکھائی نہیں دیا۔''

آذر ہنس کر بھاگ گیا۔ امی تختی وہیں پھینک دادی اماں کے پاس جا کھڑی ہوئیں۔

''سن لیا نا اماں! آپ والا ہی الزام وہ بھی مجھ پر لگا گیا ہے کہ غصے میں مجھے کچھ سوجھتا نہیں۔'' وہ پھر رونے لگیں۔

''اب دیکھ لیجیے گا کل ساری برادری میں میرے غصے کے چرچے ہوں گے۔''

''ہائے بہو! میرا کہنے کا یہ مطلب تو نہیں تھا کہ تمہیں خاندان میں بدنام کروں۔''

''آپ کا نہیں تھا' مگر میرے اپنے پیٹ سے جو میرا دشمن پیدا ہو چکا ہے' وہ تو اب یہی کرے گا۔''

''کرے تو سہی ایسی بات!'' دادی اماں تسلیاں دینے لگیں ''اس کے باپ سے اسے جوتے لگواؤں گی۔ بس تم چپ ہو جاؤ۔''

''میں تو چپ ہو جاؤں گی مگر اماں! کوئی اس لڑکے کی زبان پر بھی تو پھندا ڈالے۔'' امی غصے میں، جوش میں، بآواز بلند اسے بے بھاؤ کی سنانے لگیں۔

''ارے! ارے کیا بات ہے؟ یہ ایسی فصیح و بلیغ زبان کس کی نذر کی جا رہی ہے؟'' ابا ہنستے ہوئے اندر داخل ہوئے۔

''آپ بھی خوش ہو جائیے!'' امی نے تیکھے تیوروں سے شوہر کے ہنستے چہرے کا استقبال کیا۔ سب سے چھوٹی اولاد سب سے زیادہ عزت کروا.....''

''بیگم! بیگم!!'' ابا نے گھبرا گھبرا کر پیچھے دیکھتے ہوئے امی کی بات کاٹ دی۔

''جو کچھ کہنا ہے ذرا سوچ کر کہو۔ ہمارے ساتھ آج ہمارے ہم زلف بھی ہیں۔''

''حبیب بھی آیا ہے؟''

''ہاں!''

''تو باہر کیوں کھڑا ہے؟ اندر آ جائے نا۔'' امی کا موڈ ابھی تک ویسا ہی تھا۔ ''اس کے سامنے ہی آج ساری بات ہو گی۔ آذر کو سر پر چڑھانے میں اس کا بھی بڑا ہاتھ ہے۔''

''چلو جی آ جاؤ حبیب میاں تم بھی۔ دونوں اکٹھے ہی پیشی بھگت لیں۔'' ابا نے ہنستے ہوئے بلند آواز اور خوشگوار لہجے میں پکارا۔

امی اُٹھ کر جلدی جلدی جا بے جا بکھری چیزوں کو سمیٹنے لگیں۔

''السلام علیکم!'' حبیب اندر آ گئے ''آپا! مزاج تو اچھے ہیں؟''

''چہرے سے ہی دکھائی نہیں دے رہا کہ بڑی اچھی طرح برہم ہیں۔''

ابا فضا درست کرنے کے لیے پھر خوش مزاجی سے بولے۔

''باتیں بنائیے جائیے، بات معلوم ہونے پر آپ کا چہرہ بھی دیکھ لوں گی کہ کتنا اچھی طرح برہم ہوتا ہے۔''

''اوہو! آخر ایسی کون سی بہت بڑی بات ہو گئی آپا؟''

''دیکھو حبیب! گھر میں کئی بار میاں بیوی میں جھگڑا وگڑا ہو ہی جاتا ہے۔''

''ہاں! وہ تو درست ہے!!'' حبیب نے ان کی ہاں میں ہاں ملائی۔

''رات ہم نے ذرا گھر کو اکھاڑا بنالیا تھا حبیب میاں!'' ابا پھر امی کا غصہ دھیما کرنے کے لیے ہنس کر بولے۔

''آپ چپ رہیے' ہر بات میں مذاق!'' امی نے ابا کو بھی ڈانٹ دیا اور خود پھر بہنوئی سے مخاطب ہوگئیں۔

''ہاں تو حبیب! میں نے سمجھا بچے سوئے ہوئے ہیں۔''

''اس لیے انہوں نے سوچا شاید پھر موقع نہ ملے۔ دل کے حوصلے نکال ہی لیں۔'' ابا زیر لب مسکراتے ہوئے پھر بولے اور اب امی کو کہنے کے بجائے گھور کر انہیں دیکھتے ہوئے حبیب کی طرف متوجہ رہیں۔

''خیر حبیب! جو کچھ ہوا میں یہ کہہ رہی تھی کہ گھروں میں ایسا ہو ہی جایا کرتا ہے اور یہ جو آذر ہے نا یہ کہیں جاگ رہا تھا۔ بھیگی بلی بنا پڑا رہا اور سب کچھ سنتا رہا اور اب.....''

''اب کیا ہوا؟'' ابا کے چہرے سے تبسم رخصت ہوگیا۔ انتہائی تردد سے پوچھنے لگے۔

''ابھی تھوڑی دیر پہلے میں سویٹر کا نمونہ لینے کے لیے زلیخا کی طرف گئی تو برآمدے میں ہی مجھے اندر سے ہنسی قہقہوں کی آواز سنائی دی۔ میں ٹھٹک گئی کہ شاید کوئی مہمان وغیرہ آئے ہیں۔ یہ سوچ کر واپس آنے لگی تھی کہ آذر کی آواز کان میں پڑی۔ میں نے اسے سودا لینے بھیجا تھا اور یہ یہاں پھوپھی کے گھر میں گھسا بیٹھا تھا۔ میں اسے بلانے کے لیے اندر جانے لگی تو.....''

امی چپ سی ہوگئیں۔ چہرہ سرخ ہو رہا تھا۔

''تو کیا؟'' ابا نے غور سے ان کے چہرے کی طرف دیکھا۔ امی سر جھکا کر مزید سرخ ہوتے ہوئے مدھم سی آواز میں بولیں۔

''آذر رات والا ہمارا پورا جھگڑا آپ کی اور میری اداکاری اور صداکاری کے ساتھ پوری تفصیل سے سنا رہا تھا۔ کتنی ہی دیر میں سُن کھڑی سنتی رہی۔ زلیخا' اس کی بیٹیاں اور بیٹے سب اس کے اردگرد بیٹھے ہنس رہے تھے اور یہ بھونکے جا رہا تھا۔ اب کل کو دیکھئے گا' کیسی باتیں بنتی ہیں۔''

امی پھر اپنی بھیگی آنکھیں پلو سے صاف کرنے لگیں۔ ابا دم بخود بیٹھے تھے۔

''یہ تو بہت بری حرکت کی اس نے۔'' حبیب مدھم سی آواز میں بڑبڑائے۔

''حبیب! ایک ایک بات' اس نے انہیں بتائی ہے۔ ایک ایک فقرہ' ایک ایک لفظ۔ اس کمبخت کا حافظہ اتنا تیز ہے کہ..... کہ''

امی اک لمحے کے لیے خاموش سی ہوگئیں' پھر ہولے سے بولیں:

''گھر کی چار دیواری کے اندر کیا کچھ نہیں ہو جاتا حبیب!''

''ہمارے جھگڑے میں جو دوسروں کا ذکر آیا کیا وہ بھی سب بتا آیا ہے؟'' ابا نے بے حد پریشانی سے پوچھا۔

''سب..... خاور کے ابا! سب کچھ.....'' پھر وہ اور زور زور سے رونے لگیں۔ ''اسی لیے تو مجھے اتنا رونا آرہا ہے۔''

''آذر!'' ابا شعلے کی طرح بھڑک کر اُٹھ کھڑے ہوئے۔ ''کہاں ہے وہ خبیث اس وقت؟'' لال لال آنکھیں کر کے امی سے پوچھنے لگے۔

''ہوگا کہیں اندر کمرے میں۔'' وہ آنسو پونچھتے ہوئے بیزاری سے بولیں۔

''چل بیٹے! بچہ ہے سمجھ جائے گا۔'' کسی آنے والے طوفان کو محسوس کرتے ہوئے پرلے کونے میں تخت پر بیٹھی دادی اماں نے پیش بندی کے طور پر کہا۔

مگر ابا نے ماں کی بھی نہیں سنی۔ آذر نے حرکت بھی تو ایسی کی تھی۔ جھگڑا بیشک میاں بیوی کا آپس میں ہوا تھا' مگر اس میں خاندان کے تقریباً ہر فرد کا نام اور ذکر آیا تھا اور ذکر کیسے اور کن الفاظ میں ہوا تھا' یہ ان دونوں کے علاوہ کسی اور کو معلوم بھی نہیں ہونا چاہیے تھا۔ بڑی بری بات ہوگئی تھی۔

''آذر! آذر!!'' ابا کی کڑک چار محلوں نے سنی ہوگی' پھر بھلا گھر کے ہی کسی کونے میں چھپے آذر کے کانوں تک کیسے نہ پہنچتی؟

''بیٹے! وہ گھر میں نہیں ہے۔'' دادی اماں نے اس کے بچاؤ کی خاطر جلدی سے بات بنائی۔ ''شاید سلیم کے گھر گیا ہے۔''

"نہیں دادی اماں! میں یہاں ہوں۔"

آذر کی سہمی سہمی سی آواز آئی۔ ساتھ ہی وہ خود بھی ہولے ہولے قدموں سے چلتا ہوا باپ کے قریب آن کھڑا ہوا۔

"میری آواز سنی تھی؟" ابا نے اس کا کان پکڑ لیا۔

"جی ہاں۔"

"پھر جواب کیوں نہیں دیا تھا؟"

"آپ سے ڈر لگ رہا تھا۔"

"ڈر لگ رہا تھا تو پھر کیوں بولے تھے؟" دادی اماں نے غصے سے اس کی طرف دیکھا۔

"بھلا وہیں چھپے رہتے" وہ ہمدردی سے اسے گھورتے ہوئے بڑبڑائیں۔

"آپ نے جو کہہ دیا تھا کہ گھر میں نہیں ہوں اور سلیم کے گھر گیا ہوں۔ یہ بات غلط تھی۔ سچائی کے لیے مجھے بولنا پڑا۔"

"تو پھر سچائی کے لیے اب کھاؤ مار بھی....." دادی اماں نے ہاتھوں میں سر تھام لیا۔

"میں نے تمہیں ہی پٹائی سے بچانے کی خاطر جھوٹ گھڑا تھا۔"

"اچھا پھر بیٹے صاحب! اب ذرا وہ سب کچھ ہمیں بھی بتاؤ نا جو آج تم نے کیا ہے۔ کیا گھر کی باتیں یوں دوسروں کو سنایا کرتے ہیں؟"

ابا کو جتنا غصہ تھا' اس ایک تھپڑ میں ہی نکال دینا چاہا جو اس کے رُخسار پر انہوں نے جڑا تھا۔ مگر نکلا نہیں شاید۔ دوسرا تانتے ہوئے پھر گرجے "بتا..... یہ حرکت تو نے کیوں کی؟"

"آپ کی اور امی کی آواز پھوپھو نے رات ہی کو سن لی تھی۔ میں ادھر سے گزرا تو انہوں نے خود بلا کر پوچھا تھا کہ کیا ہوا؟"

"اور تم نے سب کچھ بتا دیا؟"

دوسرا تھپڑ پہلے سے بھی زیادہ آواز دار اور زوردار تھا۔

"ایمان سے ابا جی! انہوں نے پوچھا تھا۔ دو تین بار پوچھا تھا۔ کہتی تھیں ساری بات بتاؤ۔"

''وہ پوچھتی رہیں اور تم بتاتے رہے؟''

''جی ہاں!'' وہ تھپڑوں کی چوٹ کھائے سرخ رُخسار پر ہاتھ پھیرتے ہوئے سر جھکا کر آہستہ سے بھرائی ہوئی آواز میں بولا۔

''جی ہاں'' ابا نے دانت کچکچائے۔ ''کبھی گھر کی باتیں بھی بتایا کرتے ہیں اور یوں تفصیل سے اور سچی سچی۔ اگر انہوں نے آواز سن لی تھی تو تم کچھ اور اپنے پاس سے گھڑ کر بتا دیتے۔ اب تم اتنے بھی ناسمجھ نہیں ہو۔''

''مگر ابا جی! ماسٹر صاحب بھی کہتے ہیں ہمیشہ سچ بولا کرو اور کتابوں میں بھی میں یہی پڑھتا ہوں۔ پھر میں جھوٹ کیسے بول دیتا؟''

''سچ کا پتر..... سچ بولنے چلا تھا۔''

ابا نے دو اور لگا دیں اور جانے ان کا کیا ارادہ تھا۔ اس کی دل کھول کر مرمت کرنے کا یا پھر کوئی اور سزا دینے کا۔ اردگرد کچھ تلاش کرنے کے لیے نگاہیں دوڑائیں۔

''پہلے بھی تمہاری دو چار ایسی سچائیاں ہم بھگت چکے ہیں اور آج تو بیٹے جی تمہاری ساری سچائیاں نکال کر ہی چھوڑوں گا۔''

آذر تھر تھر کانپ رہا تھا اور رو رہا تھا۔ حبیب چپ چاپ بیٹھے سب کچھ دیکھ رہے تھے۔ امی نے اِک نگاہ اٹھا کر اس کے تھر تھر کانپتے وجود کی طرف دیکھا' مگر ان کی ممتا بھی تڑپی نہیں کہ ابا سے چھڑانے کی کوئی کوشش کرتیں۔ آج والی اس کی حرکت کا غصہ اتنا شدید تھا کہ وہ ان کی ممتا پر بھی غالب آ گیا تھا۔ الٹی شوہر کو اور شہ دی۔

''آج تو اس کی ایسی پٹائی ہونی چاہیے کہ اسے زندگی بھر یاد رہے ورنہ یہ بیدرد' گھر کی عزت کا دشمن کل کلاں کو پھر کوئی حرکت کر بیٹھے گا۔''

''آپا! آپ ماں ہو کر اتنی بیدرد تو نہ بنئے!!''

حبیب اب مزید صبر نہ کر سکے۔ بڑی سالی تھی۔ بہت عزت کرتے تھے۔ اس لیے زیادہ کچھ نہ کہہ سکے۔ صرف ذرا سی خشمگیں نگاہوں سے انہیں دیکھنے کے بعد اُٹھ کر آذر کا بازو پکڑا اور اسے کھینچ کر اپنے قریب کر لیا۔

اتنی دیر میں ابا نے جانے کہاں سے یہ موٹا سا ڈنڈا حاصل کر لیا تھا۔ دُور سے ہی تانتے ہوئے اس کی طرف لپکے۔

''جانے دیجیے بھائی صاحب! آئندہ ایسی حرکت نہیں کرے گا۔''

''خالو جان! خالو جان!!'' آذر ہچکیاں لیتے ہوئے بولا ''اباجی کو کہیے پھوپھو کو منع کر دیں مجھ سے آئندہ کچھ نہ پوچھیں۔ پھر میں جھوٹ نہیں بول سکتا خالو جان۔ جو جھوٹ بولتا ہے وہ دوزخ میں جاتا ہے نا اور میں دوزخ میں نہیں جانا چاہتا۔ دوزخ کی آگ مجھے جلا ڈالے گی۔''

''نہیں بیٹے! نہیں!!'' حبیب نے اس کے ہچکولے کھاتے وجود کو بازوؤں میں بھر لیا۔ ''ہم اپنے بیٹے کو بھلا کبھی دوزخ میں جانے دیں گے۔ ہمارا بیٹا سدا سچا اور کھرا رہے گا۔ جنت میں جائے گا سیدھا۔'' ساتھ ہی انہوں نے آنکھ سے ہم زلف کو ڈنڈا پرے کر لینے کا اشارہ کیا۔ حبیب کی اس گھر میں سبھی بہت عزت کرتے تھے۔ آذر کے والد بڑے تھے لیکن پھر بھی حبیب کا احترام ان کے دل میں کسی بزرگ کی طرح تھا۔ ڈنڈا تخت کے نیچے ڈالتے ہوئے چپ چاپ بیٹھ گئے۔

آذر کے آنسو صاف کر کے اور اسے پیار کرتے ہوئے حبیب یکا یک اُٹھ کھڑے ہوئے۔

''ارے حبیب! تم کیوں اُٹھ پڑے' بیٹھو!!'' امی جلدی سے بولیں۔

''ابھی چائے بنواتی ہوں۔ اس جھمیلے میں کچھ سوجھا ہی نہیں۔''

''نہیں آپا! اس وقت چائے پینے کو بالکل دل نہیں چاہ رہا۔ پھر کبھی سہی۔''

''لیکن تم چلے کہاں؟''

''گھر..... صبح کا نکلا ہوا ہوں۔ اب ذرا آرام کروں۔'' پھر وہ مڑ کر آذر سے مخاطب ہو گئے۔

''چلو بیٹے! جلدی سے ہاتھ منہ دھو آؤ اور چلو میرے ساتھ۔''

''نہیں! یہ نہیں جائے گا۔'' امی کا لہجہ پھر سنگین ہو گیا۔

''کیوں؟'' حبیب نے حیرت سے انہیں گھورا۔

''ابھی اس کی سزا کب پوری ہوئی ہے۔''

''جانے بھی دیجیے آپا' بچہ ہے۔''

''لیکن ایسا غلط بچہ اک یہی پوری دنیا میں ہوگا۔''

''چلیے انفرادیت تو ہے نا آپ کے گھر میں۔'' بات رفع دفع کرنے کی خاطر حبیب خوش مزاجی سے بولے۔

''چلو آؤ آذر بیٹے!''

اور آذر اجازت طلب نگاہوں سے روٹھی روٹھی اور غصے میں بھری بیٹھی ماں کو دیکھنے لگا۔

''اجازت دے دیجیے نا آپا! ابھی گھنٹے تک واپس آجائے گا۔ وہاں امید اس کا انتظار کررہی ہوگی۔''

''اب تو مجھے اسے کہیں بھی بھیجتے ہوئے خوف آنے لگا ہے۔ وہاں بھی جاکر جانے کیا کیا بکواس کرتا رہتا ہے۔''

''وہاں تو یہ صرف امید سے کھیلتا ہے۔''

''امید کا حوالہ دیا ہے بھیا تو اجازت دے دوں گی' ورنہ یہ.....''

امی نے پھر غصیلی نگاہوں سے اسے دیکھا۔ ''اسے تو میرا جی چاہتا ہے آٹھ دس دن کے لیے کسی کال کوٹھڑی میں بند کردوں۔''

''ساری فضا اس سور کے بچے نے خراب کردی۔'' اب ابا پھنکارے۔

''ورنہ تو حبیب میاں اک ضروری بات کے لیے تمہیں ساتھ لایا تھا۔''

''اگر بہت ضروری ہے تو رُک جاتا ہوں' ورنہ پھر کل سہی۔''

''ہاں کل سہی۔ اب میرا موڈ بھی نہیں رہا۔''

''اچھا پھر خدا حافظ۔'' حبیب نے آذر کا بازو تھاما اور چل پڑے۔

''اوئے بدتمیز کی اولاد! اپنا حلیہ تو درست کرلے۔'' ابا نے جاتے جاتے آذر کا آنسوؤں سے بھرا میلا کچیلا چہرہ دیکھ لیا تھا۔ ''بازار سے اس حالت میں گزرے گا۔ ہماری بھی کوئی عزت ہے جن کے پہلو سے لپٹے چلے جارہے ہو' ان کی بھی کوئی عزت ہے۔''

''مجھے دیر ہورہی ہے بھائی صاحب۔ وہیں جاکر دھولے گا۔''

حبیب اسے اپنے بازوؤں میں سمیٹے جیسے اپنی پناہ میں محفوظ کیے جلدی سے نکلے چلے گئے۔

ایک ڈیڑھ فرلانگ کے فاصلے پر ان کا گھر تھا۔ آہستہ آہستہ قدم قدم چلتے ہوئے وہ اسے چھوٹی چھوٹی نصیحتیں ہی کرتے رہے۔

''آج جو کچھ ہوا درست بھی نہیں ہوا لیکن آذر بیٹے! تمہاری یہ سچ بولنے والی عادت مجھے بہت بھلی لگی۔ بیٹے! کچھ بھی ہو سر پر سے طوفان گزر جائے' مگر ہمیشہ سچائی کا دامن تھامے رہنا۔ اللہ تمہارے ساتھ ہوگا۔''

''مگر خالو جان! امی اور ابا جی مجھے بیدرد اور دشمن اور نجانے کیا کیا کچھ کہتے ہیں۔'' خالو کو اپنا ہمدرد پا کر اس نے ایک معصوم سی شکایت کر ڈالی۔

''اک سچا بے درد جھوٹے دردمند سے بہت بہتر ہوتا ہے۔ اور اک سچا دشمن جھوٹے دوست سے بھی بہت بہتر ہوتا ہے بیٹے۔'' حبیب مسکرا دیئے۔

''ایسے ایسے خطابات سے گھبرانے کی ضرورت نہیں اور نہ ہی برا منانے والی بات ہے۔''

''خاور بھائی جان' یاور بھیا' رومانہ آپا اور نغمی بھی مجھے اکثر یہی سب کچھ کہہ کر چھیڑتے ہیں۔

''پیار سے کہتے ہیں سب!'' حبیب نے اس کے سر پر ہاتھ پھیرا۔ ''پیار سے کوئی کچھ بھی کہہ دے برا نہیں منایا کرتے۔''

اور خالو کی تسلی نے اس کے دل کی گرتی چھت تلے جیسے کئی مضبوط سے ستون کھڑے کر دیئے۔ بہتے آنسو یکا یک ہی تھم گئے۔

''خالو جان! امید سچ مچ میرا انتظار کر رہی ہے؟ اس نے مجھے بلایا تھا؟''

''ہاں بیٹے! تمہیں سچ بولنے پر شاباش دوں گا اور خود جھوٹ بولوں گا؟'' ''نہیں بیٹے! نہیں!! خود میں نے بھی ہمیشہ جھوٹ سے نفرت کی ہے اور تمہاری طرح سچ کی راہ پر چلا ہوں..... اور.....''

''اور کیا خالو جان؟''

''اور تکلیفیں بھی بہت اٹھائی ہیں.....لیکن پھر بھی۔''

''تکلیفیں.....؟ کون سی تکلیفیں خالو جان؟''

''اوہ! نہیں.....کچھ نہیں'' وہ چونکے۔ دس گیارہ سال کے بچے سے وہ کیسی تکلیفوں کی باتیں کیے جا رہے تھے۔ یہ سب تو زندگی کا گزرنے والا اک اک لمحہ خود ہی اسے سکھائے جا رہا تھا۔ اسے بتائے جا رہا تھا۔ پھر انہیں بھلا بچے کے سامنے نیکی کے سبق کے ساتھ تکالیف کا ذکر کرنا چاہیے تھا؟ اس طرح تو وہ اس راہ سے خائف ہو سکتا تھا۔

''لو.....!'' اس سوچ کے ساتھ نگاہ اٹھائی تو سامنے گھر آ گیا۔ وہ جلدی سے بول پڑے ''امید تو انتظار ہی میں بیٹھی ہے شاید۔''

''آہا.....آذر آ گیا۔''

''آ گیا نہیں بیٹے! تمیز سے بات کرتے ہیں۔ کہو بھائی جان آ گئے۔''

ابو کی بات پتہ نہیں اس نے سن کر ان سنی کر دی یا سنی ہی نہیں۔ ان کی طرف کوئی بھی توجہ دیئے بغیر وہ بھاگ کر آذر سے لپٹ گئی۔

''کل کہانی ادھوری چھوڑ کر چلے گئے تھے۔''

''باقی آدھی سنانے کے لیے آ تو گیا ہوں!'' آذر نے بڑے دلار سے جواب دیا۔

سارے خاندان کے بچوں میں سے وہ اسے سب سے زیادہ اچھی لگا کرتی تھی۔ پھولے پھولے گالوں والی سفید سفید سی' گلابی گلابی سی۔ سیاہ آنکھیں اتنی روشن تھیں جیسے دو ستارے جگمگ جگمگ کر رہے ہوں۔ باتیں کرنے کا انداز اتنا معصوم اور بھولا بھالا تھا کہ اس کا جی چاہا کرتا تھا وہ باتیں کیے جائے اور وہ سنتا رہے۔

''اپنے آپ تو نہیں آئے نا۔ میں نے ہی بلایا ہے نا'' وہ اپنے اسی معصوم اور بھولے بھالے انداز میں بولے گئی۔ ''تین چار پانچ گھنٹوں سے یہاں برآمدے کی سیڑھیوں میں بیٹھی تمہارا انتظار کر رہی ہوں۔'' انہیں باتیں کرتا دیکھ کر حبیب اندر بڑھے چلے گئے۔

''میں جلدی کیسے آتا میری تو پٹائی ہو رہی تھی۔''

''تمہاری؟ کس سے؟'' امید نے بڑی ہمدردی سے اسے دیکھا۔

''امی اور ابا جی سے۔''

''کیوں؟''

''میں نے سچ بولا تھا۔''

''آہاہا.....کیسا جھوٹ بول رہے ہو کہ سچ بولا تھا اور پٹائی ہو گئی۔''

امید نے اپنے ہی جتنا اک منا سا قہقہہ لگایا۔

''تم مجھے جھوٹا سمجھتی ہو؟'' اسے امید کی اس الزام تراشی پر غصہ آ گیا۔ ''جاؤ تم سے بھی کٹی!'' آذر گھر کے اندر جاتے ہوئے بولا۔

''اب میں نہ تمہیں کوئی کہانی سناؤں گا اور نہ ہی جب کبھی خالہ جان سے تمہاری پٹائی ہوا کرے گی تو چھڑایا کروں گا۔''

''نہ چھڑایا کرنا۔'' امید بھی اس کے پیچھے پیچھے چلی۔ ''میرے ابو چھڑالیا کریں گے۔''

''ہونہہ!'' آذر نے رُک کر اس کا منہ چڑایا۔ ''ابو چھڑالیا کریں گے۔'' ساتھ ہی بڑے طنز سے اک قہقہہ بلند کرتے ہوئے اس کے کان کے قریب منہ لے جا کر سرگوشی کے سے انداز میں بولا:

''تمہیں تمہارے ابو کیسے چھڑائیں گے۔ خالہ جان کے سامنے تو خود ان کی گھگی بندھی ہوتی ہے۔ بات کرنے کی ان میں ہمت نہیں ہوتی۔ چھڑائیں گے تمہیں کیسے؟'' آذر ہنستا ہی چلا گیا۔

''آذر کا بچہ!'' امید بڑبڑائی۔ ''سچ مچ تم کسی کی دوستی کے قابل نہیں۔ تم دشمن ہو سب کے.....تم بیدرد ہو.....تم ظالم ہو۔''

آذر کی امی بیٹے کو جو جو کچھ کہا کرتی تھیں، وہی سب امید کہے گئی۔ آذر ہنستا ہی جا رہا تھا۔ اسے اور غصہ آ گیا۔ ہاتھ میں پکڑی اک سوکھی ٹہنی آذر کو کھینچ ماری۔ سفید چہرہ غصے میں لال بھبوکا ہو گیا۔

''اچھا ہوا تمہیں خالو جان نے مارا۔ تھوڑی سی مار اور پڑ جاتی تو اور بھی اچھا تھا۔''

ابو کی امی سے ڈرنے والی بات گو سچی ہی تھی مگر اسے اس قدر غصہ آ گیا تھا کہ جی چاہ

رہا تھا آذر کی تکا بوٹی کر دے۔ جب بھی آتا تھا' کوئی نہ کوئی ایسی بات کر کے دل ضرور جلا دیتا تھا۔

''چلے جاؤ ہمارے گھر سے!'' وہ غصے سے پھنکاری۔

''میں خود سے نہیں آیا' تم نے بلایا تھا۔''

''کوئی نہیں! میں نے تمہیں بالکل نہیں بلایا۔''

''ابھی کچھ دیر پہلے تو کہہ رہی تھیں کہ تمہارے بلانے ہی پر آیا ہوں اور اب جھوٹ بولنے لگیں۔''

''ہاں بس! جھوٹ بولوں یا سچ..... تمہیں کیا؟''

''مجھے یہ ہے کہ جھوٹ بولو گی تو دوزخ میں جاؤ گی' پھر وہاں کی آگ میں جب جلو گی تو چیخ چیخ کر مجھے بلانا بھی مت۔ جنت کے ایئر کنڈیشنڈ کمرے چھوڑ کر مجھ سے دوزخ کی گرمی میں تمہیں چھڑانے کے لیے شاید نہ آیا جائے اور تم وہاں پڑی جلتی رہو۔''

''اے ہے بڑے آئے جنت میں جانے والے۔ سب سے پہلے دوزخ میں تم ہی جاؤ گے۔''

''کیوں؟ میں کیوں سب سے پہلے دوزخ میں جاؤں گا۔ میں نے تو کبھی جھوٹ نہیں بولا۔''

''جھوٹ کبھی نہیں بولا' مگر سچ بول بول کر بھی تو ہر جگہ فساد ڈلواتے رہتے ہو۔ سارے خاندان میں جھگڑے کراتے ہو۔ خالہ جان ٹھیک کہتی ہیں کہ تم فساد کی جڑ ہو۔''

''دیکھ..... دیکھ امید! چپ ہو جا۔ میں ہمیشہ تمہارا بہت لحاظ کرتا ہوں۔''

''آذر..... آذر بیٹے!''

''جی خالہ جان؟'' امید کی امی کی آواز سن کر وہ اپنا جھگڑا بھول بھال کر اندر کی طرف لپکا۔

''آداب خالہ جان۔''

''جیتے رہو! نیک نصیب ہوں' کب آئے؟''

''ابھی ابھی۔''

''مجھے تو تمہارے خالو سے پتہ چلا.....کہاں تھے؟''

''وہ..... باہر امید کے پاس۔''

''امید باہر ہے' کیا کر رہی ہے؟''

''کرنا کیا ہے۔ میرے ساتھ جھگڑا کر رہی تھی۔''

''تمہارے ساتھ؟ کیوں؟''

''کہتی ہے میں فساد کی جڑ ہوں۔ خاندان میں جھگڑے کرواتا ہوں اور نکل جاؤں اس کے گھر سے ابھی ابھی۔'' آذر نے مختصراً سارا جھگڑا بتا دیا۔

''امید.....او امید!'' آذر کی توقع کے خلاف وہ یکدم ہی گرج اٹھیں۔

''کہاں ہو؟ ادھر آؤ!!''

''نہیں خالہ جان! اسے کچھ نہ کہیں۔ میں نے بھی اسے ہر بات کا جواب دے دیا تھا۔''

''نہیں! وہ بہت بدتمیز ہوتی جا رہی ہے.....او امید!!''

''جی امی؟'' امید کا سہما سہما سا وجود کمرے کے دروازے میں کسی آرائشی مجسّمے کی طرح آن سجا۔

''ادھر آؤ!''

وہ چپ چاپ ان کے قریب چلی آئی۔

''ابھی بھائی کو کیا کہہ رہی تھیں؟''

''کچھ نہیں!'' امید ہکلائی..... گھبرائی.....پھر یکا یک جانے کیا ذہن میں آیا رو رو کر اپنی زیادتی کا اعتراف کرنے لگی۔ ''میں نے آذر کو جھوٹا کہا تھا تبھی ہمارا جھگڑا ہو گیا۔''

''کیسے دیدہ دلیری سے کہہ رہی ہے۔'' انہوں نے اس کے پھول ایسے کومل سے رُخسار پر دو تین چانٹے رسید کر دیئے۔ ''بڑا بھائی ہے۔ ذرا خیال نہیں آتا؟''

''نہیں' نہیں خالہ جان!'' وہ تڑپ کر امید اور خالہ کے درمیان آن کھڑا ہوا۔ ''اس کے سچ کو دیدہ دلیری تو نہ کہیئے۔''

''بیدرد! پہلے خود ہی پٹائی کرائی ہے اور اب چھڑانے لگا ہے۔ اللہ کرے آذر تو مر جائے اور پھر دوزخ میں چلا جائے۔''

''پھر وہی بدتمیزی! بڑے بھائی کے ساتھ بات کرنے کا یہی طریقہ ہے کیا؟ اتنی بڑی لوٹھا کی لوٹھا ہوگئی لیکن بات کرنے کی تمیز ابھی تک نہیں آئی۔'' امید کی امی اب اسے ڈانٹنے لگیں۔

''اسے تو جیسے بہت ہے نا۔'' وہ روتے ہوئے، سسکتے ہوئے آذر کی طرف دیکھ کر پھر بڑبڑائی۔

''پھر.....؟ پھر بدتمیزی؟'' انہوں نے شاید اس کی بڑبڑاہٹ سن لی تھی۔

آذر بیچ بچاؤ کراتا ہی رہا، مگر انہوں نے امید کو پکڑ کر پھر دو تین لگا دیں۔ اور.....آذر کی طرف اٹھنے والی امید کی نگاہوں میں بیدرد لفظ اپنی پوری معنویت کے ساتھ اب بھی موجود تو ضرور تھا، لیکن ماں کے خوف سے زبان بند تھی۔

''آذر!''

''جی امی؟''

''بیٹے! تیرا نتیجہ کب آ رہا ہے؟''

''کب آ رہا ہے کیا..... آ گیا۔'' خاور بھائی باہر سے ہنستے ہوئے اندر آئے۔

''امی! اس نے تو اچھی بھلی پوزیشن لے لی۔ بورڈ میں تیسرے نمبر پر آیا ہے۔''

''کیا؟'' امی جوشِ مسرت سے بوکھلا کر کھڑی ہو گئیں۔

''ہاں امی..... اخبار والے اس کی تصویر اور انٹرویو لینے آئے ہیں۔''

''سچ کہہ رہے ہو خاور؟''

''جی امی! بالکل سچ۔'' پھر وہ آذر سے مخاطب ہوا۔

''ارے جاؤ نا ڈرائنگ روم کھول کر انہیں بٹھاؤ۔ کیسے ہونقوں کی طرح کھڑا میرا منہ دیکھے جا رہا ہے۔''

''اسی لیے تو حیران ہوں کہ اس نے کیسے پوزیشن لے لی۔'' امی نے پھر بے یقینی سے خاور کی طرف دیکھا۔

''امی آذر کی قسم کے بیدرد اور مفسد انسان ہمیشہ ذہین ہوتے ہیں۔ یہ آپ کو معلوم ہونا چاہیے نا۔''

آذر نے کمرے سے نکلتے نکلتے بھائی کا یہ فقرہ سنا۔ اسے بے اختیار ہنسی آ گئی۔ اس کی

تعریف بھی کس انداز میں کی جارہی تھی۔ سارے ہی گھر کے لوگ اسے ایسا سمجھتے تھے حالانکہ اس نے ہمیشہ جھوٹ سے' غلط بیانی سے اجتناب کیا تھا۔ اس کی عادات بھی بری نہیں تھیں نہ کسی کو کبھی کوئی تکلیف دی نہ کسی پر کبھی کوئی ظلم وزیادتی کی..... پھر بھی..... پھر بھی!!

شاید اس لیے کہ وہ تین بھائی اور دو بہنیں تھے۔ وہ آخری اولاد تھا۔ پانچواں بچہ۔ اس تک اولاد کی چاہت اور اہمیت ختم ہو چکی تھی..... ہاں..... یقیناً یہی وجہ تھی۔

اسے یاد آیا..... وہ بہت چھوٹا تھا جب خاور نے میٹرک کیا تھا۔ امی ابا خوشی سے سرخ ہوئے پھر رہے تھے۔ پہلے بچے نے دسویں پاس کی تھی۔ سیکنڈ ڈویژن لی تھی تو کیا ہوا' کامیاب تو ہو ہی گیا تھا۔ کالج تو چلا ہی گیا تھا۔

سارے خاندان میں مٹھائی تقسیم ہوئی تھی۔ پہلے بچے کی کامیابی تھی' سب ملنے جلنے والوں اور عزیز واقارب نے خاور کو تحفوں سے لاد دیا تھا۔ امی ابا کی جھولیاں مبارکوں سے بھر دی تھیں۔ کئی دن ان کے گھر میں اِک شادی کا سا سماں رہا تھا۔

.....اور یہی سب کچھ دیکھ کر اس نے دل میں عہد کر لیا تھا کہ وہ ہمیشہ دل لگا کر پڑھے گا۔ خاور بھائی سے بھی زیادہ اچھی دسویں کے امتحان میں کامیابی حاصل کرے گا۔ پھر اس کے لیے بھی یہی سب کچھ' بلکہ اس سے بھی زیادہ ہو گا۔

مگر اخبار میں اس کی تصویر چھپی..... نام چھپا..... اس کی اس شاندار کامیابی پر تحسین و آفرین کی تحریریں شائع ہوئیں..... لیکن اگر کوئی توجہ نہیں دی تو وہ گھر والے تھے۔

یاور نے بھی تو فرسٹ ڈویژن لی تھی۔ رومانہ نے بھی تو ہائی سیکنڈ ڈویژن لی تھی۔ صرف دس نمبروں سے ہی فرسٹ ڈویژن رہ گئی تھی نا..... اور آذر نے اگر فرسٹ ڈویژن لے لی تو کیا ہوا۔ یہ سب کا متفقہ فیصلہ تھا۔ بورڈ میں تیسرے نمبر پر آنے والا معرکہ آہستہ آہستہ صرف فرسٹ ڈویژن بن کر رہ گیا۔ اک عام سی بات..... اک معمولی سی بات۔

کسی نے کچھ کہا..... کسی نے کچھ..... الٹا فقرے ہی کسے..... اسے کوئی حیثیت نہیں دی' کوئی اہمیت نہیں دی۔ اسے بے حد دکھ ہوا۔ دو دن بہت کچھ سوچتے رہنے کے بعد آخر وہ اپنے اس دکھ کی کہانی خالو حبیب کو سنانے ان کے گھر کی طرف چل پڑا۔

سارے خاندان میں اِک خالو حبیب ہی تھے' جو اپنے نام کے مطابق اسے سچ مچ ہی اپنے دوست لگا کرتے تھے۔ وہ اپنے گھر والوں کی نگاہوں میں اچھا اور اہم بننے کی خاطر' خاندان والوں کی نظروں میں نیک اور بھلا بننے کی خاطر ہمیشہ سچ بولتا تھا۔ ہر ایک کے کام آنے کی کوشش کرتا تھا۔ ہر ایک سے اچھا سلوک کرتا تھا۔ ہر ایک سے اچھا سلوک کرتا تھا۔ ہر ایک سے اخلاق سے پیش آتا تھا' مگر نجانے کیوں اسے ہمیشہ بدلہ بدنامی کی صورت میں ہی ملا۔ صرف اک خالو حبیب تھے جو اس کے ساتھ سب سے علیحدہ روّیہ رکھتے تھے۔

سچ بولنے کی وجہ سے اکثر گھر والوں سے اس کا جھگڑا ہو جاتا' خاندان میں کوئی نہ کوئی فساد مچ جاتا۔ پھر سب اس کے خلاف خوب خوب زہر اُگلتے' اسے کوستے' ابا زدوکوب کرتے' امی برا بھلا کہتیں۔ بہنیں بھائی دشمن سمجھتے' مگر خالو حبیب ہمیشہ اسے شاباش ہی دیتے۔ اس کی پشت تھپتھپا کر اسے یہی تلقین کرتے کہ جس راہ پر وہ جا رہا تھا وہ بالکل صحیح راستہ تھا اور صحیح راہ پر چلنے والے کو کبھی ٹھوکر نہیں لگتی۔

خالو جان کی اور سب باتیں تو ہمیشہ اس کے دل میں بیٹھ جاتیں' مگر یہ ٹھوکر نہ لگنے والی بات اسے کبھی بھی ٹھیک نہیں لگتی تھی۔ اسے تو سچائی کے راستے پر چل کر ہمیشہ ٹھوکر ہی لگی۔

کون سا دن تھا جب وہ کسی نہ کسی بات پر زدوکوب نہ ہوا تھا اور سارے خاندان میں سے کون سا ایسا فرد تھا جو اس سے محبت کرتا تھا اور اسے دوست سمجھتا تھا۔ کوئی بھی تو نہیں..... لیکن خالو جان وہ اس کے دوست تھے۔ اس اِک معاملے میں مخالفت رکھنے کے باوجود وہ انہیں اپنا سمجھتا تھا۔

ان کے گھر جاتے ہوئے وہ سارا راستہ انہیں کے متعلق سوچتا رہا اور اپنے متعلق سوچتا رہا۔ ان کے گھر پہنچا تو باہر باغیچے میں ہی پھولوں کی کیاریوں کو پانی دیتے ہوئے امید مل گئی۔

''اے کچھ سنا تم نے؟''

''کیا؟'' پانی دینے والا فوارہ وہیں چھوڑ امید لپک کر اس کے پاس جا کھڑی ہوئی۔

''میں بورڈ میں تیسرے نمبر پر آیا ہوں۔''

''لو.....نئی بات نکالی ہے۔'' امید سر جھٹک کر واپس چل دی۔

''میں نے سمجھا کوئی انوکھی بات ہوگی۔'' وہ پھر جا کر پودوں کو پانی دینے لگی۔ آذر چپ چاپ کھڑا اسے دیکھتا رہ گیا۔

''دو دن پہلے ہم نے اخبار میں دیکھ لیا تھا۔'' گردن موڑ کر وہ پھر بولی۔

''خالو کو معلوم ہے؟''

''انہوں نے ہی تو ہمیں بتایا تھا۔''

''پھر.....؟'' آذر بھاگ کر اس کے پاس جا کھڑا ہوا۔ ''کیا کہتے تھے وہ؟''

''اگر تمہاری طرح سچ مچ سچ بول دیا تو تم شیخی میں آ جاؤ گے۔'' امید نے مسکرا کر اس کی طرف دیکھا۔

''میں شیخی میں آ جاؤں گا تو کیا ہوا۔ تم تو سچ بول دو۔''

''ابو بے حد خوش ہوئے تھے۔ تمہاری بہت تعریفیں کرتے تھے، پھر پورا ایک گھنٹہ ہمیں ان کا لیکچر بھی سننا پڑا تھا۔''

''کیسا لیکچر؟''

''یہی کہ ہم سب بھی تمہاری طرح اچھے بنیں، نیک بنیں، ہمیشہ سچ بولیں اور.....'' امید مسکرا کر خاموش ہوگئی۔

''اور کیا؟'' آذر نے اک خوبصورت سی اُمید کے ساتھ پوچھا۔

''اور تمہاری ہی طرح سارے خاندان اور گھر میں فساد ڈلوائیں۔''

وہ بڑے طنز کے ساتھ اِک زوردار قہقہہ لگا کر ہنس پڑی۔ آذر کا چہرہ پھیکا سا پڑ گیا۔

''ارے ہاں! وہ اسی وقت تمہارے گھر تو چلے گئے تھے۔''

''کس لیے؟''

''تمہاری کامیابی پر مبارکباد کہنے۔''

''سچ؟'' اس کے چہرے پر پھر اِک رنگ سا دوڑ گیا۔

''ہاں! وہ گئے تھے۔''

''مگر مجھے تو نہیں ملے۔''

''تم گھر میں نہیں ہوگے۔''

''لیکن مجھے کسی نے بتایا بھی تو نہیں۔''

''اتنے ہی جیسے تم اہم ہونا کہ تمہیں ضرور بتایا جاتا۔ خالہ جان اور خالو جان کو مبارکباد دینے گئے تھے' وہ دے آئے۔''

''چلو اہم نہ سہی مگر کامیابی تو میری تھی۔''

''امید! امید بیٹے!!'' حبیب امید کو پکارتے ہوئے برآمدے میں نکل آئے۔

''ارے آذر! آؤ بیٹے آؤ' تم کب آئے؟''

''ابھی پانچ منٹ پہلے۔'' آذر ان کے قریب چلا گیا۔ ''آداب!''

''جیتے رہو۔'' حبیب نے اس کے سر پر ہاتھ دھر دیا۔ ''آذر بیٹے! تمہیں اتنی شاندار کامیابی پر بہت ڈھیر ساری مبارک ہو۔ بے حد خوشی ہوئی بیٹے۔''

انہوں نے اسے گلے سے لگالیا۔ اتنے خلوص اور گرمجوشی سے کہ آذر کے سارے گلے شکوے دُور ہو گئے۔

''میں کل صبح تمہارے گھر گیا تھا۔ تم ملے ہی نہیں۔ تمہارا انعام تیار ہو رہا ہے۔'' وہ وہیں برآمدے میں کرسی پر بیٹھ گئے۔ دوسری آذر کی طرف بڑھا دی۔

''انعام؟ کیسا انعام؟'' وہ بھی بیٹھتے ہوئے حیرت سے پوچھنے لگا۔

''ارے بیٹے' تم حقدار ہو' بڑے سے بڑے انعام کے۔''

''لیکن خالو جان! ہمارے گھر میں تو کسی نے کوئی خاص اہمیت ہی نہیں دی پھر آپ یہ تکلف.....''

''نہ نہ..... خلوص کو! محبت کو تکلف مت کہو اور پھر تم اپنے آپ کو اس کا اہل ثابت کر چکے ہو۔ تم تو مانگ کر لینے کا حق رکھتے ہو۔ اپنے گھر والوں کی بات نہ کرو۔'' حبیب نے بات مذاق میں ٹال دی۔

''ہیرے اور پتھر میں تمیز صرف اک جوہری ہی کر سکتا ہے۔''

''بہت اعلیٰ ہیرا ہے نا۔'' امید کی بڑبڑاہٹ حبیب اور آذر دونوں نے سن لی۔

''میرے گھر کے لوگ بھی تمہارے گھر والوں جیسا ہی ذوق رکھتے ہیں۔''

حبیب امید کی طرف دیکھ کر ہنس پڑے۔ پھر ہولے سے آذر سے کہنے لگے۔ ''ویسے تمہارا انعام یہی تیار کر رہی ہے۔''

''یہ؟'' آذر حیرت سے بولا ''یہ مجھے کچھ دے چکی خالو جان۔ مجھے اک بے درد انسان کو.....اک دشمن کو۔''

''تو جھوٹ کیا ہے؟ تم ہو تو بے درد ہی۔ پوچھ لو خاندان کے اک اک فرد سے۔'' امید مسکرا رہی تھی ''ویسے ابو کے کہنے پر تمہارے لیے سویٹر بن رہی ہوں۔ اپنی خوشی سے نہیں۔''

''تم سویٹر بن رہی ہو؟'' آذر نے ایک قہقہہ لگایا۔ ''پھر تو وہ اِک اعلیٰ ہی تحفہ ہوگا۔''

''کیا مطلب؟'' امید تنک کر بولی۔

''اپنے آپ کو دیکھا ہے؟''

''کیوں کیا ہے مجھے؟'' اس نے گھبرا کر اپنے سراپا کو خود ہی دیکھا۔

''دو بالشت کی لڑکی ہو۔ اسی حساب سے عقل ہے۔ سویٹر کیا بناؤ گی؟''

''دیکھئے ابو' دیکھئے ابو!! آذر کیا کہہ رہا ہے؟''

''نہیں بھئی آذر بیٹے! ہے بیشک دو بالشت کی' لیکن میری بیٹی کی عقل اس سے بہت بڑی ہے۔ بہت اچھی بنائی کرتی ہے ابھی سے۔''

''دیکھیں گے۔''

''دیکھ لینا۔ ویسے ایک بات تمہیں بتاؤں! میری عمر صرف گیارہ سال ہے' اس لحاظ سے مجھ میں تم سے کہیں زیادہ عقل ہے۔''

''اپنے منہ میاں مٹھو!''

''اور تم.....اور تم؟'' غصے میں لال بھبھوکا ہو کر امید نجانے کیا کہنا چاہ رہی تھی کہ حبیب درمیان میں ہی بول پڑے۔

''ارے چھوڑو لڑائی جھگڑا۔ تم بتاؤ آذر بیٹے! آگے کیا ارادہ ہے؟ ڈاکٹر بنو گے یا انجینئر؟''

''خاکروب بنے گا۔'' امید اس کا منہ چڑا کر اندر بھاگ گئی۔

''میں تو خالو جان! نفسیات پڑھوں گا۔'' آذر اندر کی طرف بھاگتی ہوئی امید کو دیکھ کر ہنستے ہوئے بولا۔

''نفسیات.....؟ وہ کس لیے؟''

''میں انسانوں کی نفسیات کو سمجھنا چاہتا ہوں خالو جان۔''

''انسانوں کی نفسیات کو؟'' حبیب نے حیرت سے اسے دیکھا۔ ''وہ کیوں؟''

''وہ اس لیے خالو جان کہ انسانوں میں رہتے ہوئے بھی میں آج تک انسانوں کو سمجھ نہیں سکا۔ اپنے والدین اور بہن بھائیوں تک کو نہیں، جن کے ساتھ ایک ہی گھر میں رہتا ہوں۔''

حبیب بڑی سنجیدگی سے بولے ''ایک نفسیات چھوڑ تم دس پڑھ لو، لیکن بیٹے! انسان پھر بھی تمہاری سمجھ میں نہیں آئے گا۔'' پھر یکا یک مسکراتے ہوئے انہوں نے بات بدل دی۔

''اپنی اس کامیابی پر کوئی مٹھائی وٹھائی نہیں کھلاؤ گے بیٹے؟''

''سب کہتے ہیں ایسی کیا ضرورت ہے؟'' آخر اس کا دکھ زبان پر آ ہی گیا ''اسی لیے میں آپ کے پاس آیا ہوں۔ کیا میری یہ کامیابی اس قابل.....''

''آذر کب آیا ہے؟'' خالہ آ گئیں تو اس کی بات ادھوری رہ گئی۔

''السلام علیکم خالہ جان۔''

''وعلیکم السلام!'' وہ ان کے پاس برآمدے ہی میں بیٹھ گئیں۔ ''ارے ہاں آذر! تمہارے خالو سے سنا ہے کہ تم بڑے اچھے نمبروں سے پاس ہوئے ہو۔ کل مجھے رشیدہ کے گھر جانا پڑ گیا۔ آج صالحہ کے سسر کی تعزیت کے لیے جانا ہے۔ دو تین دن تک تمہاری امی اور ابا کو مبارکباد دینے آؤں گی اور ہاں بھئی خالی ہاتھ آئے ہو، کوئی لڈو وغیرہ نہیں بانٹے؟''

''وہی تو بتا رہا تھا ابھی کہ گھر والے سب کہتے ہیں، سب نے ہی اچھے بھلے نمبروں میں میٹرک پاس کیا تھا، آذر نے کوئی انوکھا کارنامہ سرانجام نہیں دیا۔''

''کہتے تو وہ بھی ٹھیک ہیں!'' خالہ بھی اسی سرسری انداز میں لاپروائی سے بولیں۔

''لیکن چند دن پہلے جو رومانہ کی نسبت ٹھہری ہے، آپا کو یہ خیال نہیں وہ لوگ کیا کہیں گے۔ کیسے

کنجوس لوگ ہیں کہ لڑکا پاس ہوا ہے مٹھائی تک تقسیم نہیں کی۔"

"بیگم! تم لوگوں کی بات چھوڑو ہم تو بچے کی خوشی کے لیے خوشی منانا چاہ رہے ہیں۔ اس طرح اس کا حوصلہ بڑھے گا اور زیادہ ترقی کرے گا۔"

خالہ نے جیسے شوہر کی بات دھیان سے سنی ہی نہیں۔ اپنی ہی کہے گئیں۔

"سنو آذر! میں نے جو کچھ کہا ہے جا کر آپا سے کہہ دینا۔ شاید ان کی سمجھ میں یہ بات آجائے۔"

"جی اچھا خالہ جان' پھر میں چلوں؟" آذر اٹھ کھڑا ہوا۔ بڑا بور سا ہو رہا تھا۔

"بیٹھو بیٹے!"

"نہیں خالو جان! پھر آؤں گا۔"

...اور وہ کھویا کھویا سا پلٹ پڑا۔ خالہ نے بھی اس کی کامیابی کے بجائے رومانہ کے سسرال کے روبرو سرخرو ہونے کو زیادہ اہمیت دی تھی۔

پیغام تھا جیسا بھی تھا' امانت کی طرح ماں کو خالہ کی ایک ایک بات پہنچا دی۔ انہیں کے الفاظ میں۔ انہیں کے لہجے اور انداز میں۔

"ارے ہاں! یہ تو حبیبہ نے ٹھیک کہا۔" امی نے کچھ سوچ کر لمبی سی ہاں کی۔

"خاور' یاور' رومانہ' نغمانہ سب ادھر آنا ذرا۔" امی نے سب کو برآمدے میں ہی طلب کر لیا۔

خاور کے کمرے میں چاروں تاش کھیل رہے تھے۔ ماں کی آواز پر جلدی سے بازی ختم کی اور ان کے پاس چلے آئے۔

"سنا تم نے حبیبہ نے کیا کہلا بھیجا ہے؟"

"کیا امی؟"

آذر نے خالہ کا جو پیغام دیا تھا' وہ امی نے ساری اولاد کو لیکچر کی طرح کچھ زیادہ ہی تفصیل سے سنا دیا۔

"خالہ کہتی تو ٹھیک ہیں۔" سوائے رومانہ کے باقی تینوں نے بڑی زوردار تائید کی۔

ویسے رومانہ کی خاموشی اور جھکی جھکی گردن اور مسکراتے ہونٹ ان سب سے زیادہ خالہ کی بات کی حمایت میں تھے۔ زبان بند اس لیے تھی کہ وہ شرمیلے پن کا مظاہرہ کرنا چاہتی تھی۔ سسرال کی جو بات تھی۔

''تو خاور جاؤ پھر..... ابھی جا کر مٹھائی لے آؤ۔'' امی رومانہ ہی کے مسکراتے چہرے کو دیکھتے ہوئے بولیں۔

''ابا جی سے بھی تو مشورہ کر لیں۔'' یاور نے کہا۔

''اتنی مناسب بات ہے وہ کیا انکار کریں گے۔ تم جاؤ خاور کسی اچھی دکان سے لانا۔ رومانہ کے سسرال والے جیسے امیر ہیں' ویسا ہی اعلیٰ ذوق رکھتے ہیں۔ گھی بھی ستھرا لگا ہو اور چیز بھی اچھی بنی ہو۔ دھیان سے دیکھ پرکھ لینا۔''

امی نے ہدایات دیتے ہوئے دو سو روپے پرس میں سے نکال کر خاور کے ہاتھ میں تھما دیئے۔ صبح امی کہہ رہی تھیں کہ ان ایسی ایسی فضول خرچیوں کے لیے ان کے پاس فالتو رقم نہیں اور اب اکٹھے دو سو نکال دیئے تھے۔

خاور اسی وقت مٹھائی لینے چلا گیا اور آذر یہ سب کچھ دیکھتا ہوا..... سوچتا ہوا چپ چاپ اپنے کمرے میں جا بیٹھا۔

مٹھائی آ گئی..... تقسیم ہوتی رہی مگر وہ کمرے سے باہر نہیں نکلا۔ یہ مٹھائی تقسیم ہونے کی اسے ذرا خوشی نہیں تھی۔ اس کے خیال میں یہ مٹھائی اس کی کامیابی کی خوشی میں بانٹی نہیں جا رہی تھی بلکہ رومانہ کے امیر سسرال والوں پر اپنی امارت اور بڑے دل اور حوصلوں کا اظہار کرنے کے لیے تقسیم کی جا رہی تھی۔

وہ پہلے سے بھی زیادہ دکھی ہو گیا۔ باہر سے اسے ہنسی کی آوازیں آ رہی تھیں۔ ایک دوسرے پر فقرے بازی ہو رہی تھی۔ مٹھائی کھائی جا رہی تھی' لیکن جس کی وجہ سے یہ خوشی ملی تھی' اس کا کسی کو علم ہی نہیں تھا کہ وہ کہاں تھا۔

''آذر!'' ان ملی جلی آوازوں کے درمیان سے امی کی بلند آواز ابھری۔ وہ ماں تھیں اس لیے انہیں شاید اس کی غیر موجودگی کا احساس ہو گیا تھا۔ خوشیوں کی کلیاں جیسے اس پر برس پڑیں۔

''جی امی؟'' وہ خوشی سے پاگل سا ہو کر بولا۔

''کہاں ہو؟''

''یہاں کمرے میں ہوں۔''

''ادھر آؤ ذرا۔''

امی کے بلانے پر وہ لپک کر جیسے سر کے بل چلتا ہوا باہر نکلا۔

''جی امی؟''

''بیٹے! ذرا جا کر یہ مٹھائی اپنی رومانہ آپا کے سسرال دے آؤ۔''

''میں..... میں امی؟''

''ہاں! کیا حرج ہے؟''

''تمہاری کامیابی کی ہے تمہیں خود ہی دینے کے لیے جانا چاہیے۔'' خاور اور یاور تقریباً بیک آواز بولے۔

''وہ تو چلا ہی جائے گا لیکن تم دونوں نے جو اس وقت کاہلی کی وجہ سے میری حکم عدولی کی ہے' یہ بات انتہائی غلط ہے۔''

امی نے خشمگیں نگاہوں سے دونوں بڑوں کو دیکھا..... لیکن..... دونوں ہی لاڈ سے ہنس رہے تھے اور آذر نے دیکھا اگلے ہی لمحے امی کی نگاہوں میں ان کے لیے وہی پیار موجزن تھا۔

''تم میں سے کسی نے اپنے کسی دوست کو مٹھائی بھیجنا ہو تو بتا دو۔''

امی کے پوچھنے پر خاور اور یاور اپنے اپنے دوستوں کے نام گنوانے لگے۔ ان کی دیکھا دیکھی رومانہ آپا اور نغمی نے بھی اپنی سہیلیوں کے ناموں کا اعلان کر دیا' جن کے ہاں مٹھائی بھیجنا اشد ضروری تھا۔ امی ان کے حصے نکالنے لگیں۔

''لو بھئی سب پورے ہو گئے نا؟''

امی نے ایک ایک کا نام لے کر ایک ایک کا حصہ بتایا۔

''اور لو..... مٹھائی بھی ختم ہو گئی۔''

وہ چپ چاپ کھڑا سب کچھ دیکھے جا رہا تھا۔ اس سے کسی نے پوچھا ہی نہیں تھا کہ کیا وہ

بھی اپنے کسی دوست یا کسی استاد وغیرہ کو بھیجنا چاہتا تھا؟ یہ اس کی خوشی منائی جا رہی تھی؟ بہت سارے آنسو اسے اپنے حلق میں اٹکتے محسوس ہوئے۔

''ارے! تم ابھی تک یہیں کھڑے ہو؟'' امی نے فارغ ہو کر نگاہ اٹھائی تو حیرت سے چلا سی پڑیں۔ ''جاؤ نا آذر! انہیں دے آؤ۔''

پھر امی بڑبڑانے لگیں۔

''خیر سے یہ صفت بھی موجود ہے کہ فوراً کہنا بھی نہیں مانتا۔''

''جی! بس جا ہی رہا ہوں۔''

چاروں بہن بھائیوں کے دوستوں، سہیلیوں کی مٹھائی کے حصوں کی طرف دیکھتے ہوئے آذر نے جھک کر وہ مٹھائی کا ڈبہ اٹھا لیا، جس پر سبز کاغذ لپیٹ کر گوٹے کی بندش لگائی گئی تھی۔ بڑا خوبصورت لگ رہا تھا۔

''او! ادھر کیا دیکھ رہے ہو؟'' ایسی نظر سے نہ دیکھنا کہ کھانے والوں کو ہضم ہی نہ ہو۔'' خاور بھائی نے مذاق کیا۔

''ارے! تمہیں تو نہیں کسی کو بھیجنا تھی؟'' امی کو اب اس کا خیال آیا۔

دیر سے ہی سہی، شکر کیا کہ خیال آیا تو سہی۔ وہ اتنے سے ہی نہال ہو گیا۔

''نہیں امی! نہیں!!'' مٹھائی تو ختم ہو چکی تھی۔ امی کی پریشانی کی خاطر اس نے جلدی سے انکار کر دیا۔ ورنہ چند لمحے پہلے اسے اپنے دو تین دوست بہت یاد آرہے تھے، جن کے گھروں میں اس کا بہت آنا جانا تھا اور جن کی مائیں بہنیں اسے بھی اپنے بیٹے اور بھائیوں جیسا ہی سمجھتی تھیں اور انہوں نے پہلے سے ہی اس کی کامیابی پر مٹھائی کھلانے کا وعدہ لیا ہوا تھا۔

''اس نے کیا کسی کو بھیجنا ہو گی۔ کسی سے بنا کر تو اس نے رکھی نہیں آج تک۔'' خاور بھائی نے بڑی فراخدلی سے اس پر چوٹ کی۔

''اور کیا جب اس کے دل میں کسی کا درد نہیں ہو گا تو پھر کوئی دوسرا کیوں اس کا درد رکھے گا۔'' حسب معمول خاور کے بعد یاور نے اس پر فقرہ کس دیا۔

وہ بغیر کوئی جواب دیئے خاموشی سے سجا سجایا ڈبہ اٹھا کر چل دیا۔

رومانہ کے سسرال والوں کی کوٹھی بڑی وسیع وعریض اور عالیشان تھی۔ آذر پہلی بار یہاں آیا تھا۔ ان کی حیثیت اور آن بان کا اسے قطعی اندازہ نہ تھا۔ کافی حیران بھی ہوا کہ وہ تو ان کے مقابلے میں کچھ بھی نہ تھے۔ پھر آخر یہ رشتہ طے کیسے ہوگیا؟

آذر کبھی کسی کی دولت سے مرعوب نہیں ہوتا تھا۔ وہ اس نوعمری کی عمر میں بھی اخلاق و اطوار کو دولت سے بڑا سرمایہ سمجھتا تھا۔ جانے یہ لوگ کیسے تھے؟ شاید بہت ہی اعلیٰ اخلاق کے مالک کہ ان جیسے اپنے سے کم حیثیت والوں کے گھر رشتہ کرلیا تھا۔ کوٹھی کی خوبصورتی اور شان و شوکت سے زیادہ وہ ان کے اس اقدام سے متاثر تھا۔

اس نے اپنے آنے کی اطلاع کرائی تو اسے بے انتہا عزت اور پیار سے ڈرائنگ روم میں بٹھایا گیا۔ رومانہ کی نند اور ساس بہت ماڈرن، اعلیٰ تعلیم یافتہ اور بڑی بااخلاق تھیں۔ دونوں اس کے پاس آ بیٹھیں۔ ملازم کو فوراً چائے لانے کا حکم دے دیا گیا۔

''سناؤ آذر کیسے آنا ہوا؟'' ساس نے بڑی محبت سے پوچھا۔

''یہ مٹھائی لایا ہوں جی!'' وہ ان کے اخلاق سے مرعوب سا ہوتا ہوا بولا۔

''کیسی مٹھائی؟''

''دسویں کا نتیجہ نکلا ہے نا اور میں نے.....'' مزید کچھ کہے بنا وہ چپ ہوگیا۔ جانے کیوں ان کے سامنے ہمت ہی نہیں ہو پا رہی تھی۔

''اچھا اچھا! تو تم نے دسویں پاس کرلی۔ کون سی ڈویژن لی؟''

''فرسٹ جی.....بورڈ میں تیسرا نمبر آیا ہے۔''

''ارے! تو وہ تمہی تھے۔ ہم نے تصویر دیکھی تھی۔''

ساس اور نند دونوں ہی اسے زور شور سے مبارک دیتے ہوئے اس کی تعریفیں کرنے لگیں۔

''کیوں نہ ہو لائق بھائیوں اور بہنوں کا بھائی ہے۔''

''آگے تو پڑھو گے ہی؟''

''لیجیے امی! آپ بھی حد کرتی ہیں۔'' نند ہنس پڑی۔

''بھائی تو بھائی ہیں، زندگی کے لیے، خاندان کا سٹینڈرڈ بلند رکھنے کے لیے، مردوں کو تعلیم حاصل کرنا ہی پڑتی ہے، مگران کے گھر کی تو لڑکیاں بھی اچھی خاصی تعلیم یافتہ ہیں۔'' وہ بہت مسکرا کر بڑے فخر سے بولی۔

''ہماری بھابی بھی ایم اے ہیں۔ نغمانہ بھی بی اے میں ہیں۔ پھر بھلا آذر کیوں نہ آگے تعلیم حاصل کرے گا۔''

''ہاں! یہ تو درست کہا تم نے۔'' ماں نے بیٹی کی ہاں میں ہاں ملائی۔ ''ہماری خوش قسمتی ہے کہ ہمیں ایم اے پاس بہو ملی۔''

''آپ کو غلطی لگی ہے۔ میری رومانہ آپا ایم اے نہیں ہیں۔'' آذر نے ان کی غلط فہمی دور کر دینے میں ہی بہتری سمجھی۔

''رومانہ ایم اے نہیں ہے؟'' نند اور ساس نے ایک دم گڑبڑا کر پوچھا۔

''جی نہیں! انہوں نے ایف اے کے بعد پڑھائی چھوڑ دی تھی۔''

''اور نغمانہ؟''

''وہ ایف اے میں ہیں۔ دل ان کا بھی پڑھائی میں نہیں لگتا۔ کوئی پتہ نہیں وہ کہیں ایف اے میں ہی نہ چھوڑ دیں۔''

''رومانہ کا بھی پڑھائی میں دل نہیں لگتا تھا، اس لیے چھوڑ دی۔''

''نہیں! ان کی بینائی کمزور تھی۔''

''بینائی کمزور تھی؟ لیکن وہ چشمہ وغیرہ تو کوئی نہیں لگاتی۔''

''امی کہتی تھیں جب تک کسی اچھی جگہ رشتہ ہو کر شادی نہیں ہو جاتی، انہیں چشمہ نہیں لگانا چاہیے۔''

''اوہ.....!'' اور پھر ساتھ ساتھ وہ اسے چائے پلاتی رہیں۔ کیک، گلاب جامن، پیٹیز اور نجانے اور کیا کیا کچھ زبردستی کھلاتی رہیں اور ساتھ ساتھ بڑے پیار سے، بڑی نرمی اور ملائمت سے اِدھر اُدھر کی باتیں کرتی رہیں۔

ان کی جائیداد کتنی تھی؟ اس کے دونوں بڑے بھائی کیا کرتے تھے؟ باپ کیا تھے؟ جس

گھر میں وہ رہتے تھے اپنا تھا یا کرائے کا؟ سب کی عادات کیسی تھیں؟ آذر ہر بات کا صحیح صحیح جواب دیتا رہا۔ کوئی جھوٹ نہیں بولا' کوئی غلط بیانی نہیں کی۔ کل کو اسے خدا کو بھی منہ دکھانا تھا۔

چائے سے فارغ ہو کر وہ ان کے اخلاق کا گرویدہ ہوا گھر پہنچا۔ واقعی رومانہ کے سسرال والے مثالی لوگ تھے۔ اتنے با اخلاق تھے' اتنی اچھی طرح اس کے ساتھ گفتگو کی' اتنے پیار دلار سے چائے پلائی' ساتھ اتنے خلوص سے اتنی ڈھیر ساری چیزیں کھلائیں کہ اب رات کا کھانا وہ کسی صورت نہیں کھا سکتا تھا۔ اک اس کے اپنے گھر والے تھے کہ اس کی عمر کے بچوں کو قابل توجہ سمجھتے ہی نہیں تھے۔

جتنا دکھی ہو کر گیا تھا' اتنا ہشاش بشاش واپس آیا۔ مگر گھر میں ہر طرف سناٹا دیکھ کر پریشان سا ہو گیا۔ جب گیا تھا تب تو سبھی گھر میں موجود تھے اور خوب رونق اور چہل پہل تھی۔ اب کیا ہو گیا؟ وہ سب کو تلاش کرتے ہوئے باورچی خانے میں چلا گیا۔ وہاں رحیمن کام کر رہی تھی۔

''بوا! یہ گھر میں اتنی خاموشی کیوں ہے؟ سب کہاں گئے؟''

''تمہارے پاس ہونے کی خوشی میں فلم دیکھنے گئے ہیں۔''

''میرے پاس ہونے کی خوشی میں وہ فلم دیکھنے گئے ہیں؟'' آذر کو غصہ آ گیا۔

کتنے عرصے سے امی نے اس کو آس دلائی ہوئی تھی کہ جب وہ پاس ہو گا تب اسے فلم دکھائیں گی.....اور اب موقع آیا تو باقی سب کو لے گئیں اور اِک اسے ہی چھوڑ گئیں۔ کیسا عجیب تھا یہ سب!!

وہ کڑھتا ہوا' دکھی ہوتا ہوا وقت سے پہلے ہی جا کر بستر پر دراز ہو گیا۔ بہت ساری سوچوں نے اس کے ذہن کو جکڑا ہوا تھا۔ انہیں میں الجھا پڑا رہا۔ پھر نجانے کب اسے نیند آ گئی۔ گھر والے فلم دیکھ کر کب لوٹے اسے کچھ علم نہ تھا۔

فجر کی اذان کے ساتھ اس کی آنکھ کھل گئی۔ امی بھی اسی وقت بیدار ہوا کرتی تھیں' مگر پچھلی رات شاید دیر سے سونے کی وجہ سے وہ بھی اب تک نہیں جاگی تھیں۔ وہ چپ چاپ اٹھا' نماز پڑھی اور گھر سے نکل گیا۔

خالو حبیب کو دفتر جانے سے پہلے ہی پکڑ لینا چاہتا تھا تاکہ ان سے مشورہ کر سکے کہ

اسے کس کالج میں داخلہ لینا چاہیے تھا اور کون کون سے مضامین؟

خالو جان سے اس نے اچھی طرح مشورہ کیا۔ کچھ خود دلائل دیئے کچھ خالو جان کے سنے۔ انہیں اپنے دفتر سے دیر ہو رہی تھی، مگر وہ پھر بھی بڑے خلوص اور بڑی توجہ سے اسے سمجھاتے رہے۔ کالجوں کے بارے میں بھی، مضامین اور پروفیسروں کے بارے میں بھی اور زمانے کی اونچ نیچ کے بارے میں بھی۔

اسی لیے تو وہ ان کی بات اور ان کے مشوروں کو مقدم سمجھتا تھا۔ گھر والے اسے کبھی یوں نہ قابل توجہ سمجھتے تھے، نہ کبھی اسے یوں اہمیت دی گئی تھی اور نہ ہی اس کے معاملات میں دلچسپی لیتے تھے۔

خالو حبیب کے خلوص اور توجہ میں سرشار وہ واپس گھر آیا تو.....

''تیرا بیڑا غرق ہو جائے آذر! تو نے کیسی ہماری خاک اُڑانا شروع کی ہے۔''

امی کی آواز بین کی طرح اس کی سماعت سے ٹکرائی۔ اس کے قدم وہیں برآمدے میں ہی تھم گئے۔

''لو وہ آ گیا!'' خاور بھیا نے اسے دیکھ لیا تھا۔

''بلاؤ نا اسے ذرا..... بلاؤ اسے ادھر!''

خاور بھائی کے بلانے سے پہلے وہ خود ہی امی کی آواز سن کر ان کے قریب چلا گیا۔

''جی امی! کیا بات ہے؟''

''ہماری عزت جو پاؤ بھر باقی رہ گئی تھی وہ بھی آج تم نے لٹا دی۔ اب بھی چین آیا ہے یا نہیں؟''

''امی! میں نے کیا کیا ہے؟ میں بھلا کیوں عزت لٹانے لگا؟''

''تو نے ساری زندگی دوسرا کام کون سا کیا ہے؟'' امی بلند آواز میں رونے لگیں۔

''ہائے آذر! تجھے تو موت ہی آ جائے۔''

''بہو! کیوں صبح صبح منہ بھر بھر کے بچے کو کوس رہی ہو؟'' دادی اماں حسب معمول اس کی حمایت میں بولیں۔

''ہائے اماں! کوسوں نہیں تو اور کیا کروں۔ آج اس نے جو کاری وار کیا ہے وہ ہم سب کو ہی بلا موت مار گیا۔ میرا بس چلے تو میں تو اس کا ابھی گلا گھونٹ دوں۔ کوئی لمحہ بھی تو خوشی یا سکون کا ہم پر گزرنے نہیں دیتا..... بے درد..... ظالم!!''

''آخر امی! پتہ تو چلے میں نے کیا کیا؟'' امی جواب دینے کے بجائے روئے ہی گئیں تو وہ بڑی بہن کی طرف مڑا۔

''رومانہ آپا! آپ ہی بتا دیجیے' یہ سب کیا ہے؟''

رومانہ نے بھی کوئی جواب دینے کے بجائے بڑی نفرت سے اس کی طرف سے رُخ پھیر لیا۔

''بھائی جان! کیا ہوا؟'' آخر میں وہ خاور سے جیسے التجا سی کرنے لگا۔

''آپ ہی کچھ بتا دیجیے۔ کس گناہ کی پاداش میں مجھ بے گناہ کو کوسا جا رہا ہے؟''

''یہ بے گناہ ہے..... یہ بے گناہ ہے!'' امی تڑخ کر بولیں ''سنا تم نے خاور! یہ بے گناہ ہے۔''

''بھائی جان!'' آذر نے ملتجی انداز میں بھائی کو دیکھا۔

''کل تم رومانہ کے سسرال مٹھائی دینے گئے تھے۔ جانے وہاں کیا کیا باتیں کر آئے ہو' آج صبح ہی صبح انہوں نے ہماری ہر چیز لوٹاتے ہوئے یہ رشتہ توڑ دیا ہے۔'' خاور نے مختصراً بتایا۔

''اتنی مشکل سے اِک اچھے گھر میں اس کا رشتہ طے کر سکی تھی۔ آذر! تجھے خدا سمجھے۔'' امی مسلسل اسے کوسے جا رہی تھیں اور روئے جا رہی تھیں۔

''آج تک ہمارے خاندان میں کسی لڑکی کی منگنی نہیں ٹوٹی۔ یہ کلنک ہمارے ہی نصیب میں تھا۔ یہ داغ میری ہی بیٹی کو لگنا تھا۔ اپنے ہی سگے بھائی کی کرتوتوں کی وجہ سے۔ ہائے آذر! تجھ ایسے بیٹے کو میں نے جنم ہی کیوں دیا۔''

''لیکن امی! سنئے تو!! یقین کیجیے میں نے وہاں کوئی غلط بات نہیں کی۔'' وہ امی کے قدموں میں بیٹھ کر اپنی صفائی پیش کرنے لگا۔ ''جو کچھ انہوں نے پوچھا میں نے بالکل سچ سچ بتایا۔ میں نے ذرا بھی جھوٹ نہیں بولا۔'' وہ قسمیں کھا کھا کر اپنی بے گناہی کا یقین دلانے کی کوشش کرنے لگا۔

''سچائی کا علمبردار! تیری سچائی ہمارا پوری طرح خانہ خراب کر کے چھوڑے گی۔'' امی بھڑک کر صرف اتنا بولیں۔

''تم نے انہیں بتا دیا کہ رومانہ صرف ایف اے ہے اور بینائی کی کمزوری کی وجہ سے آگے نہیں پڑھ سکی اور یہ کوٹھی ہماری اپنی نہیں کرائے کی ہے؟'' خاور کے چہرے پر سے امی ہی کی طرح غصہ مترشح تھا لیکن لہجہ اس نے اپنا قدرے دھیما رکھا۔

''تو ان میں سے غلط بات کون سی ہے بھائی جان؟'' وہ انتہائی معصومیت سے بولا۔

''غلط کے بچے!'' اس کی اس معصومیت پر خاور بھی آپے سے باہر ہوگیا۔ دہن سے کف اڑاتے ہوئے بلند آواز میں بولا ''رشتے طے کرنے کے لیے بڑھا چڑھا کر باتیں کرنا ہی پڑتی ہیں۔ ہم نے رومانہ کے متعلق انہیں یہی بتایا تھا کہ یہ ایم اے ہے اور یہ کوٹھی ہماری اپنی ہے۔ لوگ بڑی عجیب عجیب ذہنیتوں کے مالک ہوتے ہیں۔ انسانوں سے زیادہ دوسرے ٹھاٹھ باٹھ کو دیکھتے ہیں۔''

''تو پھر یہ تو آپ نے غلط کیا نا..... دروغ بیانی کر کے رشتہ کرلیا۔ صاف ظاہر ہے جھوٹ کی بنیاد پر جو عمارت کھڑی کی جائے گی' وہ مضبوط نہیں ہوگی۔ یہ رشتہ ٹوٹنا ہی تھا۔''

''کیسے بھولا سا چہرہ بنا کر کہہ رہا ہے کہ ٹوٹنا ہی تھا۔'' امی چمک کر بولیں ''ٹوٹنا تو اس لیے تھا کہ تم جیسے جنم جلے نے ہمارے گھر میں جنم لیا ہوا ہے اور کوئی بات نہیں۔'' وہ پھر آنسو بہانے لگیں۔

اسی لمحے ابا باہر سے آگئے۔ امی کے آنسو دیکھ لیتے تھے تو انہیں تو اپنے پر اختیار ہی نہیں رہتا تھا۔ امی زبان سے اسے کوس رہی تھیں۔ ابا سیدھے ڈنڈا تلاش کرنے چل پڑے۔

''آج تو اس کی ہڈی پسلی توڑ کر رکھ دوں گا۔'' ان کی آنکھوں میں خون اُترا ہوا تھا۔ ان کے انداز سے ہی ان کے ارادے خطرناک لگ رہے تھے۔

''آئے ہائے! سردار! کیوں باولے ہوئے ہو۔ جوان بیٹے کے ساتھ بچوں جیسا سلوک کیا تو ایک دن اس کی صورت دیکھنے کو ترسو گے۔ تنگ آ کر اس نے کسی دن گھر سے چلے جانا ہے۔'' دادی اماں بیٹے کو سمجھانے لگیں۔

''کل کا جاتا آج جائے۔ ایک اس کے چلے جانے سے میں کون سا بے اولاد ہو جاؤں گا۔''

''بلکہ ہمارے تو دُکھ کٹ جائیں گے اماں!'' امی کی ممتا بھی تو ایسے الفاظ منہ سے نکالنے سے لرزتی نہیں تھی۔ ''ہمارے پاس ہماری باقی اولاد جو ہے۔ کتنے فرمانبردار ہیں یہ چاروں' جو کہوں' جو کروں.....مجال ہے کوئی دخل دے جائے اور.....یہ.....یہ'' امی پھر بین ڈالنے لگیں۔

''بیٹی کا رشتہ ٹوٹا وہ علیحدہ' نجانے اب کوئی دوسرا کب تک ملے' اوپر سے خاندان بھر میں بے عزتی۔ ارے! میں تو کسی کو منہ دکھانے کے قابل نہ رہی۔''

اتنے میں ابا سچ مچ ڈنڈا تلاش کر لائے۔ دادی اماں نے دُور سے ہی انہیں ڈنڈا ہوا میں لہرا لہرا کر آتے ہوئے دیکھ لیا۔

''آذر! تم خالہ کے گھر چلے جاؤ بیٹے!'' دادی اماں سہم کر اسے وہاں سے بھگانے کی کوشش میں چلانے لگیں۔ آذر نے ان کی بات سنی بھی' مگر اپنی جگہ سے انچ بھر نہیں سرکا۔

''زیادہ سے زیادہ یہی ہے نا دادی اماں کہ میری کھال اُتر جائے گی' مگر میں بھاگوں تب نا جو میں نے کوئی قصور کیا ہو؟ کوئی غلط کام کیا ہو؟''

''اور یہ غلط کام نہیں؟ یہ تو جیسے بالکل درست کام کیا ہے نا؟'' امی کی آنکھوں میں ابھی تک شعلوں کی لپک تھی' جو بار بار زبان پر آ رہی تھی۔

''امی! سچ کی بنیاد پر کیا ہوا کام ہمیشہ درست ہوتا ہے۔ آج اگر آپ نے جھوٹ بول کر آپا کا رشتہ کر دیا تو جھوٹ تو جھوٹ ہے ہی نا۔ کل کو پول کھلنے ہی کھلنے.....پھر؟''

''شادی کے بعد پتہ چل جاتا تو کسی نے کیا کر لینا تھا؟''

''کرنے والے ہر وقت کر سکتے ہیں۔ بیاہی ہوئی بیٹی گھر آ بیٹھتی تو امی وہ معاملہ زیادہ نقصان دہ اور زیادہ تکلیف دہ ہوتا تھا۔''

''اب ماں کو نصیحتیں کر رہا ہے۔ بکواس بند کر بدذات۔'' ابا اس پر ڈنڈا برسانے لگے۔

وہ دانت پر دانت جمائے' چپ چاپ سر جھکائے کھڑا تھا۔

''ہائے ہائے سردار! تمہاری عقل کو کیا ہو گیا۔ اپنے قد جتنے بیٹے پر ہاتھ اٹھا رہے ہو۔''

دادی اماں چلا چلا کر واویلا مچانے لگیں۔ ''ہاتھ..... اماں ابھی تو صرف ہاتھ اٹھایا ہے میرا بس چلے تو اس بے درد کی جان ہی نکال دوں۔''

''تھوڑی بے عزتی کروائی ہے ہماری۔ تھوڑا نقصان کرایا ہے ہمارا۔ اس کے ساتھ جو ہو وہ بھی تھوڑا ہے۔'' امی نے انتہائی بیدردی سے اس کی طرف دیکھا اور اپنی نوحہ خوانی پھر جاری کر دی۔

''اب میری رومانہ کا کیا بنے گا؟ اس کی عمر کی سب لڑکیاں بیاہی گئیں اور یہ بیٹھی رہ گئی۔ ہائے یہ مجھ سے کیسی غلطی ہوگئی۔ میں کیوں یہ بھول گئی کہ جس جگہ اس بدبخت کا قدم پڑے گا' وہیں سے ہونی گزر جائے گی۔''

امی کی درد میں ڈوبی بینوں کی آواز' ابا کے کان میں پڑتی تو وہ اور جوش میں آ کر اس پر ڈنڈا برسانے لگتے۔ باقی سب ارد گرد دم بخود کھڑے تھے۔

''ارے آذر! تو ہی آگے سے ہٹ جا۔'' دادی اماں اس کا صبر واستقلال دیکھ کر رندھے ہوئے گلے سے پھر چیخیں۔ ''کیسا چٹان بنا سامنے کھڑا مار کھائے جا رہا ہے۔''

دادی اماں اس پر برسنے والے ہر ڈنڈے کی چوٹ کے بعد تڑپ کر اسے چھڑانے کے لیے لپکتیں مگر ابا کے بازو کے ایک ہی جھٹکے سے اپنا نحیف و نزار جسم بصد مشکل سنبھالتی ہوئی پیچھے ہٹ جاتیں۔ ابا پھر ڈنڈا تانتے' وہ پھر لپکتیں۔

''ارے آذر! مانگ لے معافی باپ سے!!''

''دادی اماں! میں نے نہ کوئی جھوٹ بولا ہے اور نہ کوئی گناہ کیا ہے' پھر کس بات کی معافی مانگوں؟ سچ بولنے کی؟''

آذر اسی مستقل مزاجی سے بولا تو ابا مزید بھڑ کے۔

''اماں! دیکھی اس کی دیدہ دلیری۔'' وہ پھر اس کی طرف بڑھے۔

''ہائے ہائے! خاور' یاور تم ہی باپ کو پکڑو۔'' دادی اماں کی دہائی مچانے سے خاور اور یاور آگے بڑھے۔

''چلیئے ابا جی! معاف کر دیجیے آئندہ ایسی حرکت نہیں کرے گا۔'' خاور نے باپ کا

ڈنڈے والا بازو تھام لیا۔

''وہ بھی تو منہ سے کوئی معافی کا لفظ پھوٹے۔'' اتنا پٹ چکا تھا' مگر امی کا غصہ ابھی تک جوبن پر تھا۔ بات بھی تو بہت بڑی ہوگئی تھی......بہت ہی بڑی۔

اتنی مشکل سے' اتنی ڈھیر ساری غلط بیانیاں کر کے اور اتنے ڈھیروں ڈھیر جھوٹ ووٹ بول کر انہوں نے رومانہ کا یہاں رشتہ طے کیا تھا۔ کئی مہینوں کی جدوجہد کے بعد.....اور وہ.....وہ قائم نہ رہ سکا تھا۔ ایک دن میں ٹوٹ گیا تھا۔

''ہائے ہائے! اب کیا ہوگا؟''

امی ماتم کیے جا رہی تھیں۔

اس کا وظیفہ نہ لگتا تو شاید اسے کوئی مزید تعلیم حاصل نہ کرنے دیتا۔ سارے گھر والوں کا ہی خیال تھا کہ آذر پر تعلیم بے اثر رہے گی۔ بیشک وہ ذہین تھا۔ وہ پڑھائی میں بڑا تیز تھا' مگر اس کی ذہانت تعمیر کے بجائے تخریب میں زیادہ چلتی تھی۔ لیکن بھلا ہو بورڈ والوں کا' وظیفہ دے کر سب کی مخالفت کا منہ بند کر دیا۔

مخالفت کی زبان تو بند ہوگئی' مگر خاندان اور گھر والوں سے اس کا ٹوٹا ناتہ نہ بندھ سکا۔ رومانہ کی منگنی والے واقعہ کے بعد تو وہ ہر طرف بری طرح بدنام ہو کر رہ گیا۔ خاندان میں ہر کوئی اس سے اپنے اور اپنے گھر کے راز چھپایا کرتا۔ ہر کوئی اسے بیدرد' بے رحم اور ظالم سمجھتا۔ جس نے سگی بہن کے ساتھ اتنا بڑا ظلم کر ڈالا تھا' وہ کسی دوسرے کے ساتھ کیا کچھ نہ کر سکتا تھا۔

یوں وہ تقریباً سارے خاندان سے کٹ کر رہ گیا تھا۔ باقی رہے گھر والے تو ان سے بھی علیک سلیک سے زیادہ کوئی تعلق نہیں رہ گیا تھا۔ چپ چاپ صبح کالج چلا جاتا۔ چھٹی ہونے پر کسی دوست کے گھر جا کر پڑھتا رہتا۔ رات گئے واپس آتا' کبھی خود ہی باورچی خانے میں جا کر کھانا کھا لیتا' کبھی ایسے ہی پڑ رہتا۔

خاندان اور گھر والوں کو اس سے شکایت تھی اور اسے ان سب سے۔ وہ اسے نہیں سمجھ سکے تھے اور آذر..... شاید وہ بھی کسی کو نہیں سمجھ سکا تھا۔ تبھی اس نے ایک مضمون خاص طور پر نفسیات کا رکھا تھا تاکہ نفسیات پڑھ کر ہی اس میں ان سب کو سمجھنے کی صلاحیت پیدا ہو سکے۔ وہ ان سب کے ساتھ مل جل کر رہنا چاہتا تھا۔ اسے گھر والوں سے یوں علیحدہ سی زندگی گزارنا بالکل پسند نہ تھا۔

اپنے خیال میں اس نے نفسیات کا مضمون منتخب کر کے اچھا کیا تھا' مگر گھر اور خاندان کے اِک اِک فرد نے اس کا خوب خوب مذاق اڑایا۔ ''زندگی گزارنے کا سلیقہ نفسیات پڑھ کر نہیں آیا کرتا''۔ ''خاندان کے باقی افراد میں سے کتنوں نے نفسیات پڑھی ہے' مگر اس کے علاوہ ہر کوئی کامیاب زندگی گزار رہا ہے''۔ ''چلو اگر نفسیات پڑھ کر ہی دوسروں کے ساتھ گزارہ کرنے کا ڈھنگ سیکھ لے' تو ہمیں منظور..... ایم اے تک نفسیات ہی پڑھتا چلا جائے لیکن..... مشکل..... بہت مشکل۔''

جتنے منہ اتنی باتیں۔ اتنے قہقہے۔ اتنے مذاق اور اتنے ہی فقرے۔

وہ چپ چاپ پڑھتا رہا۔ آخر اس نے ایف اے بھی اک نمایاں کامیابی کے ساتھ کر لیا۔ کسی نے کوئی خاص توجہ نہیں دی' نہ کوئی مٹھائی تقسیم ہوئی نہ کوئی اور خوشی کی گئی۔

میٹرک کی اس کی خوشی نے گھر والوں کو کیا دیا تھا' جواب ایف اے کی کامیابی کی خوشی منانے پر مل جانا تھا۔ صرف ایک مہینہ پہلے رومانہ کی پھر نسبت طے ہوئی تھی کہیں تاریخ خود کو نہ دہرا دے' سب نے خاموشی ہی اختیار کیے رکھی۔

دو دن بعد حبیب کو اس کے نتیجے کا علم ہوا۔ دفتر سے سیدھے ادھر ہی آ گئے۔ پہلے تو سالی سے چھوٹا سا جھگڑا کیا کہ انہیں آذر کے کامیاب ہونے کی اطلاع کیوں نہیں کرائی تھی' پھر مٹھائی کا مطالبہ کرنے لگے۔

''یہ کیا بات ہے یوں غم کی طرح خوشی منائی جائے۔ میں تو ایسا کبھی بھی نہ ہونے دوں گا۔ ایسی ذہین اولاد روز روز تھوڑی پیدا ہوتی ہے۔ ایسی خوشیاں روز بروز تھوڑی ملتی ہیں۔'' حبیب ہی کے احساس دلانے پر امی کی سوئی ممتا بیدار ہوئی۔

''جانا ذرا خاور! پانچ سیر لڈو لے آؤ۔''

''لڈو کس لیے؟'' امی کی آواز ابا کے کان میں پڑ گئی۔ وہ کمرے سے نکل آئے۔

''آذر کی اتنی شاندار کامیابی کی خوشی میں۔'' حبیب یوں فخریہ بولے جیسے یہ ان کا اپنا ہی کارنامہ تھا۔

''آذر کی کامیابی؟ آذر کی کامیابی کون سی؟'' وہ اتنے اس سے لاتعلق تھے۔

''ایف اے کے امتحان کا نتیجہ پرسوں نکلا ہے۔''

''لو.....رات گئی بات گئی.....اور یہاں تو دوراتیں تین دن گزر چکے ہیں۔'' ابا لاپروائی سے بولے۔

''بچے کی حوصلہ افزائی ہوتی ہے بھائی صاحب!'' حبیب پہلو بدل کر اِک شاکی سی نگاہ سے انہیں دیکھتے ہوئے بولے۔ ''جاؤ خاور! تم جاؤ' لڈو ضرور آئیں گے۔''

''مگر اتنے زیادہ کیا کرنے ہیں؟''

''اس کی پھوپھو زلیخا ساتھ ہی ہیں' چچی دو گھر چھوڑ کر رہتی ہیں' ایک آدھ فرلانگ کے فاصلے پر خالہ ہیں۔ دُور والے تو دُور رہے' سوچتی ہوں ان قریب قریب رہنے والوں کا تو منہ میٹھا کرا ہی دوں۔'' امی کی مامتا پوری طرح جوش میں آ گئی تھی۔

''واقعی حبیب کا کہنا بھی درست ہے۔ آذر خوش ہو کر اچھا انسان بننے کی کوشش کرے گا اور محنت سے پڑھے گا اور ترقی کرے گا۔''

ابا کا ووٹ تو ہمیشہ امی ہی کی طرف ہوتا تھا۔ جو کچھ انہوں نے کہا انہیں درست محسوس ہوا۔

''پھر امی! لاؤں لڈو؟''

''ضرور.....ابھی جاؤ!'' ماحول خوشگوار تھا' ابا کی فضا بھی خوشگوار ہو گئی۔

''حبیب تو اب لڈو کھائے بغیر ٹلنے والے نہیں۔ جلدی لے آؤ گے تو شاید کھانا ہی بچ جائے۔''

ابا کے مذاق پر باقی سب تو قہقہے لگا ہی اُٹھے تھے' خود حبیب اتنا محظوظ ہوئے کہ کتنی ہی دیر تک ہنستے رہے۔

آذر اپنے کمرے میں تھا۔ ساری باتیں کانوں میں پڑ رہی تھیں۔ جب سب کی ہنسی اور قہقہے امرت رس کی طرح ٹپکے تو رہ نہ سکا' جلدی سے باہر نکل آیا۔

''آؤ' آؤ آذر بیٹے! تم نے تو ہمارا سر اور اونچا کر دیا۔'' حبیب نے اسے دیکھتے ہی بازو پھیلا دیئے۔ ''مبارک ہو بھئی بہت بہت!!'' انہوں نے انتہائی خلوص اور گرمجوشی سے اسے گلے سے لگا لیا۔

''لیکن بھئی اِک گلہ ہے!''

''وہ کیا خالو جان؟''

''تم نے ہمیں بتایا ہی نہیں کہ کب نتیجہ نکلا اور کیسا نکلا؟ اتفاق سے دو دن اخبار ہی نہیں دیکھا تھا۔ آج اچانک پرسوں کے اخبار پر نظر پڑی تو بہت افسوس ہوا۔''

''نتیجے کے؟'' آذر شرارت سے مسکرایا۔

''نتیجے کی تو خوشی ہوئی شریر' افسوس تم پر ہوا' خوشی کی باتیں چھپایا نہیں کرتے۔''

پھر حبیب نے سو روپے کا اِک نوٹ نکال کر اس کی طرف بڑھایا۔ ''اتنی شاندار کامیابی پر میری طرف سے۔''

''نہیں حبیب! یہ تو تکلف ہے سراسر۔'' امی جلدی سے بولیں۔

''تکلف کیسا آپا! آذر تو میرا بیٹا ہے۔ یقین کریں مجھے اتنی خوشی ہوئی ہے اتنی زیادہ کہ اس کے مقابلے میں یہ کچھ بھی نہیں۔ خوشیاں بہت قیمتی ہوتی ہیں۔''

امی اور ابا نے بہت زور لگایا' مگر حبیب نے نہ رقم واپس لی نہ کم کی۔

''چلو پھر لے لو!'' آخر بہت زیادہ اصرار پر امی نے ہار مانتے ہوئے آذر کو اشارہ کیا۔

''وہ کیا لے لے' تم لے کر پاس رکھ لو اور جو کچھ یہ چاہے گا اسے لے دینا۔'' ابا ابھی تک اسے ایک بچہ ہی سمجھتے تھے۔

''کیوں آذر بیٹے! کیا لو گے؟'' حبیب نے بڑے پیار سے پوچھا۔

''کچھ کتابیں اور.....'' اور آذر مزید کچھ کہتے کہتے جھجک کر خاموش سا ہو گیا۔

''اور کیا؟''

''وہ.....وہ.....کچھ نہیں خالو جان!'' لیکن اس کا انداز بتا رہا تھا کہ اس کے دل میں کوئی خواہش ضرور تھی' مگر وہ کہتے ہوئے جھجک رہا تھا۔

''ارے بھئی صاف کہہ دو نا کیا کہنا چاہتے ہو؟''

''وہ.....وہ.....'' وہ ہکلایا' جھجکا۔ پھر یکا یک ماں کی طرف رُخ پھیرتے ہوئے بولا ''آپ ڈانٹیں گی تو نہیں؟''

''لوسنواس کی.....میں بھلا کیوں ڈانٹوں گی۔اب اس رقم پر تمہارا حق ہے، جو چاہو کرو۔''

''میں کتابیں بھی اپنے جیب خرچ سے خریدلوں گا' بس یہ پوری کی پوری رقم آپ اپنے پاس رکھیے اور مجھے خاور بھائی جان جیسا لحاف بنوا دیجیے۔''

''کیا؟ یہ کیا کہہ رہے ہو؟'' امی نے یوں حیرت سے اسے دیکھا جیسے اس کی دماغی صحت پر انہیں شک تھا۔

''ہاں امی! مجھے ایسا نرم نرم' ملائم ملائم سا لحاف اوڑھ کر سونے کا بڑا شوق ہے۔''

جانے اس کے اس فقرے میں کیا تھا۔ باقی سب تو قہقہہ مار کر ہنس دیئے' مگر حبیب کے ہونٹوں پر پیشتر سے پھیلی مدھم سی مسکراہٹ بھی معدوم ہوگئی۔ وہ یکا یک اُٹھ کر کھڑے ہوگئے۔

''میں اب چلوں آپا۔''

''ارے واہ! مٹھائی کے لیے اتنا شور مچا رہے تھے اور اب کھائے بنا ہی چل دیئے۔''

''بہت ضروری کام یاد آ گیا۔ مٹھائی پھر آ کر کھالوں گا۔''

''یہ تو بڑی بدمزگی ہوگئی۔ اتنا خوش تھے سب بچے۔'' وہ بڑبڑاتی ہی رہ گئیں' مگر حبیب نے اپنا ارادہ نہیں بدلا۔

خدا حافظ کہتے ہوئے تیزی سے نکلے چلے گئے۔

''خالو جان!'' وہ سڑک تک پہنچ گئے تھے کہ آذر کی آواز کان میں اُتری۔ وہیں رُک گئے۔

''آپ یکایک ہی چلے کیوں آئے؟''

''بس یونہی بیٹے!''

''نہیں! مجھے لگتا ہے جیسے مجھ سے کوئی گستاخی ہوگئی ہے۔''

''نہیں' نہیں!! تم جیسا سچا اور حساس انسان کوئی غلط حرکت نہیں کرسکتا۔''

''لیکن کچھ ہوا ضرور ہے۔'' آذر چند لمحے کچھ سوچتے رہنے کے بعد ایک دم بولا۔

''ہاں! پتہ چل گیا۔ آپ کے دیئے ہوئے روپوں سے جب میں نے لحاف بنوانے کی خواہش کا اظہار کیا تھا تو اسی وقت آپ کا موڈ خراب ہوگیا تھا۔ ہاں اسی وقت مجھے پورا یقین ہے۔''

آذر معذرتی انداز میں بولا۔

"خالو جان! میں لحاف نہیں بنواؤں گا۔ آپ مجھ سے ناراض نہ ہوں اور باقی زمانہ میرے ساتھ کچھ کرے، مگر میں اِک آپ کی خفگی برداشت نہیں کرسکتا۔"

"نہیں بیٹے! تم لحاف ضرور بنواؤ۔ تمہاری کوئی دیرینہ حسرت پوری ہو جائے تو اس سے زیادہ خوشی مجھے اور کس بات سے ہوگی؟"

"پھر.....؟ پھر خالو جان آپ بتا دیجیے پلیز! آپ کیوں یکا یک سنجیدہ ہو گئے اور وہاں سے اُٹھ کر چلے آئے۔ اگر آپ نے بتایا نہیں تو میں خود کو ہی قصوروار ٹھہرا کر پریشان ہوتا رہوں گا۔"

"بیٹے! تمہاری اس خواہش کے اظہار نے مجھ پر تمہارے ساتھ ہونے والی بے انصافیوں کے کئی باب کھول دیئے تھے۔ اگر میں کچھ دیر بھی اور رُک جاتا تو مجھے ڈر تھا کہ غصے میں میری زبان سے آپا اور بھائی صاحب کے لیے کوئی ناشائستہ کلمات نکل جانے تھے۔ کیوں وہ اولاد میں فرق رکھتے ہیں؟"

حبیب بہت غمزدہ تھے۔ آذر کی خاطر بڑے دُکھی ہو رہے تھے۔ کتنا خیال تھا اس کا انہیں اور کس قدر محبت کرتے تھے وہ اس کے ساتھ.....اور.....ان کے خلوص و محبت کا بدلہ یہی تھا کہ وہ اپنی خاطر انہیں رنجیدہ نہ ہونے دیتا۔

"وہ خالو جان! دراصل مجھ سے بے دھیانی میں حرکات بھی تو غلط سلط ہو جاتی ہیں۔ بس اسی وجہ سے ان کی بے توجہی کا شکار ہوا رہتا ہوں۔ سب میرا اپنا قصور ہے۔"

"کون سی غلط سلط حرکات؟" حبیب اس کی بات کا انداز سمجھ گئے تھے' پھر بھی جان بوجھ کر انجان بن گئے۔

"یہی.....دنیاداری نہیں سیکھتا۔" وہ سچ بولے بنا رہ نہ سکا۔ "ہمیشہ سچائی کو اپنا شعار بنائے رکھتا ہوں۔ پھر میری اس عادت سے انہیں نقصان بھی تو بہت پہنچ جاتے ہیں۔"

"تو.....تو کیا بیٹے! تم اپنی اس عادت سے متاسف ہو۔ تم اب ان کے فائدے کی خاطر جھوٹ بولا کرو گے؟" حبیب بہت سنجیدہ تھے۔

آذر نے اِک زوردار قہقہہ لگایا۔

''یہ کیسے ممکن ہے خالو جان! جس طرح نشے کی عادت نہیں چھوٹ سکتی' اسی طرح مجھے سچائی کا نشہ لگ گیا ہے۔ اب تو شاید کبھی نہ چھوٹ سکے۔ بہت ساری کوششوں کے باوجود بھی نہیں۔''

''تو پھر تم نے غلط سلط حرکات کیوں کہا تھا؟''

''آپ کی پریشانی دُور کرنے کے لیے۔''

''میں تو برخوردار جب جب تمہارے ساتھ بے انصافی ہوتے دیکھوں گا' کڑھوں گا' پریشان ہوں گا اور.....'' پھر وہ بڑے عجیب سے انداز میں مسکرا دیئے۔

''.....اور یہ مجھے یقین ہے میں کڑھتا جلتا ہی رہوں گا' پریشان ہی ہوتا رہوں گا۔''

''یعنی کہ میرے ساتھ بے انصافیاں ہوتی رہیں گی؟'' آذر نے بڑے خوشگوار سے لہجے میں کہا۔

''بالکل! ہر سچے انسان کے ساتھ دنیا میں بے انصافیاں ہوتی ہیں لیکن یہ ذہن میں رکھنا کہ پروردگار کی طرف سے اس کے ساتھ انصاف ہوتا ہے۔''

''پکی بات ہے نا؟'' آذر شوخی سے مسکرایا۔ ''ایسا نہ ہو دنیا بھی جائے اور عاقبت میں بھی کچھ نہ ملے۔ تب تو مارا جاؤں گا خالو جان۔''

آذر کے ساتھ ساتھ حبیب بھی اس کی شرارت سمجھتے ہوئے ہنسنے لگے۔

پھر دونوں کتنی ہی دیر سڑک کے کنارے کھڑے باتیں کرتے رہے۔ ایف اے کے بعد بی اے میں داخلہ جلد از جلد لینے کی تاکید کرتے ہوئے پوچھنے لگے ''بی اے میں کون سے مضامین رکھو گے؟''

''ارادہ وہی ہے نفسیات' خاص طور پر اور اس کے علاوہ کوئی اور..... نفسیات میں ایم-اے کروں گا اور پھر پی-ایچ-ڈی۔''

''خدا تمہیں تمہارے عزائم میں کامیاب کرے بیٹے!''

''وہ اسے دعائیں دیتے ہوئے رخصت ہو گئے۔''

اس مہنگائی کے دَور میں دو بیٹوں اور بیٹیوں کی موجودگی میں اس کا وجود کوئی ایسا خوشگوار اضافہ نہیں تھا۔ گھر میں اس کی حیثیت اک ناخواندہ مہمان کی سی ہو کر رہ گئی تھی۔ تب وہ بے توجہی کا شکار ہونے لگا۔

اس کا احساس اسے بہت چھوٹی عمر میں ہی ہو گیا تھا اور وہ چاہتا تھا کہ اس کے لاڈ' اس کے ناز نخرے بھی بڑوں کی طرح اٹھائے جائیں۔ ان کی طرح وہ بھی سب کی توجہ کا مرکز بنے۔ اس کوشش میں اس نے ہمیشہ اچھے کام کیے۔ نیک اطوار اپنائے۔ جھوٹ سے گریز کیا۔ سچ بولا۔ دوسروں سے ہمدردی کی۔

لیکن نجانے اس کے نصیب کو کیا تھا بدلے میں اسے ہمیشہ بدنامی ملی۔ وہ ہمیشہ برا ہی بنا اور بہن بھائیوں' ماں باپ اور دوسرے رشتہ داروں کی طرف سے لعن طعن کرانا ہی مقدر میں لکھا گیا۔

لیکن کیوں؟ سوچ سوچ کر تھکنے کے باوجود اس کی سمجھ میں کبھی کچھ نہیں آیا اور جب پہلے نہیں آیا تو آج..... آج بھی کیسے کچھ سمجھ میں آتا۔ وہ تو بس جیسے تماشائے اہل کرم دیکھنے کو ہی دنیا میں آیا تھا۔

تین چار دوست مل کر بہت رات گئے تک نذیر کے گھر میں پڑھتے رہے تھے۔ ایک بج گیا تو سب کو احساس ہوا۔ اگلی صبح کالج بھی جانا تھا۔ جلدی جلدی سب اپنے اپنے گھروں کو لوٹ گئے۔ آذر کا گھر سب کے راستوں سے علیحدہ ہٹ کر تھا۔

رات اندھیری اور سنسان تھی، نہ اسے کبھی اندھیروں سے ڈر لگتا تھا نہ تنہائیوں سے۔ سردی کے مارے ٹھٹھرتے ہاتھوں کو پتلون کی جیبوں میں گھسائے وہ ہشاش بشاش گنگناتے ہوئے چلا جا رہا تھا۔

''ہائے، ہائے، خدایا! یہ تیری ٹھنڈ..... یہ تیرا جاڑا۔ جان نکلی جا رہی ہے۔'' کسی کے کراہنے اور بڑبڑانے کی آواز کان میں پڑی تو آذر وہیں ٹھٹک گیا۔

''ہائے! پروردگار اپنا کرم کر۔''

آذر نے جلدی سے جیب میں سے ٹارچ نکال کر جلائی۔

''کون ہے؟'' ٹارچ کی روشنی اردگرد پھینکتے ہوئے وہ کراہنے والے کو تلاش کرنے لگا۔

''اللہ! اپنا رحم کر۔'' اسے اپنے بالکل قریب سے پھر صدا آئی۔

''اوہ!'' ٹارچ کی روشنی کا دائرہ فٹ پاتھ کے کنارے ایک دکان کے تھڑے پر تھم گیا۔ وہاں سائبان کے نیچے اِک بوڑھا پڑا کراہ رہا تھا۔

''کیا بات ہے بابا جی؟'' آذر پریشان ہو کر اس کی طرف لپکا۔

''کیا تکلیف ہے آپ کو؟'' وہ اس پر جھک کر اسے ٹٹولنے لگا۔

''تکلیف؟'' بوڑھا ایک دم اُٹھ کر بیٹھ گیا ''مجھے کوئی تکلیف تو نہیں بیٹے! تمہیں کس نے کہا؟''

''آپ ہائے ہائے کر رہے تھے نا۔''

''اوہ!'' بوڑھا بڑی خوش اخلاقی سے ہنس پڑا۔ ''سردی بہت ہے نا اس لیے منہ سے ہائے نکل گئی۔ انسان ہوں نا..... ناشکرا انسان!'' وہ اپنے آپ کو ہی طنز کرنے لگا۔

آذر نے ٹارچ کی روشنی اس کے پورے وجود پر ڈالی۔ اتنی غضب کی سردی تھی مگر وہ صرف اِک پتلی سی دھوتی اور پتلا سا کرتہ پہنے تھا۔

''اس نے یہ بھی جو کپڑے دیئے ہیں ان کا شکر ادا کرنے کے بجائے اس کی دی ہوئی سردی کا گلہ کرنے لگ گیا۔ واقعی بھلا میں کیوں ہائے ہائے کر رہا تھا۔ دینے والا اگر یہ بھی نہ دیتا تو..... تو..... شکر ہے تیرا پروردگار۔''

وہ بڑبڑائے گیا اور آذر حیرت اور تعجب سے کھڑا اس کے سردی سے کپکپاتے وجود کو دیکھتا رہا اور اس کی زبان سے جاری صبر وقناعت اور شکرانے کے کلمات سنتا رہا۔

''تم جاؤ بیٹے! یہاں سردی میں کیوں کھڑے ہو؟'' بوڑھے کے اس فقرے سے وہ چونکا۔ اس نے تو اس کے مقابلے میں سردی کے بچاؤ کے لیے بہت کچھ پہنا ہوا تھا۔ وہ اس کے پاس ہی بیٹھ گیا۔

''ارے بھلے انسان! جاؤ گھر۔ امیروں کے بیٹے صرف گزر جایا کرتے ہیں' کسی کا درد سینے میں نہیں.....''

''بابا!'' آذر نے اس کی بات پر توجہ ہی نہیں دی ''آپ یہاں کیوں پڑے ہوئے ہیں؟''

''آپ؟'' بوڑھا عجیب سی ہنسی ہنسا۔ آذر نے نظر انداز کرتے ہوئے دوبارہ پوچھا۔

''بتائیے نا یہاں کیوں پڑے ہیں؟ اتنی سردی ہے!''

''یہ میرا گھر ہے بیٹے!''

''یہ آپ کا گھر ہے؟ یہ.....؟''

''جس چھت کے نیچے پناہ مل جائے وہی گھر ہوتا ہے۔'' پھر بوڑھا آذر کے مزید کچھ پوچھے بنا ہی بتانے لگا۔

''اس دکان کی رکھوالی کرتا ہوں.....روپیہ روز مل جاتا ہے۔''

''بس؟ اس ایک روپے میں آپ کا گزارہ ہو جاتا ہے؟''

''گزارہ ہو جاتا ہے کیا.....کرنا پڑتا ہے۔ بڑھاپا کوئی اور مزدوری کرنے کی اجازت جو نہیں دیتا۔ ہڈیوں میں دم ہی نہیں ہے۔''

''اوہ.....!'' آذر کا دل دُکھی ہو اُٹھا۔ جیب میں دس روپے پڑے ہوئے تھے۔ گو ابھی مہینے کے آٹھ دن باقی تھے اور اس کا باقی جیب خرچ' خرچ ہو چکا تھا مگر وہ گزارہ کر سکتا تھا یا پھر ضرورت پڑنے پر کسی سے ادھار بھی لے سکتا تھا۔

اس اطمینان کے ساتھ اس نے وہ دس روپے نکال کر بوڑھے کی طرف بڑھا دیئے۔

''باباجی! یہ قبول کر لیجیے۔ میرے پاس اس وقت یہی.....''

اور ابھی وہ اپنی بات مکمل بھی نہیں کر پایا تھا کہ بوڑھے نے اس کا ہاتھ پرے ہٹا دیا۔

''بیٹے! میں گداگر نہیں ہوں۔ بھیک نہیں کھایا کرتا۔''

''وہ.....'' آذر سٹپٹا اُٹھا ''میرا مطلب یہ نہیں تھا۔''

وہ خفیف سا ہو کر اس کی طرف دیکھتے کا دیکھتا رہ گیا۔

''میں تو صرف آپ کی مدد کرنا چاہتا تھا۔'' آخر بہت سوچ سوچ کر وہ یہی کہہ پایا۔

''بیٹے! جب انسان ہاتھ پاؤں رکھتے ہوئے مدد لینا شروع کر دیتا ہے تو پھر وہ بھیک بھی لینے لگتا ہے۔ اللہ مجھے روٹی دیتا ہے' پھر میں کیوں کسی انسان سے امداد لے کر اس پاک ذات کی دی ہوئی نعمتوں کی ناشکری کروں۔''

اس قناعت پسند بوڑھے کے ان عظیم خیالات نے آذر کو زندگی کے' عظمتوں کے' رفعتوں کے نئے راستوں سے روشناس کرا دیا۔ وہ عقیدت بھری نگاہوں سے اس کے سردی سے کانپتے وجود کو دیکھتے ہوئے بولا۔

''اِک بیٹا اگر اپنے باپ جیسے کسی بزرگ کو کسی عقیدت یا خلوص کے تحت کوئی تحفہ دینا چاہے تو کیا اسے بھی آپ بھیک کہیں گے؟''

''نہیں بیٹے! کسی کے خلوص کو بھیک کا نام دینا بھی اچھا فعل نہیں۔ یہ بھی اِک کفرانِ نعمت ہے۔''

''تو پھر میں ابھی آیا۔ آپ میرا یہیں انتظار کریں۔''

''مجھے اور کہاں جانا ہے۔'' بوڑھا گھٹنے پیٹ کے ساتھ لگاتے ہوئے زور سے ہنسا۔

آذر آنکھوں میں پھیلی نمی کو اندر ہی اندر پینے کی کوشش کرتے ہوئے اس کے پاس سے اُٹھ کر چلا گیا..... گھر پہنچا..... اس کے کمرے کا اِک دروازہ باہر کی طرف کھلتا تھا۔ جاتے ہوئے مقفل کرتا گیا تھا کہ دیر سے آنے کی صورت میں دوسرے گھر والے بے آرام نہ ہوں اور وہ باہر سے ہی کھول کر چپکے سے اندر داخل ہو جائے۔

.....اور اب چپکے سے گھر والوں کو بے آرام کیے بغیر اپنے کمرے میں آ تو گیا تھا' مگر

گھر والے سب سوئے پڑے تھے اور اسے ان کی ضرورت پڑ گئی تھی۔ امی ہی جاگتی مل جاتیں تو کام بن جاتا۔

گھر کے افراد کی ضروریات کے علاوہ آٹھ دس لحاف امی نے وافر بنوا کر بڑے صندوق میں رکھے ہوئے تھے..... اور وہ بڑا صندوق امی کے کمرے سے ملحق اک سٹور میں پڑا ہوا تھا۔

اب کیا کرے؟ وہ اِک لحاف اور اِک سویٹر یا کوٹ اس بوڑھے کو بطور تحفہ دینا چاہتا تھا تاکہ جاڑے کا موسم ذرا سہولت سے کٹ جائے۔ امی کے کمرے سے گزر کر لحاف نکالنے کے لیے جاتا تو ان کے جاگ جانے کا خطرہ تھا اور سوتے سے امی کو یا کسی اور کو جگانے کی اس میں جرأت نہ تھی۔ بفرضِ محال اس بوڑھے کی خاطر وہ یہ جرأت کر بھی بیٹھتا تو اسے ڈر تھا میٹھی نیند سے بے آرام ہونے پر غصے میں اسے لحاف کے بجائے صرف لعن طعن اور انکار ہی ملنا تھا اور ساتھ وہ خود بے درد، بے رحم اور ظالم تو تھا ہی اس بے گناہ بوڑھے نے بھی بن جانا تھا۔

اپنی سے زیادہ اس بوڑھے کی عزت کو محفوظ کرنے کی خاطر اس نے بڑے صندوق سے فالتو لحافوں میں سے اِک لحاف نکالنے کا ارادہ ترک کرتے ہوئے اپنا لحاف اس مقصد کے لیے منتخب کر لیا۔

یہ وہی لحاف تھا جو ایف اے کی کامیابی پر خالو حبیب کی دی ہوئی رقم سے لیا تھا..... نرم، ملائم، ریشمی اور قیمتی۔

لحاف کے بعد مسئلہ سویٹر یا کوٹ کا تھا۔ بوڑھے کے پاس سے جب آیا تھا تو اس کی نگاہ میں خاور اور یاور کے پرانے اور بے مصرف پڑے ہوئے دو دو تین تین کوٹ تھے۔ مگر یہاں بھی لحاف ایسا ہی معاملہ تھا۔

چپکے سے اپنے کپڑوں کی الماری کھولی۔ پچھلے دو سال والا پرانا اِک کوٹ تھا تو مگر وہ خود اسے اب چھوٹا ہو چکا تھا تو اس بوڑھے بیچارے کو کیسے آتا۔ وہ اچھے اونچے لمبے قد کاٹھ کا تھا۔ اس صورت میں یہ کوٹ اسے تحفے میں دیتا تو نہ صرف اس کی مفلسی کا مذاق اڑانے کے مترادف تھا بلکہ تحفہ دینے والے جذبے کی بھی توہین تھی۔

پھر اس نے دوسرا دیکھا' جو اس سال نیا بنا تھا مگر یہ تو کالج کا بلیزر تھا۔ اس کے بغیر وہ کالج میں قدم نہیں رکھ سکتا تھا اور نہ ہی ایک ہی سال میں دو امی نے بنوا کر دینا تھے۔ تعلیم منقطع ہو جاتی مگر انہوں نے اس کا لحاظ نہیں کرنا تھا۔

کوٹ دینے کا ارادہ ترک کر کے وہ سویٹروں کو دیکھنے لگا۔ اس کے پاس صرف دو سویٹر تھے۔ ایک اسی سال رومانہ آپا نے یاور بھائی کا پرانا ادھیڑ کر اس کا بنا دیا تھا۔ دوسرا وہ تھا جو دو سال پہلے امید سے بنوا کر خالو حبیب نے دیا تھا۔

خالو حبیب ٹھیک ہی کہتے تھے کہ وہ اتنی چھوٹی سی عمر میں ہی بڑی اچھی بنائی کرتی تھی۔ آذر سویٹر کو دیکھ کر حیران رہ گیا تھا۔ اسے اتنا پسند آیا تھا وہ سویٹر کہ آج تک اتنا شاندار نرم' ملائم اور خوبصورت نمونے والا اس نے کوئی نہ پہنا تھا۔

دو سال پہلے کی بات تھی یہ مگر اس نے بڑی احتیاط سے اسے استعمال کیا تھا۔ دو برسوں میں صرف ایک بار ڈرائی کلین کرایا تھا۔ وہ پہنتا ہی اسے خاص خاص مواقع پر تھا۔ اسی طرح نئے کا نیا تھا۔ یہ تو کسی کو دینے کا سوال ہی پیدا نہیں ہوتا تھا۔

تب..... وہ رومانہ آپا والا..... کیا وہ دیدے؟ مگر وہ تو پرانی اور گھسی ہوئی اون کا تھا۔ اس میں تو اتنی گرمی بھی نہیں تھی۔ اسے رومانہ آپا پر غصہ آ گیا۔ سب کے نئے بنے تھے' نئی اون سے اور اچھے اچھے نمونوں والے۔ مگر جب اس کی باری آئی تو بڑے اطمینان سے امی کو مشورہ دے دیا ''آذر کے پاس امید والا سویٹر اتنا اچھا اور نئے کا نیا موجود تو ہے اور پیسے خرچ کرنے کی کیا ضرورت ہے۔ یاور کے سویٹر کی جو پرانی ادھڑی ہوئی اون پڑی ہے عام استعمال کے لیے اس کا بن جائے۔ کفایت کرنا کوئی بری بات نہیں۔ انہیں پیسوں سے کوئی اور ضرورت پوری ہو سکتی ہے۔''

امی کو بیٹی کا یہ مشورہ بے حد پسند آیا۔ کیسی عقلمند اور سگھڑ ان کی بیٹی تھی' فوراً قبول کر لی۔ بیٹی کی تعریفیں کر کر کے قبول کیا۔

ہاتھ میں پکڑے ہوئے اس سویٹر کو آذر نے واپس رکھ دیا۔ دوست کے ہاں جاتا تھا۔ خود اس وقت امید والا ہی پہنا ہوا تھا۔ گلے سے اتار کر وہ پرانی اون والا خود پہن لیا۔

''اللہ بھی اسے عزیز رکھتا ہے جو اس کی راہ میں اپنی عزیز ترین چیز قربان کرنے سے کبھی دریغ نہیں کرتا۔''

آذر کے کانوں میں حدیث گونج رہی تھی۔ پچھلے جمعہ کی نماز میں ہی خطبے کے وقت دوسری حدیثوں کے ساتھ مولوی صاحب نے یہ سنائی تھی۔

اپنی دیرینہ خواہش پر بنوایا ہوا وہ لحاف اور اپنا پسندیدہ سویٹر لے کر وہ بوڑھے کے پاس جا پہنچا۔

''بابا جی! یہ اِک بیٹے کی طرف سے خلوص و محبت بھری نذر۔ امید ہے آپ اس کو بھیک نہیں، تحفہ سمجھ کر قبول کریں گے۔''

''مگر بیٹے! مگر بیٹے!!'' بوڑھا حیران ہو ہو کر اس نوعمر لڑکے کو دیکھ رہا تھا۔

جب سے سردی کا موسم آیا تھا وہ اسی طرح گھٹنے پیٹ کے ساتھ لگا کر، ٹھٹھر ٹھٹھر کر اور سُوسُو کر کے راتیں گزار رہا تھا۔ وہاں سے گزرنے والا ہر راہی اسے دیکھ کر گزرتا تھا۔ سردی کے مارے ٹھٹھرتی ہوئی اس کی کراہیں سب سنتے تھے، مگر کبھی کسی نے اسے قابل توجہ یا قابل ہمدردی نہ سمجھا تھا۔

اور آج یہ کچی عمر کا ناپختہ ذہن و کردار والا لڑکا..... اتنا بڑا عمل کر گزرا تھا۔ وہ کسی اونچے سے اونچے کردار والے سے بھی عظیم تھا۔ شکریے کے بجائے بے اختیار بوڑھے کے منہ سے اس کے لیے دعائیں نکلیں۔

''اللہ تجھے اس سے بھی بڑے بڑے عمل اور نیکیاں کرنے کی سدا توفیق دیے رکھے میرے بیٹے۔ تمہارا تحفہ تو میں ضرور قبول کروں گا..... ضرور میرے بچے! ضرور۔''

بوڑھا اس سویٹر کو، اس لحاف کو چومنے لگا..... آنکھوں سے لگایا..... عجیب سی اس کی حالت تھی۔ آذر اسے اس کے حال پر چھوڑ کر جلدی سے واپس پلٹ آیا۔

وہ اپنے کمرے میں پہنچا۔ رات بہت جا چکی تھی۔ سونے کے لیے پلنگ کی طرف بڑھا تو..... لحاف بابا کو دے آیا تھا اب اسے صرف کمبل پر ہی قناعت کرنا تھی۔ مگر وہاں تو کمبل بھی موجود نہیں تھا..... اور آج سردی بھی روز سے کہیں زیادہ تھی۔

آستینوں والا سویٹر بھی اتار کر اسے دے آیا تھا اور اب اس کے تن پر پرانی گھسی ہوئی اون کا بغیر آستینوں والا سویٹر تھا جو سردی روکنے کے لیے بہت ناکافی تھا۔ چپکے سے الماری میں سے بلیز رنکالا' پہنا اور کونے میں پڑی بید کی کرسی پر جا بیٹھا۔

جاگ کر سردی کا مقابلہ کیا جا سکتا تھا مگر بغیر لحاف یا کمبل کے لیٹنے سے زیادہ محسوس ہونا تھی۔ یوں بھی "بیشمار سرد اور یخ بستہ کر دینے والی راتیں اس بوڑھے نے بغیر در و دیوار کے کمرے اور بغیر لحاف اور بغیر پورے لباس کے گزاری ہیں نا تو آذر! تو کیا ایک بھی نہیں گزار سکتا؟ جبکہ تو در و دیوار والے کمرے میں ہے اور پورا لباس بھی زیب تن کیے ہے۔ تمہیں گزارنی چاہیے آذر میاں! ضرور۔ بیشک ایک ہی..... اس لیے کہ تو اللہ کی دی ہوئی نعمتوں کا پورے خلوص سے شکر ادا کر سکے۔"

وہ سوچتا رہا اور بیٹھا رہا..... اور پھر..... جانے اسے کب نیند آ گئی۔ حالانکہ اتنی سردی تھی پھر بھی نیند آ گئی۔ شاید اس لیے کہ اس کے ضمیر میں اطمینان و سکون کی گرمی تھی۔ لحاف اور سویٹر نے جو حدت اس بوڑھے کو پہنچائی ہو گی وہ ایسے لگتا تھا جیسے اس کے اپنے اندر اتر آئی تھی۔ آج ہمیشہ سے کہیں زیادہ میٹھی نیند میں وہ کھویا تھا۔

جانے کیسی آوازیں تھیں..... کچھ عجیب قسم کی کھسر پھسر اور گڑبڑ سے اس کی آنکھ کھل گئی۔

"اوہ.....!" وہ چونک کر ہڑبڑا کر سیدھا ہو بیٹھا۔

گھر کے تقریباً سبھی افراد اس کے گرد جمع تھے اور اسے اک کرسی پر ٹانگیں اوپر چڑھائے' گھٹنے پیٹ کے ساتھ لگائے دبکا پڑا سوتا ہوا دیکھ رہے تھے۔ اس کا سونے کا یہ انداز شاید سب کو بہت بھایا تھا جو اتنی دلچسپی سے سب دیکھ رہے تھے۔

"کیوں بچو! سونے کا یہ نیا انداز اپنایا ہے؟" خاور بھائی کے لہجے میں عجیب سا طنز تھا۔

"بیٹھے بیٹھے نیند آ گئی۔ پتہ ہی نہیں چلا۔" مسکراتے ہوئے آذر نے ٹالنے کی خاطر بے معنی سی صفائی پیش کی۔

"وہ تمہارا لحاف کہاں ہے؟" امی پوچھنے لگیں۔ "رومانہ نے ہر جگہ دیکھا ہے۔"

''رومانہ کی بات چھوڑیئے امی! اس کو تو سامنے پڑی چیز بھی دکھائی نہیں دی۔'' یاور نے اس کا مذاق اڑایا۔

''لحاف نہیں ہے۔'' آذر جھکی جھکی گردن سے بولا۔ ''رومانہ آپا نے غلط نہیں کہا۔''

''لحاف نہیں ہے..... کیا مطلب؟'' امی نے تعجب سے پوچھا' پھر جلدی سے آذر کے بستر کی طرف دیکھا۔

''کیوں رومانہ! رات کو لحاف اس کے پلنگ پر نہیں رکھا تھا؟''

''مجھے رکھنا یاد ہی نہیں رہا تھا امی۔''

''پھر بڑے صندوق میں ہوگا۔ پڑھائی میں لگ کر اسے ادھر سے لحاف لانے کا ہوش کہاں رہا ہوگا۔''

''نہیں امی! لحاف یہیں پلنگ پر ہی تھا۔ کل کسی نے میرا بستر اٹھایا ہی نہیں اور کالج سے آ کر پڑھنے کے لیے دوست کے گھر چلا گیا اس لیے مجھے بھی اٹھانا یاد نہ رہا۔''

''پھر اب کہاں ہے؟ اور تم اس طرح بیٹھے بیٹھے سو رہے ہو۔ مجھے تو بوا نے اب بتایا ہے۔''

''وہ..... میں..... وہ..... میں!'' اس کی سمجھ میں نہیں آ رہا تھا کہ کس انداز میں انہیں بتائے۔ جھوٹ بھی بولنا نہیں چاہتا تھا۔ سچ بھی اس انداز میں بتانا چاہتا تھا کہ انہیں بھی پریشانی یا دُکھ نہ ہو۔

''ہاں' ہاں..... بولو بھی۔'' امی نے گھبرا کر اسے جھنجوڑ ڈالا۔

''وہ..... میں کل رات اپنے دوست کے ہاں سے پڑھ کر اس چھوٹی سڑک والے راستے سے گھر آ رہا تھا کہ ایک بے حد بوڑھا شخص ایک بند دکان کے باہر پڑا ٹھٹھرتا دکھائی دے گیا۔ اس شدید سردی میں بھی وہ اِک پتلی سی دھوتی اور ایک چیتھڑا نما قمیص پہنے ہوئے تھا' بالکل خالی قمیص' نیچے بھی کوئی سویٹر یا بنیان نہیں تھی۔''

آذر پوری طرح اس کا نقشہ کھینچ کر اس کے لیے سب کی ہمدردیاں بیدار کرنا چاہ رہا تھا۔

''پھر....؟ آگے بھی بکو!'' خاور بھائی الجھ کر رُعب دار لہجے میں بولے۔

''اپنا لحاف اور آستینوں والا براؤن سویٹر' جو اُمید نے بنایا تھا' وہ میں اسے دے آیا ہوں۔''

''لحاف اور سویٹر اسے دے آیا ہے؟'' امی تعجب سے چلا سی پڑیں۔

''جی امی! اسے اس حالت میں دیکھا تو میرے دل میں خوفِ خدا.....''

''.....خوفِ خدا کے بچے! یہ کوئی خدا کا خوف نہیں ہے۔ اتنا خوبصورت ریشمی لحاف اور ایسا پیارا سویٹر تم اسے دے آئے ہو۔ اس لبِ گور بوڑھے کو.....کیا ان چیزوں کے بغیر اس کی جان نہیں نکلنا تھی!''

خاور غصے سے بے اختیار ہو کر منہ سے کف اڑانے لگا۔

''نہیں' نہیں بھائی جان! ایسا نہ کہیے۔ اس کے لیے موت کی کیوں دعا کرتے ہیں' جو کچھ کہنا ہے مجھے کہیے۔ وہ بالکل بے قصور ہے۔''

امی حسب دستور بلند آواز میں اسے کوسنے لگیں۔

''تیرا بیڑا غرق ہو جائے آذر! تو نے خود بھی خاک سیاہ ہو جانا ہے اور ہمیں بھی اپنے حاتم طائی پن سے قلاش بنا دینا ہے۔ اندھیر اخدا کا بھلا یہ بھی کوئی خیرات دینے کا طریقہ ہے۔''

''امی! وہ بے حد ضرورت مند تھا۔ بہت ضعیف تھا اور اس غضب کی سردی کا مقابلہ نہیں کر سکتا تھا۔''

''نامراد! وہ لحاف تو تُو نے اتنے شوق سے بنوایا تھا۔''

''نہ صرف شوق سے امی' بلکہ خالو حبیب کے سامنے ہمیں ذلیل کر کے کہ جیسے اسے کبھی کوئی اچھی چیز نہیں ملی تھی۔'' رومانہ نے لقمہ دیا۔

''یہ اس قابل کب ہے کہ اسے کوئی اچھی چیز دی جائے!'' یاور صاحب بولے۔ ''اب اس کی کیا قدر کی۔''

''اس سے بہتر اور کیا ہو سکتی ہے یاور بھائی!''

''چل چل زیادہ زبان نہ چلا۔'' امی اسے گھورتے ہوئے خاور کی طرف متوجہ ہو گئیں۔

''خاور! جاؤ ذرا اس کے ساتھ اور لحاف واپس لے کر آؤ۔''

''نہیں، نہیں! بھلا کبھی تحفہ دے کر واپس بھی لیا جاتا ہے۔''

''تحفہ.....؟'' امی پھنکاریں ''تم نے اسے سو روپے کا لحاف تحفے میں دے دیا..... ارے تجھے اللہ سمجھے وہ تیرا لگتا کیا تھا؟''

''امی! اللہ نے ایک دوسرے کے ساتھ ہمدردی کرنے کے لیے سب انسان بنائے ہیں اور یہی رشتہ میرا اس کے ساتھ ہے۔ وہ سردی سے ٹھٹھر رہا تھا۔ خدانخواستہ اگر اسے نمونیا وغیرہ ہو جاتا.....''

''.....ہو جاتا..... جہنم میں جاتا..... ہمیں کیا؟''

''ہم اللہ کے قوانین کی رُو سے قاتل بن جاتے امی۔''

''قاتل بن جاتے۔'' امی نے دانت کچکچائے۔ ''ارے دنیا میں ایسے سینکڑوں ہزاروں ہوں گے۔ ایک کو لحاف دے آئے ہو باقی جو مر رہے ہیں، کیا ان کے قاتل تم ہو؟ بیوقوف کہیں کا۔''

''جس کو نظروں نے دیکھ لیا، جس کی کراہیں کانوں نے سن لیں۔ اس کی ذمہ داری تو آن ہی پڑتی ہے۔''

''دیکھو..... دیکھو ذرا کیسے زبان چلاتا ہے۔ ایک چوری دوسرے سینہ زوری۔''

''ارے بھئی! آج صبح سویرے سب آذر کے کمرے میں اکٹھے ہو کر کیا کر رہے ہیں؟''

ابا بڑے خوشگوار موڈ میں باہر سے ہی بولتے ہوئے اندر بڑھتے چلے آئے۔

امی جلی بھنی بڑبڑا رہی تھیں، اسے کوس رہی تھیں۔ شوہر کو دیکھتے ہی جلدی جلدی بیٹے کے کرتوت سنا ڈالے..... کچھ اور بھی نمک مرچ لگا کر۔

ابا کو تو بس امی کی شہ چاہیے تھی، وہ ملی اور ابا بے تحاشا گرجنے لگے۔ گرج چمک کے ساتھ ہاتھ چلانے کی تو ان کی پرانی عادت تھی۔ نہ پہلے کبھی اس کی عمر اور قد کاٹھ کی پروا کی اور نہ آج۔

اور آذر چپ چاپ نیکی کرنے کا معاوضہ اپنے تن و من پر وصول کرتا رہا۔

''یا اللہ! یہ تیری کیسی دنیا ہے؟''

وہ تو بس اپنے پروردگار سے ہی پوچھ رہا تھا۔ اس کے بندوں پر اس کا بس نہیں چلتا تھا۔

اس واقعہ کے بعد وہ گھر والوں سے کچھ اور بھی دُور ہو گیا۔ کوئی بھی تو اسے سمجھنے کی کوشش نہیں کرتا تھا۔ کوئی بھی تو اس کی عادات واطوار کو درست تسلیم نہیں کرتا تھا.....اور وہ.....

وہ جو قدم اٹھاتا تھا' اچھا بننے کی خاطر' ان سب کی توجہ اور محبت کی طلب میں اس نے سچائی کو اپنا شعار بنایا تھا۔ وہ اِک ہمدرد اور رحمدل انسان بنا تھا' مگر.....اسے رسوائیوں' بدنامیوں اور ذلتوں کے سوا کچھ نہ ملا۔

ان سب گھر والوں سے تو اچھے خالو حبیب ہی تھے۔ ان کا اس کے ساتھ براہِ راست خون کا کوئی رشتہ نہ تھا' صرف خالہ کا شوہر.....کوئی ماموں یا چچا ہوتے تو تب بھی خون کا رشتہ بن جاتا' مگر وہ تقریباً اِک غیر ہو کر بھی اسے سمجھ گئے تھے۔

یوں وہ اسے اپنے سب بہن بھائیوں' ماموؤں اور چچاؤں اور والدین سے زیادہ قریب محسوس ہوتے تھے' کیونکہ وہ ذہنی طور پر اس کے قریب تھے.....بہت قریب۔

امی نے اسی دن خاص طور پر انہیں بلوا کر اس کی شکایت کرتے ہوئے لحاف اور سویٹر اِک نادار بوڑھے کو دے دینے والا واقعہ سنایا تو انہوں نے دوسرے گھر والوں کی طرح اسے لعن طعن اور زدوکوب کرنے کے بجائے پاس بلا کر شاباش ہی دی۔

اس کی اس حرکت کی یوں خوشی منائی جیسے کسی بہت بڑے امتحان میں اسے کامیابی نصیب ہوئی تھی۔ اسی طرح مبارکباد دیتے ہوئے آخر میں بولے۔

''فکر نہ کرو بیٹے! ویسا ہی لحاف اور سویٹر اور بنوا دوں گا۔''

''نہیں خالو جان! میں نے اس لیے اس بزرگ کو نہیں دیا تھا کہ اور مل جائے۔ میرے اس جذبے کو اسی طرح رہنے دیں۔ میں تو اب صرف اِک کمبل میں بھی سوتا ہوں تو گرم ہو جاتا ہوں۔''

امی پاس بیٹھیں سب کچھ سن رہی تھیں۔ ماتھے پر تیوریاں پڑ گئیں۔

''حبیب! تم نے اس لڑکے کو بالکل بیکار کر دیا ہے۔''

''کیوں آپا! بیکار کیوں..... میرے خیال میں آپ کی ساری اولاد میں سے اِک یہی سب سے زیادہ باشعور اور اچھا انسان ہے۔''

''تمہارا بیٹا بھی بڑا ہو رہا ہے' اسے ایسا انسان بنانا۔'' امی نے جل کر طعنہ دیا۔

''کاش!'' حبیب یکا یک افسردہ ہو گئے۔ ''کاش آپا! میں اسے اس جیسا انسان بنا سکتا۔''

پھر ایک دم مسکرا کر انہوں نے بات مذاق میں اُڑا دی۔

''کوشش تو بہت کی تھی' مگر اُدھر کی ہوم گورنمنٹ اِدھر والی ہوم گورنمنٹ سے زیادہ زبردست ہے۔ وہاں میری کوئی شنوائی ہی نہیں' جانے کیوں آپا! آپ کے خاندان کی عورتیں دارا اور سکندر رہیں۔ ہم مرد تو ان کے سامنے جاتے ہی بھیگی بلیاں بن جاتے ہیں۔''

امی کچھ مسکرا کر' کچھ خفیف سی ہو کر بہنوئی کو کوئی تیز سا جواب دینے ہی والی تھیں کہ اسی لمحے ابا اندر آ گئے۔

''حبیب میاں! یہ بات تو تم نے سو فیصد درست کی۔'' اندر آتے آتے انہوں نے حبیب کی ساری بات سن لی تھی' ہنستے ہوئے بولے۔

''ہماری خوش دامن صاحبہ نے غضب کی بیٹیاں پیدا کی ہیں۔''

اور ابا کی اس بات پر حسب معمول میاں بیوی میں نوک جھونک شروع ہو گئی۔ حبیب ہمیشہ کی طرح ان کی یہ دلچسپ جھڑپ گاہے گاہے کوئی لقمہ دے کر بڑھاتے رہے اور سنتے رہے اور مسکراتے رہے۔

آذر ان کے آج کے طرزِ عمل پر ان کا کچھ اور بھی گرویدہ اور بھی معتقد ہوتے ہوئے

پڑھنے کے لیے اپنے کمرے میں چلا گیا۔ یوں خالو کی شہ پر اس نے اپنی زندگی کی ڈگر نہیں بدلی۔

بیشک سب گھر والوں اور رشتہ داروں کی نگاہوں میں وہ معتوب ہو چکا تھا' وہ ذلیل و رسوا ہو چکا تھا' مگر اس کا اپنا ضمیر تو مطمئن تھا۔

دن پر دن اور مہینوں پر مہینے گزرتے رہے۔ ایسی ہی حرکات کرتے کرتے گھر والوں کی جھڑکیاں کو سنے سہتے سہتے اور نفرتیں برداشت کرتے کرتے وہ ایم اے تک پہنچ چکا تھا۔

گھر بھر میں سب سے زیادہ تعلیم یافتہ' مگر سب سے زیادہ برا انسان تھا وہ..... اپنی تمام تر نیک عادات کے باوجود سب کی نگاہوں میں بدترین' جس سے بھلائی کی توقع عبث اور بیکار تھی۔

نفسیات میں ایم اے کا امتحان دینے کے بعد آج کل فارغ تھا وہ۔ ایک دو جو دوست تھے' وہ دوسرے شہروں کے رہنے والے تھے' امتحان ختم ہوتے ہی گھروں کو جا چکے تھے۔ آذر کی بہن بھائیوں یا والدین میں سے کسی کے ساتھ دوستی نہ تھی۔

وقت گزاری کے لیے لے دے کر دو مشغلے تھے یا مطالعہ یا خالو حبیب کی صحبت۔ ستم پر ستم یہ ہوا کہ خالو حبیب بھی دورے پر چلے گئے۔ انہیں بھی آج کل ہی دورے پر جانا تھا۔ بہت بور..... بے حد ویران برآمدے میں آرام کرسی ڈالے چادر چہرے پر تانے لیٹا تھا۔ مطالعہ بھی ہر وقت تو نہیں کر سکتا تھا۔ بڑا بیزار اور بور ہو رہا تھا۔

یکا یک ہی کانوں میں سپڑ سپڑ کی آواز آئی تو چادر کا ذرا سا کونا سرکا کر دیکھا۔ خالہ حبیبہ چلی آ رہی تھیں۔ امی اس سے بمشکل تین چار فٹ کے فاصلے پر بیٹھیں کسی کپڑے کی کتر بیونت کر رہی تھیں۔ خاور اور یاور اپنے اپنے دفتر گئے ہوئے تھے اور بہنیں دونوں زلیخا کے گھر۔ خالہ نے ارد گرد دیکھا اور آ کر امی کے پاس ہی بیٹھ گئیں۔

آذر نے چادر کا کونہ دوبارہ چہرے پر کھینچ لیا۔ بیشک خالو حبیب سے اسے اک خاص عقیدت تھی' مگر خالہ حبیبہ سے اپنی سگی خالہ ہونے کے ناتے سے بھی نہ کوئی لگاؤ یا اُنس تھا اسے اور نہ خالو حبیب کی بیوی ہونے کی وجہ سے۔

ان کی عادات اور ان کی باتیں اسے کبھی بھی اچھی نہ لگی تھیں۔ امی کو بھی یہی علم تھا کہ

آذر سو رہا تھا اور وہ بھی اسی طرح چادر اوڑھے پڑا رہا کہ خالہ حبیبہ سے باتیں نہ کرنا پڑیں۔

سلام دعا کے بعد دونوں بہنیں اِدھر اُدھر کی اور بچوں کی باتیں کرنے لگیں۔

''آپا! سنا ہے وہ بیمار ہے۔'' بلند آواز میں باتیں کرتے کرتے یکا یک خالہ حبیبہ کی آواز پراسرار اور دھیمی سی ہوگئی۔

''تم نے کس سے سنا؟'' امی نے اپنی کرسی کھسکا کر ان کے قریب کرلی۔

اب ان کی آواز بھی اسی طرح مدھم تھی۔ مگر آذر اتنا قریب تھا کہ ان کی کھسر پھسر بھی اس کے کانوں میں اُتر رہی تھی۔

''وہ مسز نیازی آئی تھیں۔''

''مسز نیازی آئی تھیں؟'' امی کے لہجے میں حیرت بدرجہ اتم موجود تھی۔

''تمہارے گھر؟''

''ہاں! اس کا پیغام لے کر۔''

''اس کا پیغام؟'' امی کے لہجے کی حیرت اور نمایاں ہوگئی۔

''حبیب کے لیے؟''

''توبہ آپا توبہ! میرے جیتے جی وہ حبیب کے لیے پیغام بھیجنے کی جرأت کرسکتی ہے؟'' خالہ کا لہجہ بڑا تیز تھا۔

چند لمحے پہلے آذر وہاں سے اُٹھ جانے کے متعلق سوچ رہا تھا کہ کسی کی رازدارانہ گفتگو چوری چوری' چپکے چپکے سننا بہت گناہ ہے۔ اس سوچ کو ابھی اس نے عملی جامہ نہیں پہنایا تھا کہ دونوں بہنوں کی گفتگو میں خالو کا ذکر کچھ عجیب سے انداز میں آیا۔

خالو حبیب ایسے تو نہ تھے کہ بیوی کے ہوتے ہوئے کسی دوسری عورت کا تعلق ان کے ساتھ ہوتا۔ یقیناً یہ کوئی سازش تھی۔ خالہ اور ماں کی ذہنیتوں کو اچھی طرح جانتا تھا۔ تفتیش کے لیے ہی وہاں سے اُٹھ جانے کا ارادہ بدل کر اسی طرح چپ چاپ پڑا رہا۔

''جرأت کی کیا بات ہے۔ حق تو اس کا ہے نا۔'' امی ہولے سے بولیں۔

''حق؟'' خالہ ایک دم غصے میں آگئیں۔ ''آپ کم از کم آپ تو ایسی بات نہ کریں۔

آپ میری بہن ہیں۔''

''بہن بھی ہوں اور ہمیشہ حق ناحق میں تمہاری ہی طرفداری کرتی رہی ہوں۔ وہ تو اب میں نے یونہی کہہ دیا تھا کہ عمر گزر گئی۔ اس پر بھی بڑھاپا آ گیا ہوگا اور حبیب بھی بوڑھا ہو گیا۔'' امی نے جلدی سے صفائی پیش کی۔

''میں نے تو سنا ہے وہ اب بھی بہت خوبصورت ہے۔'' اب خالہ ذرا دھیمے سر میں بولیں۔ امی کی بات شاید درست محسوس ہوئی تھی۔

''تو ہوا کرے۔'' امی نے پوری طرح بہن کے خون کا حق ادا کیا۔ ''اس کی خوبصورتی کا اب کیا اثر پڑے گا۔ حبیب صرف تمہارا ہے۔ ایسا تمہارا کہ اس نے اس کی اولاد کی بھی کبھی پروا نہیں کی۔ جو تمہارا دل چاہے اس کی بیٹی کے ساتھ سلوک کرو۔ اس نے کبھی روکا ٹوکا نہیں۔''

''ہاں! یہ تو ٹھیک ہے۔'' خالہ ہنس کر اِک تفاخر کے ساتھ بولیں۔

''تو بس پھر!''

''لیکن آپا! یہ سوت والا معاملہ ہوتا بہت تکلیف دہ ہے۔ ہر وقت دل میں اِک پھانس سی چبھی رہتی ہے۔''

''تم حبیبہ! اس کے کسی پیغام کی بات کر رہی تھیں۔ بتایا نہیں پھر کیا پیغام آیا ہے؟''

''بیمار ہے بہت۔ اور مرنے سے پہلے اُمید کو اِک نظر دیکھنے کی خواہشمند ہے۔'' خالہ نے بڑے بے رحم سے انداز میں پیغام بتایا۔

''کیا؟'' پتہ نہیں تعجب کے مارے یا اس کی بیماری کا سن کر دکھ کی وجہ سے امی کے ہاتھ سے قینچی گر پڑی ''کیا کہہ رہی ہو؟''

''سچی آپا! یہی پیغام آیا ہے۔''

''پھر.....؟ امید کو اسے ملنے بھیجو گی؟''

''توبہ کریں! یہ تو کسی طرح ہو ہی نہیں سکتا۔''

''لیکن حبیبہ!'' امی نے دبے دبے سے لہجے میں جیسے اس کے لیے رحم کی اپیل کی۔

''آخر تو اس کی پیٹ سے پیدا کی ہوئی اولاد ہے۔ ملوا دو۔ جانے کیسا دل تڑپتا ہوگا۔''

''ہاں! ایک بار اسے مل کر خود قبر میں جا سوئے گی آرام سے۔'' خالہ نے پھر اسی بیدردی سے کہا ''اور ہمارے لیے مصیبت آ جائے گی۔''

''مصیبت کیسی؟''

''اب تو وہ مجھے ہی اپنی ماں سمجھتی ہے نا۔ جیسا کھلاؤں، پہناؤں، جو چاہے سلوک کروں کچھ نہیں کہتی۔ اصلی ماں کو مل لے گی تو میرے کھلانے پہنانے میں نقص نکلنا شروع ہو جائیں گے۔''

''نہیں، حبیبہ! نہیں!! اسے تمہارے ساتھ بہت پیار ہے۔ اتنا زیادہ کہ ایک بار چھوڑ دس بار ماں کو مل لے، مگر تمہارا پیار مجھے یقین ہے اس کے دل میں ویسا ہی رہے گا۔ ماں کی طرح باوفا ہے۔''

جواب میں خالہ خاموش رہیں۔ آذر نے پھر چادر کا کونہ ذرا سا سرکا کر خالہ کا چہرہ دیکھا۔ بڑی فاتحانہ سی مسکراہٹ وہاں پھیلی تھی۔ اس لمحے آذر کو اپنی خالہ بے حد بری لگیں۔ ساتھ ہی اسے کئی سال پہلے کا اِک واقعہ یاد آ گیا۔

اس دن وہ اپنی امی سے کسی ایسے ہی سچ والے قصور کی بنا پر پٹا تھا۔ پٹ پٹا کر حسب معمول روتا ہوا خالو حبیب کے آگے ماں کی شکایت کرنے ان کے گھر چلا گیا۔

حبیب گھر میں نہیں تھے۔ امید باہر گملوں کے پاس بیٹھی رنگ برنگے پھولوں کو دیکھ رہی تھی اور اپنے آپ سے ہی جانے کیا کیا باتیں کیے جا رہی تھی۔

آذر کو دیکھتے ہی لپک کر اس کے پاس آ گئی۔

''ارے! تم رو رہے ہو..... کیا ہوا؟''

''امی نے مارا ہے۔'' اس نے بڑی بیبا کی سے سچ بول دیا۔

''بس! اتنی سی بات پر رو دیئے؟''

''اتنی سی نہیں نا..... امی کی ایڑی والی جوتی سے پٹا ہوں۔'' پھر وہ قمیص اٹھا اٹھا کر اپنی چوٹیں اسے دکھانے لگا۔ ''یہ دیکھو..... یہ دیکھو۔''

''مجھے تو لگتا ہے آذر! تمہاری امی سگی نہیں ہیں۔'' وہ بڑے پرخیال انداز میں بولی۔

''کیوں؟''

''تمہیں مارتی جو بہت ہیں۔''

''بھلا تمہاری امی نے تمہیں کبھی نہیں مارا؟''

''نہیں تو!'' وہ صاف مکر گئی۔

''میرے سامنے تم کئی بار اپنی امی سے پٹی ہو۔ مجھے لگتا ہے تمہاری امی سگی نہیں ہیں۔''

''خبردار! میری امی کو کچھ نہ کہنا۔'' وہ یکا یک ہی غصے میں آ گئی۔

''کیسے نہ کہوں۔ مجھے تو کسی قصور پر سزا ملتی ہے' مگر تمہیں تو اکثر بے قصور کو پٹتے ہوئے میں نے اپنی آنکھوں سے دیکھا ہے۔ تمہاری امی یقیناً سوتیلی ہیں۔''

''تم.....تم.....آذر کے بچے! چلے جاؤ ہمارے گھر سے۔'' اسے اتنا شدید غصہ آیا کہ اس نے آذر کے بال نوچ ڈالے۔ ''تم کمینے ہو' تم میری امی کو باتیں بناتے ہو۔ میری امی تو ساری دنیا میں سب سے زیادہ اچھی ہیں.....بس تم چلے جاؤ!''

ایسا اندھا پیار تھا اسے ماں کے ساتھ.....تبھی تو.....تبھی تو خالہ کے چہرے پر اعتماد اور فخر کی مسکراہٹیں تھیں۔

مگر.....مگر.....اس کے ذہن سے چنگاریاں سی چھٹنے لگیں۔ یہ تو وہ بھی آج تک اِک لمحے کے لیے بھی سوچ نہیں سکا تھا کہ امید خالہ حبیبہ کی سگی بیٹی نہیں تھی۔ اس دن امید کو بھی وہ صرف چڑا رہا تھا.....چھیڑ رہا تھا۔

.....اور اب.....اس لمحے اس انکشاف نے جہاں اسے بہت زیادہ حیران بھی کیا' وہاں کوئی اچنبھے والی انوکھی بات بھی محسوس نہیں ہوئی۔

حیران اس لیے ہوا کہ اتنا بڑا خاندان تھا' مگر آج تک کسی کے منہ سے بھی یہ حقیقت نہیں نکلی تھی۔ اتنا زبردست اتحاد!

.....اور اچنبھا نہیں ہوا تھا تو اس لیے کہ امید کے ساتھ خالہ کا جو سلوک تھا' وہ واقعی سوتیلی اولاد جیسا تھا۔ بیشمار' بیشمار واقعات اس کی نگاہوں میں گھومنے لگے۔

ہمیشہ بغیر کسی قصور کے اس کی پٹائی ہو جاتی۔ چھوٹی بہن اور بھائی سے وہ بے حد پیار کرتی تھی' مگر خالہ ہمیشہ انہیں اس سے علیحدہ رکھنے کی کوشش کرتیں' ساتھ کھیلنے نہ دیتیں' ساتھ کھانے نہ

دیتیں۔ ان کا جھوٹا اسے دے دیتیں، اس کا اگر کبھی جھوٹا بچ جاتا تو بلی کتے کو پھینک دیتیں۔

یہ بڑی بھی ہوگئی تھی، گھر کے، بھائی بہن کے کام کاج بھی سنبھالنے لگی تھی، پھر بھی ہمیشہ اسے کاہل، سست اور نکما کہتی رہتیں۔ چھوٹے بھائی اور بہن کے سامنے ہی بلکہ ان کی اچھی عادات کی جھوٹ موٹ کی مثالیں دے دے کر اسے سرزنش کیا کرتیں کہ اسے ان دونوں سے سبق سیکھنا چاہیے تھا۔ وہ دونوں چھوٹے ہوکر باتمیز تھے اور یہ بڑی ہوکر بھی خاصی بدتمیز!!

یہی بے انصافی اور ناروا سلوک دیکھ دیکھ کر وہ ہمیشہ امید کو سمجھانے کی کوشش کیا کرتا تھا کہ وہ گھر میں سب سے بڑی تھی، پھر کیوں اس نے اپنی حیثیت نہیں منوائی تھی۔ خود ان کے گھر میں بڑا ہونے کے ناتے خاور بھیا اور پھر رومانہ آپا کی سب سے زیادہ سنی جاتی تھی، پھر یاور اور نغمانہ تھے۔ وہ بھی اس سے بڑے تھے اور آذران کی بھی عزت کرتا تھا۔

امید میں آخر ایسا کون سا عیب تھا، کون سی ایسی خامی تھی کہ اس کے ساتھ ایسا سلوک ہوتا تھا۔ وہ خوبصورت بھی چھوٹے دونوں سے زیادہ تھی۔ وہ ذہین بھی تھی۔ جماعت میں بھی ہمیشہ اچھی پوزیشن لیتی تھی۔ گھر کے کاموں میں بھی تاک تھی، پھر کیوں ہر وقت عتاب کا نشانہ بنی رہتی تھی۔

کیوں.....؟ آخر کیوں.....؟ کیوں اس نے یہ سب کبھی نہیں سوچا تھا.....؟ اور سوچا تھا اگر تو کیوں اس ناانصافی کا احساس دلا کر اپنا مقام اور اپنی حیثیت نہیں منوائی تھی۔ بھائی بہن سے بھی اور ماں اور باپ سے بھی!!

خالو تو پھر بھی کبھی کبھار اس کا خیال کر لیتے تھے، مگر صرف اس وقت جب بیوی سامنے نہ ہو، ورنہ وہ تو گھر میں بالکل ہی اِک فالتو سا مہرہ بن کر رہ گئی ہوئی تھی۔

کئی بار اس نے یہ سب کچھ امید کو سمجھانے کی کوشش کی تھی۔ احساس دلانے کی کوشش کی تھی مگر ہمیشہ وہ الجھ کر، جھنجلا کر، غصے میں آکر اس پر ہی اُلٹ دیتی تھی۔

''تم اپنی بات سناؤ، تم نے اپنا کیا مقام بنایا ہے؟''

وہ لاجواب سا ہو جاتا۔ اب بھلا وہ اسے کیا بتاتا کہ وہ ایک تو گھر میں ناخواندہ تھا، دوسرے وہ جب بھی پٹا، جب بھی لٹا، جب بھی ٹوٹا، بکھرا سچائی کے نام پر، انصاف کے لیے، اچھے اصولوں کی خاطر اور جھوٹ نہ بولنے پر۔

مگر اس امید کی بچی کو کیا تھا۔ گھر میں سب سے پہلی اولاد تھی جو ہمیشہ بڑی عزیز ہوتی ہے۔ صورت سیرت میں شاید سارے خاندان میں سے کوئی لڑکی اس کا مقابلہ نہیں کر سکتی تھی۔ خود آذر کی طرح سچائی کے اصول اس نے کبھی نہ اپنائے تھے۔ ویسے اس نے اپنانے بھی کیا تھے' خاموش ہی رہتی تھی اکثر' نہ کسی سچی بات میں نہ جھوٹی میں.....پھر.....پھر سب ایسا کیوں تھا؟ کیوں تھا.....؟

آذر خالو حبیب کے زیادہ قریب رہا تھا اس لیے ہوش سنبھالنے کے بعد سب سے زیادہ اگر اس نے کسی کے متعلق سوچا اور کسی کا درد دل میں لیا تو وہ خالو حبیب ہی کا گھرانہ تھا۔

آخر اتنے برسوں کی سوچوں کا جواب آج اسے ماں اور خالہ کی کھسر پھسر سے مل گیا۔ اس نے انہیں سب لوگوں کو سمجھنے کی خاطر نفسیات پڑھنا شروع کی تھی۔ دل ہی دل میں نفسیاتی کلیوں' قاعدوں کے ساتھ سب کا نفسیاتی تجزیہ کرتا بھی رہتا تھا' مگر اپنے خاندان والوں پر کوئی نفسیاتی کلیہ' قاعدہ یا اصول پورا نہیں اترتا تھا.....عجیب تھے سب!!

''اچھا آپا! میں چلوں۔ آج آپ کے بہنوئی دورے سے واپس آجائیں گے۔''

خالہ حبیبہ امی سے گپ شپ لڑا کر چلی گئیں اور وہ حیرتوں اور پریشانیوں میں ڈوبا پڑا رہ گیا۔

''امی!'' خالہ کے جانے کے چند منٹوں بعد وہ چہرے پر سے چادر ہٹاتے ہوئے سیدھا ہو کر بیٹھ گیا۔ ''آپ خالہ حبیبہ سے ابھی کس کی بات کر رہی تھیں؟''

''کون سی بات؟'' گھبراہٹ سے امی کے ہاتھ کانپے' مگر جلدی سے سنبھل گئیں۔ ''تم جاگ رہے تھے؟''

''ہاں! میں نے آپ دونوں کی ساری باتیں سن لی ہیں۔''

''تو پھر مجھ سے کیا پوچھتے ہو؟'' امی کو غصہ آ گیا۔ ''بچپن سے تمہاری جاسوسی کرنے کی عادت ہے۔''

''میں نے جان بوجھ کر آپ کی رازداریاں جاننے کی کوشش نہیں کی۔ آپ کی باتیں خود بخود ہی کانوں میں اترتی گئیں۔''

''تو اب کانوں سے دل میں لے جانا۔ زبان پر نہ لاتے پھرنا۔ امید کو کچھ معلوم نہیں ہے۔''

''اس سے چھپانے کا مطلب؟''

''تمہارا پوچھنے کا مطلب؟''

''میں یہ جاننا چاہتا ہوں کہ یہ بے انصافی کیوں ہو رہی ہے؟''

''کون سی بے انصافی؟'' امی نے چونک کر اس کی طرف دیکھا۔ پھر سوئی بھی ہاتھ سے رکھ دی۔

''تمہارے خالو حبیب نے یقیناً تمہیں سب کچھ بتایا ہوگا۔ تمہاری اس کے ساتھ دوستی بھی بہت ہے۔''

''تو اس کا مطلب ہے اس کے علاوہ بھی کچھ ہے؟''

''کس کے علاوہ؟ آذر! تم کیا بک رہے ہو؟'' امی چور سی بنیں' بلاوجہ ہی اسے ڈانٹنے لگیں۔

''امید خالو جان کی پہلی بیوی کی بیٹی ہے۔ اس کے علاوہ بھی امی! کوئی راز اور ہے۔ دیکھئے خود ہی ساری بات بتا دیجیے' ورنہ میں خالو حبیب سے پوچھ لوں گا۔ بقول آپ کے ان کی میرے ساتھ دوستی بھی بہت ہے۔ وہ مجھ سے کچھ نہیں چھپائیں گے۔''

امی سلائی کا کام چھوڑ چھاڑ سر تھام کر بیٹھ گئیں۔

''اتنے برسوں سے جو بات چھپی ہوئی تھی' وہ آج کھلی بھی تو کس کے سامنے۔'' امی بڑبڑانے لگیں۔

''اس بیدرد کے سامنے' اس عزت کے دشمن کے سامنے جس سے ہم پہلے ہی سب کچھ چھپاتے پھرتے ہیں..... یا اللہ یہ کیا ہو گیا؟''

''اب تو کھل گئی..... آدھی کھلی سے بہتر ہے پوری کھول دیجیے ورنہ میرا تجسس ادھر اُدھر سے پوچھتا پھرے گا اور بات اور پھیلے گی۔''

اس نے پوری سنجیدگی سے گویا ماں کو دھمکی دی..... اور وہ..... اس دھمکی سے ڈر بھی گئیں۔

حبیب کی عمر چار یا پانچ سال کی تھی جب باپ کا انتقال ہو گیا۔ ماں پر غموں کا پہاڑ ٹوٹ پڑا۔ شوہر کی نہ کوئی جائیداد یا کوئی اور اثاثہ تھا اور نہ ہی کوئی بھائی۔

جائیداد ہوتی تب بھی گزارا ہو جاتا' کوئی بھائی ہوتا وہ بھی شاید بیوہ بھاوج اور یتیم بھتیجے کا سہارا بن جاتا..... بہنیں بیاہی ہوئی اپنے سسرال میں تھیں' وہ بھاوج اور بھتیجے کا سہارا کیسے بنتیں۔

اس صورت میں سب نے ہی سنجیدہ بی کو دوسری شادی کر لینے کا مشورہ دیا مگر اس نے قبول نہ کیا..... یہ سوچا ہی نہیں کہ حسن اور جوانی اس کے پاس تھے' ان دونوں کو کہاں لیے پھریں گی۔

اپنے ماں باپ نہیں تھے۔ سب بہنیں اور بھائی اپنے اپنے گھروں کے تھے۔ بہنوں کا بھی معاملہ نندوں جیسا تھا۔ بھائیوں کے گھروں میں رہنا چاہا تو وہاں بھابیوں نے ٹکنے نہ دیا۔ حبیب کا ساتھ نہ ہوتا تو مر کر' رو پیٹ کر بھی گزارا کر لیتی مگر بن باپ کے بچے پر ہونے والا اک ظلم بھی اسے گوارا نہ تھا۔

دو سال بھائیوں کے گھروں کی خاک پھانک کر وہ واپس شوہر کے دو کمروں پر مشتمل چھوٹے سے گھر میں آ گئی۔ وہ بند پڑا پڑا مٹی کا ڈھیر ہو رہا تھا۔ اسے جھاڑا پونچھا' صفائی ستھرائی کی اور اس میں رہائش اختیار کر لی اور اسی خیال سے گھر گرہستی بھی شروع کی کہ سلائی وغیرہ کر کے اپنے بیٹے کو پال لے گی۔

مگر..... اس کے حسن و جوانی نے وہاں بھی اسے سکھ کا سانس نہیں لینے دیا۔ محلے کے

لوفر، آوارہ اور بدمعاشوں کی بیباک نگاہیں بڑی بیباکی اور دلیری سے اس پر اُٹھنے لگیں۔

سنجیدہ کی نند عذرا کو بھابی سے بہت پیار تھا۔ سگی بہنوں سے بھی زیادہ۔ دونوں کی آپس میں بنتی تھی۔ پچھلے دو سال سنجیدہ کے جس طرح کٹے تھے اور اب شوہر کے گھر آ کر وہ جس طرح وقت گزار رہی تھی، سب کچھ عذرا کو خط میں لکھ ڈالا۔

خط کے جواب میں عذرا خود سنجیدہ کو اور بھتیجے کو ملنے کے لیے آ گئی۔ سنجیدہ تو صرف اس سے تسلی دلاسے کے دو بولوں کی متوقع تھی مگر وہ خود آ گئی تھی۔ خوشی کی انتہا نہ رہی۔

دونوں نند بھاوج نے دنیا کے 'اپنے' سب دُکھ سکھ ایک دوسری کے گوش گزار کر دیئے۔

دو دن عذرا اس کے پاس رہی اور ان دو دنوں میں اس نے سنجیدہ کو اس بات پر راضی کر لیا کہ وہ اس پہاڑ سی جوانی کا بوجھ کسی مرد کے کندھوں پر ڈال دے۔ خود اس سے کسی طرح نہیں اُٹھ سکے گا۔ یوں دونوں ماں بیٹا ہی پریشان اور دُکھی ہوں گے۔

سنجیدہ کی خاموشی ہی اس کی ہاں تھی اور تیسرے دن عذرا اس خاموش ہاں کی خوشی ساتھ لے کر اپنے سسرال سدھار گئی۔ سنجیدہ کو اس کا اندازہ ہی نہیں تھا کہ یہ سب کچھ اتنی جلد ہو جائے گا۔

چار پانچ دن بعد ہی عذرا کا خط آ گیا۔ اس کے سسرالی خاندان میں اس کے شوہر کا اک دُور کا رشتہ دار تھا۔ ماں باپ سر پر نہیں تھے، اس لیے کسی نے اس کی شادی کی طرف توجہ ہی نہ دی اور وہ کنوارا ہی ادھیڑ عمر کا ہو گیا تھا۔ اس سے مناسب رشتہ اک بیوہ اور بچے والی عورت کا اور کوئی نہیں ہو سکتا تھا۔ عذرا نے اس کے ساتھ سنجیدہ کا معاملہ پکا کر دیا۔

پہلے تو سنجیدہ گھبرائی مگر اس گھر میں مرد کے بغیر اس کا اک اک پل جس مشکل سے گزر رہا تھا، وہ بھی اس کی نگاہ میں تھا۔ جلد گھبراہٹ رفع ہو گئی۔

اگلے ہی ہفتے عذرا خود بھی آ گئی۔ سنجیدہ کی شادی کی تیاری کرنا تھی نہ سنجیدہ کی کسی بہن یا بھائی سے صلاح مشورہ کیا اور نہ کسی اور رشتہ دار سے..... دو بھر تو سنجیدہ کی زندگی تھی، باقی سب تو عیش سے ہی گزار رہے تھے۔ اس کی مشکلات کو کسی نے دیکھنا نہیں تھا، بس بیچ میں روڑے ہی اٹکانا تھے۔ یہ دنیا کا دستور ہے۔

شادی سے دو دن پہلے البتہ سب کو پیغام ضرور بھجوا دیا۔ کچھ رشتہ دار آئے' کچھ نہیں آئے۔ کچھ نے نہ آ کر اپنی ناراضگی کا احساس دلانے کی کوشش کی اور کچھ نے آ کر زبانی بہت ساری مخالفت کر ڈالی۔ لیکن عذرا نے کسی کی نہیں سنی۔ یوں ماں کی طرح بڑی بھاوج کی ڈھال بنی کہ سب کچھ اپنی گرہ سے کر کرا کے اس کو رخصت بھی کر دیا۔

عذرا نے سنجیدہ کے لیے جو کچھ کیا تھا اور جس انداز میں کیا تھا' وہ سنجیدہ سوچ بھی نہیں سکتی تھی۔ حیرتوں میں ہی ڈوبی ایک بار پھر کسی کی منکوحہ بن کر اس کی سیج پر جا بیٹھی۔

شادی کے تین دن بعد عذرا سنجیدہ کو ملنے کے لیے گئی۔ حبیب ساتھ تھا۔ وہ اب حبیب کو ماں کے سپرد کر کے خود واپس اپنے گھر جانا چاہتی تھی.....مگر.....

''عذرا! وہ بہت اچھے ہیں..... میں تمہاری نیکیوں کا بدلہ کسی طرح نہیں چکا سکتی لیکن.....لیکن.....'' کچھ کہتے کہتے سنجیدہ خاموش سی ہو گئی۔

''لیکن کیا بھابی! کھل کر کہیے؟'' عذرا متفکر سی پوچھنے لگی۔

''مجھے اندازہ ہوا ہے کہ حبیب کو وہ شاید قبول نہ کر سکیں۔ تمہیں ان سے یہ بات پہلے ہی طے کر لینا چاہیے تھی.....'' اور سنجیدہ حبیب کو سینے سے لگا کر رونے لگی۔

''اب میں انہیں بھی نہیں چھوڑ سکتی اور اسے.....اس کا کیا کروں عذرا.....؟ اس کا فکر بھی مارے جا رہا ہے۔''

حبیب حیرت سے پھیلی پھیلی آنکھوں میں موٹے موٹے آنسو لیے کبھی ماں کو دیکھ رہا تھا اور کبھی پھپھو کو!!

''کاش! تمہارے بھائی کے ساتھ میں بھی اور.....اور یہ بھی.....''

''بھابی!'' عذرا چیخ پڑی ''ایسا مت کہیے!''

اور پھر اس نے حبیب کو کھینچ کر اپنے سینے کے ساتھ لگا لیا۔

''خدا میرے بھائی کی نشانی کو رہتی دنیا تک سلامت رکھے۔''

''لیکن عذرا! تم ہی بتاؤ میں کیا کروں؟''

''کرنا کیا ہے؟'' عذرا سنجیدہ کے آنسو پونچھتے ہوئے ہنسنے لگی۔

''آرام سے رہیے سہیے' اپنے شوہر کی خدمت کیجیے اس کا گھر سنبھالئے اور اس کے بچے پیدا کیجیے۔''

''مگر مسئلہ تو حبیب کا ہے.....!'' سنجیدہ گردن جھکا کر حیا سے سرخ ہوتے ہوئے بولی ''اس کا کیا کروں؟'' پھر یکا یک متفکر ہوتے ہوئے بڑی سنجیدگی سے کہنے لگی ''مجھے ڈر ہے اس کی وجہ سے کہیں ہماری ازدواجی زندگی پر کوئی آنچ نہ آئے۔''

''آپ کی ازدواجی زندگی پر کبھی کوئی آنچ نہیں آئے گی بھابی!'' عذرا بھی سنجیدہ ہوگئی۔ ''حبیب میرے بھائی کی نشانی ہے' یہ کسی دوسرے کے گھر کا مسئلہ کبھی نہیں بنے گا..... کبھی بھی نہیں۔''

''کیا مطلب؟''

''حبیب کو میں اپنے ساتھ لے کر جا رہی ہوں۔''

''تم.....؟ عذرا تم.....؟''

''بھابی! اس میں اتنا حیران ہونے کی کیا بات ہے؟''

''میں ماں ہو کر اپنے شوہر سے ڈر رہی ہوں اور تم اک بھتیجے کی خاطر..... اک بھتیجے کی خاطر.....'' سنجیدہ انگشت بدنداں تھی۔

''کیا تمہارا شوہر اس کا وجود برداشت کر لے گا؟''

''میرے شوہر کو کرنا پڑے گا..... یہ میرے اکلوتے اور مرحوم بھائی کی اکلوتی نشانی ہے.....میرے بھائی کی.....اور آپ کا شوہر تو زندہ سلامت ہے۔ خدا اسے زندگی دے۔ آپ دونوں بہت بچے پیدا کر لیں گے' آپ کو کوئی کمی نہیں رہے گی۔'' عذرا کے آنسو ٹپک پڑے۔

''مگر میرا بھائی نہ قبر سے اُٹھ کر آجائے گا نہ ایسی اس کی کوئی اور نشانی مل سکے گی..... میں تو اسے جان سے زیادہ عزیز رکھوں گی.....کوئی اس کی طرف آنکھ تو اٹھا کر دیکھے۔''

''اوہ! عذرا تم کتنی عظیم ہو.....تم کتنی دلیر ہو.....''

سنجیدہ بھی رونے لگی۔

''ارے' ارے!'' عذرا ایک دم آنسو پونچھتے ہوئے مسکرانے لگی۔ ''دو دن کی بیاہی

دلہن کو آنسو زیب نہیں دیتے۔ ابھی آپ کے وہ آ گئے تو بہت بری بات ہو گی۔"

عذرا اپنے ہاتھوں سے، اپنے پلو سے سنجیدہ کے آنسو پونچھنے لگی۔

"ایک بات اور بھی تو ہے بھابی.....!"

"وہ کیا؟"

"آپ کو پتہ ہے میں ایک بیٹی کی ماں بھی ہوں؟"

"ہاں! خدا تمہیں بیٹے سے بھی نوازے۔"

"ارے نہیں نہیں.....بس.....مجھے پیدا کیا کرایا، پلا پلایا بیٹا جو خدا نے دے دیا ہے۔"

عذرا نے ایک بار پھر حبیب کو گلے لگا لیا۔

"میں تو بیٹی کی بات اس لیے کر رہی تھی کہ میں اسے گھر میں ہی رکھ لوں گی۔ حبیب سے دو سال چھوٹی ہے۔" عذرا بڑے خوبصورت انداز میں مسکرائی۔

"میرے تو آم کے آم اور گٹھلیوں کے دام ہو جائیں گے۔ اپنی مرضی کے مطابق حبیب کی تربیت کروں گی۔ مجھے اور کیا چاہیے.....مجھے اور کیا چاہیے۔"

اور عذرا وہ خزانہ دامن میں بھر کر خوش خوش اپنے گھر کو سدھار گئی۔

وقت گزرتے دیر نہیں لگتی۔ سولہ سترہ سال آنکھ جھپکتے میں گزر گئے۔ شروع میں سنجیدہ چار چھ مہینے بعد حبیب کو دیکھنے کی خاطر اک چکر لگا جاتی تھی، مگر پھر جب اس کے ہاں اک لڑکی نے جنم لیا تو اس کی مصروفیات کی وجہ سے اس کی آمد و رفت کم ہو گئی۔

تین سال گزرے سنجیدہ کی گود میں ایک اور لڑکی ہمکنے لگی اور وہ گھر گرہستی میں ایسی پھنسی کہ حبیب کو دیکھے بنا سال سال، دو دو، تین تین سال گزرنے لگے اور اب تو تقریباً سات سال سے نہ وہ خود آئی تھی اور نہ ہی اس کا کوئی خط آیا تھا۔

حبیب چھ سات سال کا بچہ عذرا کے ہاں آیا تھا اور اب وہ پچیس چھبیس سال کا جوان تھا۔ وجیہہ و شکیل اور بانکا چھبیلا..... بہت قابل، بہت لائق..... بڑی اونچی نوکری پر فائز.....غرض اس میں کوئی خامی نہ تھی، نہ اخلاق و کردار میں، نہ قابلیت میں اور نہ شکل و صورت میں۔

اس جیسا داماد واقعی عذرا کو کوئی اور نہیں مل سکتا تھا.....اور عذرا کی بیٹی صبیحہ بھی، صبیحہ ہی

تھی۔ خوبصورت اور رعنا..... یوں جیسے پروردگار نے خاص اسے اپنے ہاتھ سے بنایا تھا۔ سب سے منفرد، سب سے علیحدہ۔

پہلے عذرا کا اپنا کوئی ارادہ حبیب اور صبیحہ کی جوڑی ملانے کا نہ تھا مگر جب وہ جوان ہوئے تو حسن و عشق نے خود ہی منزل کا تعین کر دیا۔ دونوں میں ایسی محبت تھی کہ کم ہی کسی عورت نے مرد سے اور مرد نے عورت سے کی ہوگی۔

اکٹھے کھیلے کودے تھے، اکٹھے تعلیم حاصل کی تھی، ایک ہی عورت کی گود میں پرورش پائی تھی۔ عادات ایک جیسی، ذوق ایک جیسا، خیالات ایک جیسے..... پھر کچھ اور کیوں سوچا جاتا..... رشتہ طے کر دیا گیا۔

عذرا نے سنجیدہ کو اس کے بیٹے کی شادی کا خط لکھا، مگر کئی دن انتظار کرنے پر بھی جب کوئی جواب نہ آیا تو عذرا نے بسم اللہ کر کے شادی کی تیاریاں شروع کر دیں۔

ایک خط اور لکھا..... اس کا بھی جواب نہیں آیا تو..... خود ہی پہلے بیٹے والی بن کر حبیب کو سہرا لگایا اور پھر بیٹی کو دلہن بنا، اپنے ہی گھر کے ایک علیحدہ حصے میں رخصت کر کے ڈولی اتار لی۔

عذرا کو یقین تھا کہ سنجیدہ کو اس رشتے سے کبھی بھی انکار نہیں ہو سکتا تھا۔ شادی والا پورا دن بھی وہ اس کا انتظار کرتی رہی تھی، شام ہو گئی..... بیٹی رخصت ہو گئی تو اسے خیال آیا۔

سنجیدہ کے شوہر نے جب حبیب منا سا بچہ تھا تب اسے قبول نہیں کیا تھا تو اب اس کے کسی بھی معاملے میں نہ خود دخل دینا مناسب سمجھا ہوگا اور نہ ہی بیوی کو اجازت دی ہوگی۔ شاید تبھی تو سنجیدہ آ نہیں سکی تھی۔ اس کی ازدواجی زندگی اور گھر گرہستی کی بہتری کی خاطر عذرا نے مزید کوئی کرید نہیں کی اور خاموشی اختیار کر لی۔

حبیب اور صبیحہ بڑی خوشگوار اور مسرتوں سے پُر زندگی گزارنے لگے۔ عذرا حبیب کی صرف ساس ہی نہیں تھی، ماں بھی تھی..... صرف اسے جنم نہیں دیا تھا، باقی اس کے لیے سب کچھ اس نے اک حقیقی ماں ہی کی طرح کیا تھا۔

اپنے گھر کا ایک بہترین حصہ بڑے خوبصورت طریقے سے سجا کر بیٹے بہو یا بیٹی داماد کا گھر بنا دیا تھا، بڑی حسین زندگی تھی سب کی۔

شادی کے ایک سال بعد اک ننھے پھول سے ان کا چمن مہک اُٹھا..... یہ امید تھی۔ ماں اور باپ کا حسن و وجاہت لے کر دنیا میں آ گئی تھی..... عذرا کی خوشیوں کی انتہا نہ رہی اور حبیب اور صبیحہ کی محبت کو اس ننھے وجود نے کچھ اور پائیدار، کچھ اور مستحکم کر دیا۔

لیکن..... خدائے برتر کو کچھ اور ہی منظور تھا..... حبیب ابھی ابھی دفتر سے آئے تھے صبیحہ بڑے خوبصورت لباس میں مسکراہٹوں کی کلیاں بکھیرتے ہوئے ان کے لیے چائے وغیرہ بنا رہی تھی..... امید، جواب نو دس مہینے کی تھی، نانی کی گود میں بیٹھی روشن روشن آنکھوں سے کبھی نانی کو دیکھ رہی تھی اور کبھی باپ کو..... پھر کبھی چلتی پھرتی، کام وام کرتی ماں کو پاس بلانے کے لیے ننھا سا ہاتھ اٹھا کر اشارے کرنے لگ جاتی۔

نانی اس کی اداؤں پر قربان ہو ہو کر بار بار اس کا منہ چوم لیتیں۔ باپ کتنی ہی دیر سے لباس تبدیل کرنے کے لیے دوسرے کمرے میں جانا چاہ رہا تھا مگر بچی کی دلچسپ حرکات اس کے قدم جکڑے ہوئے تھیں۔ حبیب فاصلے پر ہی کھڑے کھڑے اس سے کھیلے جا رہے تھے۔ منی منی، توتلی توتلی باتیں کیے جا رہے تھے۔

دروازے پر دستک ہوئی۔

''جانا ذرا صبیحہ!'' عذرا جلدی سے بولیں۔ ''میری گود میں تو امید ہے۔ نجانے اس وقت کون ہے؟''

''تم اپنا کام کرو صبیحہ! میں جاتا ہوں۔'' حبیب بچی سے ہی تو کھیل رہے تھے..... صبیحہ مصروف تھی۔ ذرا ذرا سی بات میں اس کا خیال رکھا کرتے تھے۔

وہ دروازہ کھولنے چلے گئے۔ دروازہ کھولا..... سامنے سنجیدہ کھڑی تھیں..... آٹھ سال ہو گئے تھے ماں کو دیکھے ہوئے۔ اس سے پہلے بھی جب کبھی کبھار ملے بس ایک آدھ جھلک ہی دیکھی۔

شوہر کے ڈر سے سنجیدہ بھی حبیب کو کھل کر نہیں ملا کرتی تھیں اور حبیب کے دل میں بھی ماں کے لیے ٹوٹ کر چاہنے والا جذبہ نہیں رہ گیا تھا۔ وہ تو عذرا کو ہی سب کچھ سمجھنے لگ گئے ہوئے تھے۔

''آپ؟ آپ کون ہیں؟'' وہ اس مانوس سی صورت کو پہچاننے کی کوشش کرنے لگے۔

''حبیب بیٹے! کون آیا ہے؟'' ذرا دیر لگی تو اندر سے ہی عذرا نے پوچھا۔

سنجیدہ بھی حبیب کو پہچاننے کی کوشش کر رہی تھیں.....عذرا کی آواز نے یقین دلا دیا۔

''حبیب.....؟ میرا حبیب؟'' سنجیدہ انہیں گلے سے لگا کر بلند آواز میں رونے لگیں۔

کسی عورت کے رونے کی آواز سنتے ہی عذرا گھبرا کر باہر نکل آئیں۔ امید گود میں تھی.....تجسس نے صبیحہ کو بھی وہاں رُکنے نہ دیا.....چائے وائے سب چھوڑ چھاڑ وہ بھی ماں کے پیچھے لپکی۔

''ارے بھائی آپ؟ یہ آج آپ کو ہماری یاد کیسے آ گئی؟''

سنجیدہ حبیب سے علیحدہ ہو کر عذرا سے لپٹ گئیں۔ امید اس بھگدڑ سے رونے لگی۔

''ارے ارے! رونا نہیں..... یہ تو خوشی کا موقع ہے۔ دیکھو تو تیری دادی اماں آئی ہیں۔''

عذرا نے بچی کو چمکارتے' پچکارتے ہوئے سنجیدہ کی طرف بڑھایا۔ سنجیدہ چونک کر گھبرا کر دو قدم پیچھے ہٹ گئیں۔

''بھابی! یہ آپ کے حبیب کی بیٹی ہے۔'' پھر عذرا نے پاس کھڑی صبیحہ کو بازو سے پکڑ کر سنجیدہ کے سامنے کیا۔

''یہ آپ کی بہو.....میری صبیحہ.....''

سنجیدہ نے بنا ذرا سا مسکرائے اور بغیر کوئی خیر و عافیت کا فقرہ کہے' بہت گھور کر صبیحہ کو سر سے پاؤں تک دیکھا۔

''کب ہوئی شادی؟ اور حبیب باپ بھی بن گیا' ہمیں کوئی خبر ہی نہیں.....کیسا زمانہ ہے؟''

سنجیدہ کا انداز عجیب سا تھا' سنجیدہ کا روّیہ عجیب سا تھا۔ عذرا نے حیرت سے اسے دیکھا۔

''چلیئے نا اندر..... بیٹھیے تو سہی.....سب کچھ بتاتی ہوں آپ کو.....'' پھر وہ گنگ کی گنگ

کھڑی صبیحہ کی طرف متوجہ ہوئیں۔ ''اور صبیحہ! تم چائے ادھر ڈرائنگ روم میں ہی لے آؤ۔ خیال رہے تمہاری ساس پہلی بار بیٹے بہو کے گھر آئی ہیں..... گوگے کو بھیج کر بازار سے دو چار چیزیں اور منگوالو۔''

''جی اچھا۔'' ماں کی بات غور سے سن کر صبیحہ اپنے کمرے کی طرف چلی تو حبیب بھی بیوی کے پیچھے چل پڑے۔

''حبیب! تم کہاں جا رہے ہو؟'' سنجیدہ کی کرخت سی آواز پر حبیب وہیں ٹھٹک کر رہ گئے۔

''میں! اماں..... میں.....'' وہ گھبرا گھبرا کر عذرا کی طرف دیکھنے لگے۔

''ماں اتنی غیر ہوگئی ہے کہ اچھی طرح ملے بھی نہیں اور بیوی کے پیچھے چل پڑے ہو..... وہ تو سدا تمہارے پاس رہی ہے۔''

''دفتر سے ابھی ابھی آیا ہے کپڑے تبدیل کرنا تھے' وہ کر کے ابھی ہمارے پاس ہی آ جائے گا۔'' عذرا بڑی نرمی سے بولیں اور سنجیدہ کا بازو تھام لیا۔

''چلئے نا..... آپ تو جب سے آئی ہیں غیروں کی طرح کاریڈور میں ہی کھڑی ہیں۔'' عذرا سنجیدہ کو لیے ڈرائنگ روم میں آ گئیں۔

''آپ کو حبیب کی شادی کے میں نے تین خط لکھے تھے۔'' عذرا نے ان کی غلط فہمی یا ناراضگی دُور کرنے کے لیے بات شروع کی۔

''میری حیثیت صرف دو تین خطوں کے برابر تھی؟'' عذرا کی بات پوری ہونے سے پہلے ہی سنجیدہ اسی لہجے میں بولیں۔

''نہیں بھابی! ایسا تو نہ کہئے۔'' عذرا گھبرا گئیں۔ ''یہ آج آپ کیسی باتیں کیے جا رہی ہیں؟''

''میں کیسی باتیں کر رہی ہوں؟'' سنجیدہ کا لہجہ اور بھی تیکھا ہو گیا ''کام تو تم نے ایسا کیا؟ میں آخر حبیب کو جنم دینے والی اس کی اصلی ماں تھی' تم نے تو میرا کوئی حق ہی نہیں رہنے دیا۔''

''سارا حق آپ کا ہے بھابی!'' عذرا پھر مصالحانہ انداز میں بولیں۔

''میرا حق؟'' سنجیدہ بڑے طنز سے مسکرائیں۔ ''کیا حق اسی کو کہتے ہیں کہ ماں کو علم ہی نہیں اور بیٹا نہ صرف شادی شدہ ہو گیا بلکہ اولاد والا بھی.....''

''سچ کہہ رہی ہوں بھابی! میں نے آپ کو خط لکھے تھے.....کیا آپ کو میرا کوئی خط نہیں ملا۔''

''ملے تو تھے لیکن ان دنوں وہ بیمار تھے اس لیے جواب نہ دے سکی۔ ویسے یہ مجھے یقین تھا کہ جب تک میرے خط کا تمہیں کوئی جواب نہیں ملے گا' تم یہ شادی نہیں کرو گی۔ مگر تم نے تو کمال ہی کر دکھایا۔''

پھر سنجیدہ رونے لگیں۔

''میرے نصیب ہی کھوٹے ہیں.....کوکھ سے بیٹا پیدا کیا مگر وہ دوسروں کا بن گیا اور میں اب صرف تین بیٹیاں لیے بیٹھی ہوں۔''

''بیٹا بھی آپ ہی کا ہے بھابی! میں نے تو آپ کی امانت کی بس حفاظت کی ہے۔''

''اچھی حفاظت کی ہے۔ میرا مال ہی ہضم کر لیا ہے۔''

''بھابی! بھابی!!'' عذرا کی کچھ سمجھ میں نہیں آ رہا تھا۔ سنجیدہ کا حملہ ایسا اچانک تھا کہ دفاع کے لیے کوئی جواب بھی نہیں بن پڑ رہا تھا۔

اسی لمحے حبیب کپڑے وغیرہ بدل کر اندر آ گئے۔

''یہاں میرے پاس بیٹھو!'' سنجیدہ نے جلدی سے انہیں اپنے پاس بٹھا لیا۔

''صبیحہ کہاں ہے؟'' سنجیدہ کی باتوں نے عذرا کو جس پریشانی میں ڈال دیا تھا' وہ حبیب سے چھپانے کی کوشش کرتے ہوئے مسکرا کر بولیں۔

''وہ چائے لے کر آ رہی ہے۔''

''میں چائے وغیرہ نہیں پیوں گی.....میں تو بس تمہیں لینے آئی ہوں۔''

''کیا مطلب اماں؟''

''میں کوئی عربی یا فارسی نہیں بول رہی حبیب!''

''وہ تو میں جانتا ہوں۔'' حبیب کو ماں کا لہجہ' انداز اور عذرا سے بات کرنے کا طریقہ

بہت برا لگا تھا۔ ''لیکن یہ آج یک لخت آپ کو میری یاد کیوں ستانے لگ پڑی؟''

''دیکھو تو کیسا بے مروّت ہے..... کہہ رہا ہے آج کیوں یاد ستانے لگی۔ ارے! یہ پوچھ میں نے تمہیں بھلایا کب تھا؟''

''آپ مجھے یاد کرنے کے دن بتاتی جائیں اماں اور میں بھلانے کے..... دیکھتے ہیں نتیجہ کیا نکلتا ہے؟'' حبیب پہلے ہی ماں کے تیور سمجھ چکے تھے اس لیے بات شروع ہی دوٹوک کی۔

''حبیب! ہوش کی دوا کرو..... یہ ماں سے کس قسم کی گفتگو کر رہے ہو؟'' عذرا نے بال بچوں والے حبیب کو ڈانٹ دیا۔

''ماں کی عزت کرو گے' ماں کا حکم مانو گے تو تب ہی تمہارا اور میرا کوئی رشتہ ہے ورنہ.....'' عذرا حلق میں آئے آنسوؤں کا گھونٹ بھر کر خاموش ہو گئی۔

''ورنہ نہیں!'' حبیب نے بات مکمل کر دی۔ پھر ذرا سا مسکرائے۔

پھوپھی کی خاطر..... صرف پھوپھی کی خاطر..... انہوں نے حبیب کے لیے جو کچھ قربانیاں دی تھیں' وہ اچھی طرح جانتے تھے۔ ''چلو جی..... اِدھر سے بھی چھٹی ہو گئی۔''

حبیب نے اس عظیم عورت کی خاطر بات مذاق میں ٹالنا چاہی تھی مگر سنجیدہ نے دوسرا ہی رنگ دے دیا۔

''میں قربان..... میں صدقے..... جنم دینے والی ماں تو کبھی چھٹی نہیں دے سکتی..... وہ بنی ہوئی مائیں ہی ہوتی ہیں۔''

عذرا نے چونک کر سنجیدہ کی طرف دیکھا..... آج بھابی تو وہ بھابی ہی نہیں تھیں۔ اس کا تو رنگ ہی اور تھا..... ایسا' جو اس نے پہلے کبھی نہیں دیکھا تھا۔

''بھابی! یہ آج آپ کیسی باتیں کیے جا رہی ہیں..... قسم ہے مجھے پروردگار کی' جو میں نے حبیب سے کبھی بھی بنائے ہوئے بیٹے کا سا سلوک کیا ہو؟ میں نے تو اسے ہمیشہ حقیقی ماں کی طرح چاہا اور اپنی اولاد سے بڑھ کر رکھا' کھلایا پلایا۔''

''احسان جتا رہی ہو؟'' سنجیدہ چھکوں پھکوں رونے لگیں۔ ''میرے تو مقدر ہی خراب نکلے ورنہ کون اپنے پیٹ سے پیدا کی ہوئی اولاد کو اپنے سے جدا کرتا ہے اور پھر دوسروں کے طعنے سنتا ہے۔''

''بھابی! بھابی خدا کے لیے یہ تو نہ کہئے۔ میں نے حبیب کے لیے جو کچھ کیا نہ آپ پر احسان کیا اور نہ ہی کوئی طعنہ دے رہی ہوں۔ آپ تو خواہ مخواہ ہی ہر بات کو اُلٹ کر کے غصہ کیے جا رہی ہیں۔''

''ہاں ہاں! میں غصہ کیے جا رہی ہوں۔ میں ہی بری ہوں۔ ایک شوہر اللہ کو پیارا ہوا' دوسرا بھی اس نے اپنے پاس بلا لیا۔ تین بیٹیوں کا بوجھ سر پر ہے..... بوجھ اٹھانے والا بیوہ ماں کو سہارا دینے والا اک بیٹا جو خدا نے دیا تھا' اس پر تم نے قبضہ کر لیا اور پھر بھی بری میں.....؟ ہاں میں بری ہوں..... ہاں میں بری ہوں!''

سنجیدہ سینہ کوبی کرتے ہوئے بلند آواز میں بین ڈالنے لگیں۔

''اماں! یہ کیا کر رہی ہیں؟ یہ سب کچھ پھوپھو نے تو آپ کے ساتھ نہیں کیا۔''

حبیب ماں کے ہاتھ پکڑ پکڑ کر اسے سنبھالنے کی کوشش کرنے لگے۔ عذرا حیران پریشان ہاتھوں میں سر تھامے بیٹھی تھیں۔ رونے کی چیخوں کی اور شور کی آواز سن کر صبیحہ بھی بھاگی آئی۔

''اس نے نہیں کیا تو پھر میں اور کس کو دوش دوں۔ اسے اپنی بیٹی کے لیے ایسے بَر کی ضرورت تھی جو گھر میں رہے' جو کما کر لائے اور سارا گھر پلے۔''

''بھابی! خدا کے لیے میری نیکیوں پر یوں خاک نہ ڈالئے۔ میں کسی لالچ کی وجہ سے حبیب کو گھر میں نہیں لائی تھی..... صرف آپ کی خاطر' آپ کی خوشگوار زندگی کی خاطر میں نے حبیب کو سینے سے لگایا تھا۔''

''تم نے اسی وقت کہا تھا کہ بیٹی کو گھر میں رکھ لوں گی۔''

''آپ کی پریشانی کے لیے کہا تھا..... آپ احسان مندی کے جذبوں سے مغلوب ہو کر سرنگوں ہوئی جا رہی تھیں..... میں آپ کی سربلندی کی خاطر خود زیر بار احسان ہوئی تھی۔ پوچھ لیجیے ان دونوں سے کہ کبھی کسی کے کان میں ایسی بات پڑی ہو۔'' عذرا بھی رونے لگیں۔ ''اگر پہلے ہی میرے دل میں کوئی ایسا خیال ہوتا تو میں اپنے شوہر کو باخبر کرتی۔ آپ کو کیا علم میں نے ان سے کیسے کیسے طعنے نہیں سنے۔ میں نے کیا کیا دُکھ نہیں اٹھائے' مگر کبھی اس بچے پر آنچ نہ آنے دی اور

کبھی آپ کے کان تک اِک بات نہ پہنچنے دی کہ آپ دُکھی ہو جائیں گی۔''

عذرا رو ئے ہی گئیں۔

''اور اب آپ..... اب آپ یہ بھی الزام لگا رہی ہیں کہ اس کی کمائی کھانے کی خاطر..... نہیں بھابی! بیٹی داماد سے میں کیوں کچھ لوں گی..... میں بے غیرت نہیں ہوں۔ صبیحہ کے ابا کا اتنا کچھ میرے پاس ہے جس سے میں اپنا بڑھاپا عزت سے گزار سکوں..... خدا کا شکر ہے۔''

''ویسے اماں.....'' عذرا کی نیکیوں کو کس طرح ماں بھول گئی تھی..... کیسی ناانصاف تھیں..... حبیب کو غصہ آ گیا۔ ''اگر پھوپھو میری کمائی' ساری کی ساری کمائی کھا بھی لیں گی تو ان کا حق ہے..... مجھے آج اس قابل بھی تو انہوں نے ہی کیا ہے۔''

''تو پھر سیدھی طرح ایسے بولو نا کہ تم دونوں میں معاہدہ ہو چکا ہے۔''

''ہاں یہی سمجھیے!'' حبیب اور بھڑ کے۔ کیسی الٹ کھوپڑی کی مالک تھیں۔

''اب آپ کا مجھ پر کوئی حق نہیں۔''

''کوئی حق نہیں..... کوئی حق نہیں۔'' سنجیدہ چیخ چیخ کر' پیٹ پیٹ کر اپنا برا حال کرنے لگیں۔

''آپ کیسی باتیں کر رہے ہیں؟'' صبیحہ آگے بڑھ کر حبیب سے مخاطب ہوئی۔ ''آپ تو کبھی گرم مزاج نہ تھے..... سوچ کر بات کیجیے۔''

''اماں بھی تو سوچ کر بات کریں..... پھوپھو پر کیسے کیسے الزام دھرے جا رہی ہیں۔ یہ میں برداشت نہیں کر سکتا۔''

''لیکن مامی جان بھی آپ کی ماں ہیں!'' حبیب کو سمجھانے کے بعد صبیحہ نے سنجیدہ کی طرف رُخ موڑا۔

''مامی جان! انہیں معاف کر دیجیے۔ یہ آپ کی اولاد ہیں۔ آپ جو چاہیں گی وہی ہو گا۔ جو کہیں گی یہ وہی کریں گے۔'' صبیحہ ماں ہی کی طرح صلح جو تھی۔

''تو پھر اسے کہو میرے ساتھ جانے کے لیے تیار ہو جائے۔''

''کہاں؟''

''میرے گھر.....اپنی حقیقی ماں کے گھر.....چل کر اپنی بے سہارا بہنوں کے سر پر ہاتھ رکھے.....وہ جوان ہو رہی ہیں، کوئی ان کا فکر کرے۔''

''ایسا ہی ہوگا۔'' صبیحہ جیسی نرم و نازک اور حسین تھی، ویسے ہی مزاج کی مالک بھی تھی۔ ''ان کی طرف سے میں قسم کھاتی ہوں، یہ وہی کریں گے جو آپ کہیں گی۔''

''اپنی اولاد کے سر پر ہاتھ رکھ کر قسم کھاؤ۔'' سنجیدہ اسی سنگین لہجے میں بولیں۔

صبیحہ کے من میں کوئی کھوٹ نہ تھا.....بڑھ کر نانی کی گود میں بیٹھی، ٹکر ٹکر ایک ایک کا منہ دیکھتی بچی کو گود میں اُٹھالیا۔

''مامی جان! مجھے اسی کی قسم ہے۔''

''صبیحہ! یہ کیا کر رہی ہو؟'' حبیب نے لپک کر بچی کو اس کی گود سے چھیننے کی کوشش کی۔

''جیسی ہمیں اپنی اولاد عزیز ہے، اسی طرح مامی جان کو ہوگی.....آپ بھی قسم کھائیے کہ ماں کا کہنا مانیں گے.....جو یہ کہیں گی وہی کریں گے۔ ان کے قدموں تلے آپ کی جنت ہے۔''

''کس کے پاؤں کے نیچے میری جنت ہے یہ تو میں نہیں جانتا.....اماں کے یا پھوپھو کے..... پالنے والی ماں کا بھی کچھ کم حق نہیں ہوتا۔''

''دیکھا.....دیکھا۔'' سنجیدہ پھر چمکیں۔ ''کیسا اسے سکھایا پڑھایا ہوا ہے۔ کیسا اس پر جادو کیا ہوا ہے۔ میرے نام سے پہلے پھوپھی کا لیتا ہے۔''

''لیکن اماں! انہوں نے میرے ساتھ جتنی محبت کی ہے اور جیسے لاڈ میرے دیکھے ہیں شاید آپ بھی.....''

''ہاں، ہاں! کہہ دے کہہ دے۔'' سنجیدہ نے ان کی بات کاٹ دی ''اور ادھر تیری بیوی اولاد کے سر پر ہاتھ رکھ کر قسمیں کھا رہی ہے.....کہہ دو جو کہنا ہے۔ کل اولاد سے پالو گے۔''

''بھابی! مجھے تو یوں لگتا ہے جیسے آج آپ صرف جھگڑا کرنے کے لیے آئی ہیں۔ میرا قصور کیا ہے آخر؟''

''میرا بیٹا مجھ سے چھین لیا.....خود ہی اپنی مرضی سے اس کی شادی تک کر ڈالی اور پیدا

کرنے والی ماں کو کچھ پتہ ہی نہیں..... ابھی بھی قصور جاننا چاہتی ہو؟''

''بھابی! وہ سب کچھ آپ کی مرضی سے ہوا تھا۔''

''اور یہ اپنی بیٹی سے شادی؟''

''آپ نے تو کئی سال اس کی خبر نہ لی..... جہاں میں نے ماں بن کر پالا' پڑھایا لکھایا وہیں اس کا گھر بھی بسا دیا۔''

''لیکن اماں! آخر آج جھگڑا کس بات کا ہے؟'' حبیب قدرے نرمی سے پوچھنے لگے۔ شاید نرمی سے وہ کچھ نرم پڑ جائیں۔

''مجھے اور کچھ علم نہیں..... بس تمہاری بیوی اپنی بیٹی کی قسم کھا کر وعدہ کر چکی ہے کہ میں جو کہوں گی وہی ہوگا۔''

''تو پھر حکم کریں۔''

''میرے ساتھ چلو!''

''آخر کہاں اماں؟''

''اپنی ماں کے گھر..... اپنے اصلی گھر..... وہیں تیرا مقام ہے۔''

''مگر اماں! میں کیسے جا سکتا ہوں۔ کیا ملازمت چھوڑ دوں؟''

''نوکریاں وہاں بھی بہت!''

''کمال کرتی ہیں آپ بھی..... اگر اب مجھے کچھ لگ گیا ہے۔ میرے بغیر آپ نہیں رہ سکتیں تو آپ یہاں آ جائیے۔''

''تمہاری بیوی وعدہ کر چکی ہے۔''

''مگر اماں! کچھ تو سوچئے!!'' حبیب نے بے بسی سے صبیحہ کی طرف دیکھا۔

''اس نے آپ کے ایسے غلط سلط احکامات کی تعمیل کے لیے تو وعدہ نہیں کیا تھا۔''

''واہ عذرا! جانے کون سا بدلہ تم نے مجھ سے لیا ہے۔'' سنجیدہ پھر رونے لگیں۔

''میرے بیٹے کو ہی مجھ سے بدظن کر دیا۔''

''بھابی! اب خواہ مخواہ ہی الزام تراشی تو نہ کیے جائیے۔ میں نے کیا باندھ رکھا ہے آپ

کے بیٹے کو..... میری طرف سے اسے اجازت ہے۔ جو دل چاہے اس کا یہ کرے اور جو آپ کا چاہے آپ کیجیے..... خدا گواہ ہے میں نے تو بس اِک فرض تھا وہ پورا کر دیا..... اب آگے آپ ماں بیٹا جانیں۔'' عذرا سنجیدہ کی عجیب و غریب حرکات اور باتوں پر پیچ و تاب کھاتے ہوئے اُٹھ کر کمرے سے نکل گئیں۔

''تو پھر انکار ہے حبیب! تم نہیں چلو گے میرے ساتھ؟''

''مجھے جانے میں کوئی عذر نہیں، لیکن آپ سارے حالات پر ذرا انصاف کی اِک نظر تو ڈالیے..... یہ ممکن کس طرح ہے؟''

''تو یہی تمہاری قسم تھی؟'' سنجیدہ نے بیٹے کو کوئی جواب دینے کے بجائے کھڑی تھر تھر کانپتی صبیحہ کو گھورا۔

''بیٹی کو گود میں لے کر تم نے قسم کھائی تھی کہ جو میں کہوں گی، وہی حبیب کرے گا اور اب یہ کیا ہو رہا ہے؟'' سنجیدہ دامن پھیلا کر بولیں ''ڈرو اس وقت سے جب تمہاری اولاد تم سے چھن جائے۔ تم ماں بیٹی نے میرا بیٹا مجھ سے چھین لیا ہے نا..... خدا کرے.....''

''اماں! ہوش کی دوا کرو!'' حبیب چیخے۔

''آٹھ دس دن کی چھٹیاں لے کر آپ مامی جان کے ساتھ چلے کیوں نہیں جاتے۔ ان کا مان بھی رہ جائے گا اور.....'' صبیحہ شوہر کو سمجھانے کے انداز میں ہولے سے بولی ''اور میں امید کی قسم بھی کھا چکی ہوں، وہ بھی پوری ہو جائے گی۔''

حبیب چپ سے ہو کر کچھ سوچنے لگے۔ ساتھ لے جانے والی بھی بضد تھی اور بھیجنے والی بھی قسم کی پابند ہو چکی تھی۔ ان کی بات کون سمجھے؟

اور ان کی بات اگر کوئی سمجھ سکتا تھا تو وہ صرف عذرا تھیں جو اگر حبیب کی کھلم کھلا بھی طرف داری کرتیں تو حق بجانب تھیں۔ وہ ان کو پالنے والی تھیں۔ سترہ اٹھارہ سال تک ان کی دیکھ بھال کی تھی۔

مگر..... وہ بیٹی دے کر زبان کٹا بیٹھی تھیں۔ سب حق حقوق گنوا بیٹھی تھیں..... اب تو وہ بھی کچھ نہیں کہہ سکتی تھیں۔ کچھ نہیں بول سکتی تھیں..... کوئی داد فریاد سننے والا نہ تھا، کوئی انصاف

کا تراز و پکڑنے والا نہ تھا۔

''پھر.....؟ میں آپ کے ایک دو جوڑے کپڑوں کے رکھ دوں؟'' حبیب سوچوں میں کھوئے بیٹھے تھے' صبیحہ نے پوچھا۔ معاملے کی نزاکت کو آخر کسی نہ کسی طرح سلجھانا ہی تھا۔

''ایک دو جوڑے کیا ہوا.....میں تو اس کا سارا سامان لے کر جاؤں گی۔''

حبیب کے بجائے پھر سنجیدہ ہی بولیں۔

''اماں! سارے سامان سمیت بھی چلا جاؤں گا' مگر پہلے وہاں نوکری کا تو کوئی بندوبست ہو..... یا پھر میں تبادلے کی کوشش کرتا ہوں۔''

''تبادلہ کیا کرانا ہے.....نوکری کو کیا کرنا ہے۔ وہاں تمہارے باپ کا کاروبار اچھا خاصا موجود ہے۔''

ماں کی بات کو نظر انداز کرتے ہوئے حبیب صبیحہ سے مخاطب ہو گئے۔

''جاؤ صبیحہ! پھوپھو کو بھی تیار کراؤ اور تم بھی ہو جاؤ.....فی الحال کچھ دنوں کی چھٹی لے کر ہم سبھی چلتے ہیں۔'' آخر حبیب نے درمیانی راستہ نکال ہی لیا۔ ''اگر وہ شہر پسند آ گیا اور وہاں میرا تبادلہ بھی ہو گیا تو بہتر.....ورنہ پھر واپس.....اور اماں اور بہنوں کو بھی یہیں لے آئیں گے۔''

''نہ تو اماں خود آئے گی نہ تمہیں آنے دے گی۔'' سنجیدہ کو یہ مصالحت بھی پسند نہ آئی۔ اسی ڈھٹائی اور ضد سے بولیں ''یہ تمہیں کہے دیتی ہوں پوری تیاری کر کے چلو.....اور چلو بھی اکیلے۔''

''کیا مطلب؟''

''بار بار مجھ سے مطلب پوچھے جا رہے ہو۔ آخری بات تمہیں بتا دوں میں تمہیں لینے آئی ہوں اور ساتھ لے کر ہی جاؤں گی.....صرف تمہیں۔''

''اور بیوی کو اور بچی کو کس کے سہارے چھوڑ دوں؟''

''بیوی جس کی اولاد ہے' اس کے پاس رہے گی۔''

''مامی جان! یہ آپ کیا کہہ رہی ہیں؟'' صبیحہ تڑپ کر بولی۔

مگر سنجیدہ نے اس کی بات کی طرف دھیان ہی نہیں دیا.....اپنی ہی کہے گئیں۔

''اور تمہاری لڑکی کو میں خود پال لوں گی۔''

''آپ؟''

''ہاں.....میں اس کی دادی ہوں۔ اس پر پورا حق رکھتی ہوں؟''

''لیکن ماں سے اس کی اولاد کو میں آخر کیسے جدا کر دوں؟''

''ویسے ہی، جیسے تمہیں، میری اولاد کو لوگوں نے مجھ سے جدا کیا تھا۔''

سنجیدہ نے جسے سنانے کے لیے یہ فقرہ کسا تھا' اس نے یہ سن لیا.....عذرا پھر اندر آ گئیں۔

''بھابی! بڑا اچھا بدلہ دے رہی ہیں۔'' عذرا رونے لگیں۔

''کاش! میں نے آپ کے ساتھ وہ بھلائی نہ کی ہوتی' جو آج میرے ہی منہ پر گالی کی طرح آپ نے دے ماری ہے۔''

''بھلائی.....؟ وہ بھلائی تھی؟ آج میں بیٹے کے لیے ترس رہی ہوں۔''

''مگر اماں! پھوپھو یہ تو نہیں جانتی تھیں کہ میرے بعد پھر آپ کسی اور بیٹے کا منہ دیکھ ہی نہ سکیں گی۔'' حبیب نے عذرا کی حمایت کی.....پھر اک طنزیہ سی ہنسی ہنس کر بولے۔

''اور مجھے یہ بھی علم ہے کہ آج میری نہیں' اک بیٹے کی خواہش آپ کو یہاں لے کر آئی ہے۔ اگر دوسرے شوہر سے آپ کا کوئی بیٹا پیدا ہو چکا ہوتا تو آپ کبھی نہ آتیں۔ رہی آپ کی محبت تو اس کا بھی مجھے اچھی طرح اندازہ ہے۔ جس طرح چھ چھ' آٹھ آٹھ سال مجھے دیکھے بغیر گزار دیا کرتی تھیں' اسی طرح پوری عمر بھی گزار سکتی تھیں۔''

حبیب نے ہمت کر کے ذرا سی زبان کھولی تو وہ کھلتی ہی چلی گئی۔

''آپ کے شوہر کا کاروبار سنبھالنے والا کوئی نہیں' آپ کی بیٹیوں کو بیاہنے والا کوئی نہیں.....اس لیے میں' اک بیٹا نہیں' اک مرد' اتنی شدت سے آپ کو یاد آ گیا ہوں.....یہ محبت نہیں.....یہ ضرورت ہے' ضرورت!!''

سنجیدہ نے حبیب کا اِک اِک لفظ بڑے غور اور پوری توجہ سے سنا.....اور پھر بڑی لاپروائی سے بولیں۔

''اب جو دل چاہے کہہ لو..... میں تو بس اتنا جانتی ہوں تمہاری بیوی نے اولاد کو گود میں لے کر قسم کھائی ہے کہ جو میں چاہوں گی وہی ہوگا..... اور میں تمہیں ساتھ لے کر جانا چاہتی ہوں۔''

''آپ چلے جائیے حبیب! آپ اس وقت اماں کے ساتھ ضرور جائیے..... ورنہ میری امید..... میں اس کی قسم کھا چکی ہوں۔'' صبیحہ منت کرنے لگی۔

''مگر صبیحہ! کچھ سوچو۔''

''مگر وگر نہ کیجیے..... نہ کچھ سوچئے..... اس وقت آپ کا چلے ہی جانا مناسب ہے۔''

''ساتھ لڑکی بھی جائے گی۔'' سنجیدہ نے دوسرا مطالبہ دُہرایا۔

صبیحہ تو کچھ نہیں بولی، اس کے بجائے عذرا چلا پڑیں۔

''ہائے، ہائے بھابی! کچھ تو خدا کا خوف کیجیے۔''

''تم نے اتنے سال نہ کیا..... دوسرے کی اولاد پر قبضہ جمائے رکھا اور یہ تو ہے ہی میری اپنی اولاد..... میں کس سلسلے میں خدا کا خوف کروں؟''

سنجیدہ کا یہ رُوپ تو نرالا ہی تھا۔ کسی کی سمجھ میں کچھ نہیں آ رہا تھا..... ہر بات کو وہ اُلٹ دیتی تھیں۔ مصالحت کی کوئی کوشش وہ بار آور نہیں ہونے دے رہی تھیں۔

آخر الجھی الجھی صبیحہ نے بچی کو دادی کی گود میں ڈالا اور خود کچھ اپنی قسم کے ڈر سے، کچھ غصے اور پریشانی سے جا کر حبیب کے جانے کی تیاری کرنے لگی۔ بیٹی کے تیور مختلف تھے۔ عذرا بھی اس کے پاس آ گئیں۔

''یہ کیا کر رہی ہو؟''

''ان کے جانے کی تیاری۔''

''عقل کرو کچھ!''

''عقل ہی کا تقاضا ہے یہ..... مامی جان دل میں ٹھان کر آئی ہیں اور وہ بیٹے کو ساتھ لے کر ہی رہیں گی..... پھر میں خود اپنے ہاتھوں ہی سے کیوں نہ ان کی تیاری کر دوں۔'' صبیحہ کے آنسو رُخساروں پر ٹپکنے لگے۔

''امی! مجھے اپنی بے وقوفی کی سزا بھگتنا چاہیے۔ مجھے امید کی قسم نہیں کھانا چاہیے تھی.....

اور اگر اب ان کی بات پوری نہیں کی جاتی تو..... تو.....'' صبیحہ کی سسکیاں بلند ہو گئیں۔

''میرے منہ میں خاک..... کہیں میری امید کو..... امید کو کچھ ہو نہ جائے امی۔ میں مر جاؤں گی..... میں مر جاؤں گی۔''

کوئی بھی نہیں چاہتا تھا کہ یہ سب ہوتا..... صرف اِک سنجیدہ کی خواہش تھی اور سنجیدہ اس وقت کسی دوسرے کے کہنے سننے یا مصالحت کے موڈ میں ہی نہ تھی۔

عذرا نے ساری زندگی ہر ایک کے ساتھ صلح اور محبت سے گزاری تھی اور ماں سے ہی اچھے اچھے اصول سیکھ کر صبیحہ پروان چڑھی تھی۔ یوں بھی سنجیدہ اس کے حبیب کو جنم دینے والی ماں تھی۔ جس طرح وہ خود امید کے لیے جذبے رکھتی تھی اسی طرح سنجیدہ کے اپنے بیٹے کے لیے ہو سکتے تھے۔ چپ چاپ حبیب کی تیاری کر دی۔

''میری سمجھ میں اماں کی یہ ضد نہیں آ رہی۔'' حبیب سر تھامے اندر آئے۔

''چلو ماں ہیں..... ساری زندگی بیٹے کی جدائی میں کاٹ دی۔ اب اگر ضد کر بیٹھی ہیں تو پوری کر دیں۔ کل کلاں کو اپنی اولاد کی طرف سے آپ کو فرمانبرداری اور سعادت مندی کی خوشی مل جائے گی۔''

صبیحہ نے حبیب کے کندھے پر لرزتا کپکپاتا ہاتھ رکھ کر رندھی ہوئی آواز میں تسلی دی۔ اس نے ہوش سنبھالا تھا تو حبیب کو اپنے سامنے دیکھا تھا۔

اس لمحے سے آج تک وہ اس سے چار چھ گھنٹے سے زیادہ کبھی جدا نہیں رہی تھی اور اب تو وہ یوں بھی اس کا شوہر تھا۔ آنے والی جدائی' دو چار دن کے لیے ہی سہی' اماں کی ضد کے لیے ہی سہی' ابھی سے بڑی شاک گزرنے لگی تھی۔

اپنے آنسو چھپاتے ہوئے صبیحہ حبیب کا بکس لے کر کمرے سے باہر نکل گئی۔ سنجیدہ کے چہرے پر مسکراہٹیں دوڑ اُٹھیں۔

''اس کے سارے کپڑے رکھ دیئے ہیں نا؟''

''باقی پھر چلے جائیں گے مامی جان!'' صبیحہ ہولے سے بولی۔

''اور بچی کے کپڑے کہاں ہیں؟''

''مامی جان! اس وقت صرف حبیب کو لے جائیں۔ ہماری تیاری اتنی جلد نہیں ہو سکتی۔ ہم بعد میں آ جائیں گی۔'' صبیحہ رحم طلب نگاہوں سے ساس کو دیکھتے ہوئے ملتجی لہجے میں بولی۔

''ہم کون؟'' سنجیدہ کا لہجہ اسی طرح بے درد تھا۔ ''میں صرف لڑکی کی بات کر رہی ہوں..... تم اپنی ماں کو اکیلا کیوں چھوڑو؟''

''جب بیٹیاں پرائی ہو جاتی ہیں تو ماؤں کا مقدر تنہائیاں بن ہی جایا کرتا ہے..... مجھے اپنے نصیب کے ساتھ کھیلنے دیں۔'' عذرا افسردگی سے بولیں۔

''نہیں، نہیں..... میں ایسی ظالم نہیں ہوں کہ بھرا گھر ایک دم ڈھنڈار کر جاؤں۔ صرف حبیب اور امید کو ساتھ لے کر جاؤں گی۔''

''مگر امید کے بغیر..... میری صبیحہ.....'' عذرا تڑپ اُٹھیں۔ ''یہ اس سے بھی بڑا ظلم ہے۔ یوں بھی ماں کے بغیر بچی کو وہاں کون سنبھالے گا؟''

''اس کی پھپھیاں خیر سے سلامت رہیں۔''

''اماں! آخر آپ ارادہ کیا لے کر آئی ہیں؟ کچھ پتہ بھی تو چلے.....'' حبیب سرخ سرخ آنکھیں لیے دروازے میں کھڑے تھے۔

''ارادہ.....؟ ماں کا ارادہ پوچھ رہا ہے؟ تجھے پیدا کرنے والی ماں چاہے تو تیری زندگی بھی لے سکتی ہے، تو مجھ سے میرا ارادہ پوچھنے والا کون ہے؟''

سنجیدہ پھر غصے کی آگ میں تپنے لگیں تو صبیحہ انہیں ٹھنڈا کرنے کی خاطر جلدی سے بولی:

''امید آپ کی پوتی ہے۔ آپ کا اس پر پورا حق ہے، مگر یہ سوچ لیجیے وہ میرے یا نانی کے بغیر رہ نہیں سکے گی۔ آپ کو مشکل پڑ جائے گی۔''

''سن لیا عذرا! تم یہی چاہتی تھیں نا.....؟''

''کیا ہوا بھابی.....؟''

''ماں تو پھر ماں ہے بچی تمہارے بغیر بھی نہیں رہ سکتی..... یہی تمہارا پلان تھا۔ میری پوری کی پوری نسل پر قابض ہو جاؤ..... ہائے ہائے! میں تو لٹ گئی..... میں تو برباد ہو گئی۔''

''اماں! کیا کہے جا رہی ہو؟ چلو اُٹھو تیار ہوں!'' حبیب نے جلد از جلد یہاں سے چل

پڑنے میں ہی عافیت سمجھی۔ ماں تو مجسم فتنہ تھی۔

''اب تو میں لڑکی کو بھی لے کر ہی جاؤں گی..... دیکھوں بھلا وہ کیسے نانی کے بغیر میرے پاس نہیں رہتی۔ میں اس کی دادی ہوں۔''

''اوہو! اماں کوئی ضد کی بات تھوڑی ہے۔''

''اب تو ضد کی ہی بات ہے..... اندھیر خدا کا..... کیسے مجھے دودھ کی مکھی کی طرح ان لوگوں نے نکال پھینکا ہوا ہے۔ اب میں خود اپنا حق لوں گی..... چل دے اِدھر بچی کو.....''

سنجیدہ نے اُٹھ کر عذرا کی گود سے بچی کو جھپٹ لیا۔ بچی رونے لگی۔ وہ کندھے کے ساتھ اسے لگا کر زور زور سے تھپتھپاتے ہوئے بلند آواز میں بڑبڑائیں۔

''پھپھیاں اپنی بھتیجی دیکھنے کو ترپ رہی ہیں۔ کیسے کیسے ارمان ان کے دلوں میں نہیں ہیں اور یہ کسی اور کو کوئی حق ہی نہیں دیتیں..... ماں بیٹی کتنی چالاک ہیں۔''

''اماں! کوئی ہوش کی دوا کرو..... کیوں چھوٹی سی جان کی زندگی کے پیچھے پڑ گئی ہو؟''

حبیب نے روتی ہوئی بچی کو سنجیدہ سے لینا چاہا مگر وہ جلدی سے پرے ہٹ گئیں۔ برقع اٹھایا' سر پر دھرا اور بڑبڑاتے ہوئے دروازے کی طرف لپکیں۔

''بیٹھے رہو تم بھی ساس اور بیوی کے قدموں میں..... میں تو اپنے خون کو لیے جاتی ہوں۔''

اور..... عذرا اور صبیحہ ابھی اچھی طرح سنبھلنے بھی نہیں پائی تھیں کہ سنجیدہ بچی سمیت گھر سے بھی نکل گئیں۔

''ہائے اللہ! جائیے آپ بھی۔'' صبیحہ نے چلاتے ہوئے ساکت کھڑے حبیب کو جھنجوڑ ڈالا۔ ''مامی جان اس وقت ضد میں ہیں۔ ایک آدھ دن میں یقیناً غصہ اُتر جائے گا۔ پھر آپ امید کو لے کر واپس آ جائیں۔''

''مگر تم..... اور پھپھو.....؟'' حبیب نے بڑے درد سے دونوں کو دیکھا۔

''ہم ایک آدھ دن گزار لیں گے بیٹے!'' عذرا عجلت میں بولیں۔ ''تم اس وقت کسی طرح معاملے کو سلجھاؤ..... جانے بھابی کو کیا ہو گیا ہے۔ وہ ایسی تو نہ تھیں۔''

صبیحہ کلیجہ تھام کر وہیں بیٹھ گئی تھی۔ عذرا آنکھوں سے ٹپ ٹپ ٹپکتے آنسو صاف کر رہی تھیں اور حبیب کھڑے انہیں دیکھے جا رہے تھے۔ کچھ سمجھ میں نہیں آ رہا تھا کیا کریں؟ ماں کے پیچھے بیٹی کے لیے لپکیں یا بیوی اور پھپھو کو سنبھالیں۔

''جائیے بھی.....!'' صبیحہ تڑپ کر اُٹھی اور پھر جنونی انداز میں حبیب کو جھنجوڑ ڈالا۔

''ایسے نہ ہو ہم میں سے کسی کو پاس نہ دیکھ کر بچی کو کچھ ہو جائے..... خدا کے لیے جائیے۔''

''مگر تم.....؟ پھپھو.....؟''

''ہمیں چھوڑ یئے..... آپ امید کی خبر لیجیے۔ آپ سامنے ہوں گے تو وہ کچھ تو بہل ہی جائے گی..... ورنہ..... ورنہ..... حبیب! خدا کے لیے جائیے!!''

اور صبیحہ نے سچ مچ شوہر کے آگے ہاتھ جوڑ دیئے۔ اس کی حالت اور آہ وزاری دیکھ کر حبیب کو معاملے کی نزاکت کا پوری طرح احساس ہو گیا۔

ان دونوں سے زیادہ اس وقت بچی کو ان کی ضرورت تھی۔ وہ تیز تیز قدم اُٹھاتے ہوئے ماں کے پیچھے چل دیئے۔ ان کے گھر سے تقریباً ایک فرلانگ کے فاصلے پر جہاں سڑک کا موڑ مڑتا تھا، وہاں سنجیدہ بچی کو گود میں لیے بیٹے کی منتظر کھڑی تھیں۔ حبیب کو دُور سے ہی دیکھ کر ایک دم ہنس پڑیں۔

''اپنا خون اپنا ہی ہوتا ہے.....'' بچی کی طرف اشارہ کیا۔ وہ روشن روشن اور بھیگی بھیگی آنکھوں سے مسکرا مسکرا کر آتی جاتی گاڑیوں، رکشاؤں اور تانگوں کو دیکھ رہی تھی۔

''اپنے خون سے لاکھ دُور رکھا جائے مگر پھر بھی اپنے خون سے بچہ مانوس ہوتا ہے۔'' ماں کی اپنی منطق تھی لیکن حبیب جانتے تھے کہ امید سڑک کی رونق اور آتی جاتی گاڑیوں سے بہلی تھی۔ دادی کے خون کا اُنس کوئی نہ تھا۔

''اماں! مجھے یہ تو بتائیے یہ سارا کھیل آپ نے کیوں کھیلا؟ پوتی سے ملنے کا آپ کو اور پھپھیوں کو بھتیجی کا اتنا ہی شوق و ارمان تھا تو سیدھی طرح کہا ہوتا۔ کیا ہم نے وہاں جانے سے انکار کرنا تھا؟''

''تم نے تو نہیں لیکن عذرا نے تمہیں اور بچی کو کبھی بھی میرے ساتھ نہیں آنے دینا تھا.....تم اسے نہیں جانتے.....وہ اُوپر سے کچھ ہے اندر سے کچھ اور.....''

''نہیں اماں! پھپھو ایسی نہیں ہیں۔''

''چلو اب رہنے دو.....کیسے طرفداری کیے جا رہے ہو۔''

سنجیدہ کو پھر غصہ آ گیا۔ اسی غصے میں بچی کو ایک بازو سے دوسرے پر ٹکایا اور سامنے سے گزرتی ٹیکسی کو اشارہ کر کے روک لیا۔

''ریلوے سٹیشن چلو!'' حبیب کی بھی پروا کیے بغیر جلدی سے بیٹھتے ہوئے ڈرائیور کو بتایا۔

سنجیدہ بڑی سیانی تھیں۔ گود میں حبیب کی کمزوری موجود تھی' اب تو اس نے خود ہی پیچھے پیچھے چلے آنا تھا۔ ڈرائیور نے گاڑی سٹارٹ کر دی۔

''ارے بھئی رُک جاؤ.....ٹھہرو اِک منٹ.....میں بھی ان کے ساتھ ہوں.....'' حبیب لپک کر گاڑی کا دروازہ کھولتے ہوئے ڈرائیور کے پاس بیٹھ گئے۔ سنجیدہ مسکراتے ہوئے کھڑکی سے باہر دیکھنے لگیں.....مقصد حل ہو چکا تھا' اطمینان کا سانس لیا۔

یہ ڈرامہ اسے کھیلنا ہی پڑا۔ کوئی ناجائز بھی نہیں تھا۔ اپنا حق لینا تھا جس طرح بھی لے سکتی تھی' اس نے لے لیا۔ عذرا ایک بیٹی کی ماں تھی اور وہ تین تین بیٹیوں کی ماں.....ایسی تین بیٹیاں جو جوان ہو رہی تھیں۔ سر پر سے باپ کا سایہ اُٹھ گیا تھا۔ کاروبار چلانے کے لیے گھر میں کوئی اور مرد نہ تھا اور نہ ہی خود اتنا پڑھی لکھی تھیں کہ سکول یا دفتر میں نوکری وغیرہ کر کے خود بھی سنبھل جاتیں اور گھر کو بھی سنبھال لیتیں۔

بہت دنوں کی سوچ بچار کے بعد سنجیدہ کو ان سب مشکلات کا ایک ہی حل سوجھ سکا تھا اور وہ تھا حبیب کا وجود.....جو اس نے اپنی کوکھ سے پیدا کیا تھا.....بہنوں کا سگا بھائی نہ سہی' خون تو تھا ہی۔ ان چاروں کا بہتر سہارا صرف اور صرف وہی بن سکتا تھا۔

مگر.....شاید اس کی اپنی ہی بیوقوفی کی وجہ سے.....اس پر عذرا قابض ہو چکی تھی۔ اس وقت اگر تھوڑی سی مشکل سہہ کر' تھوڑی سی دلیر ہو کر حبیب کو پاس رکھنے کے لیے شوہر کو رضامند

کر لیتی تو نہ ماں بیٹے میں جدائی پڑتی اور نہ آج اسے عذرا کے قبضے سے بیٹے کو نکالنے کے لیے اتنے پاپڑ بیلنا پڑتے۔ ایسے ایسے سوانگ رچانا پڑتے۔

ویسے سنجیدہ عذرا سے سیدھی طرح بھی بات کرسکتی تھی، مگر کچھ اس کا اپنا ہی منہ زیب نہیں دے رہا تھا۔ اس نے پالا پوسا تھا، پڑھایا لکھایا تھا، ماں کا پیار دیا تھا، گھر دیا تھا اور آخر میں اپنی اکلوتی بیٹی بھی دے دی تھی۔ اتنی خوبصورت، تعلیم یافتہ اور باوفا..... اس سب کا اسے دل سے اعتراف تھا..... تبھی تو وہ عذرا سے سیدھی طرح بیٹے کو مانگ نہ سکی تھی..... کوئی حق رہ ہی نہیں گیا تھا اس پر.....

مگر..... اس کی اپنی ضروریات نے اسے ایسا خودغرض بنا دیا کہ عذرا کی سب نیکیاں اور بھلائیاں بھول بھال اپنے حبیب کو گھر لے آئی۔ صبیحہ کو بھی ساتھ لے تو آتی مگر اس نے ان دونوں کی محبت کی ایسی داستانیں سن رکھی تھیں کہ اسے اب خدشہ تھا ایسی معشوق و محبوب قسم کی بیوی ساتھ رہی تو وہ اس کی محبت اور پیار میں ڈوب کر شاید ان ماں بیٹیوں کا اتنا خیال نہ رکھ سکے۔

اور..... امید کی پیدائش کا تو اسے علم ہی نہیں تھا۔ وہاں جا کر معلوم ہوا کہ وہ ایک بیٹی کا باپ بھی بن چکا تھا۔ پہلے تو سنجیدہ پریشان ہوئی کہ اب حبیب کی جڑیں وہاں سے اکھاڑنا بالکل ہی ناممکن تھا، وہ تو بہت پھیل چکی تھیں، مگر کچھ دیر بعد ہی اس کے کائیاں دماغ نے اس کی رہنمائی کی۔

بساط کی اس بازی میں امید تو اس کا فرزیں بن سکتی تھی۔ سب سے مضبوط مہرہ..... اولاد والدین کی کمزوری ہوتی ہے۔ وہ اسی کے ذریعے یہ بازی جیت سکتی تھی۔ وہ حبیب کو، صبیحہ کو ان کی ہی اولاد کا واسطہ دے کر، قسم دلا کر اپنی ہر خواہش ان سے منوا سکتی تھی۔

اس کی سوچ درست ثابت ہوئی۔ امید اس کے لیے ایسا مہرہ ثابت ہوئی کہ اس کی شہ سے دو منٹ میں ہی مات ہو گئی..... امید کا نام آیا، صبیحہ کو اس نے امید کی قسم دلائی تو اس نے اپنے ہاتھوں سے شوہر کی تیاری کر کے اسے رخصت کر دیا۔

اور اب..... وہ حبیب کو، اس کی اولاد کو ساتھ لے آنے میں جس طرح کامیاب ہو گئی تھی اسے قوی امید تھی کہ اسی طرح وہ اسے ہمیشہ ہمیشہ کے لیے اپنے پاس رکھ لینے میں بھی کامیاب ہو سکتی تھی۔

عذرا جیسی نیک خود تھی، جیسی صلح پسند خود تھی، جیسے دھیمے اور نرم مزاج کی مالک خود تھی، ویسی ہی تربیت اس نے حبیب کی کی تھی اور اپنی اسی طبیعت کی وجہ سے حبیب ماں کے ہاتھوں کٹھ پتلی بن گئے۔

''تین جوان بہنیں ہیں، ان کے سر پر تمہیں ہی ہاتھ رکھنا ہوگا۔ ہم چاروں کا سائبان تمہیں ہو بیٹے! اگر تم نے اپنے فرائض ادا نہیں کیے تو خدا کے سامنے بھی سرخرو نہیں ہوگے اور زمانہ بھی باتیں بنائے گا۔''

''میں اماں! کب اپنے فرائض سے پیچھے ہٹا ہوں۔''

''تو پھر باپ کا کاروبار سنبھال لو!''

''اور میری ملازمت؟''

''استعفیٰ دے دو۔''

''مگر اماں! اتنی اچھی نوکری کیسے چھوڑ دوں..... میں جا کر تبادلے کی کوشش کروں گا۔''

''تب تم فرائض نباہ چکے..... ٹھیک ہے تم جاؤ اپنی نوکری کے پیچھے..... یہاں تمہاری بہنوں کو بے سہارا جان کر کوئی چھیڑ جائے، کوئی آوازہ کس جائے، کوئی بانہہ پکڑ لے، کوئی اٹھا کر لے جائے تمہیں کیا..... تم جاؤ اپنی نوکری پر.....''

ایسے ایسے طعنے دے کر سنجیدہ نے چار دن میں ہی اس سے ملازمت کو استعفیٰ دلا دیا اور دوسرے شوہر کا کاروبار اس کے حوالے کر دیا۔ امید نے ایک دو دن ماں کو ڈھونڈا، تلاش کیا مگر پھپھیاں بھی دادی کی سکھائی ہوئی تھیں، اتنا پیار کیا، اتنا پیار کیا کہ وہ ننھی سی جاں تن من سے اس پیار میں ڈوب گئی۔ کچھ یوں کہ ماں اور نانی بھی یاد نہ رہیں۔

اب صرف صبیحہ کا کانٹا باقی تھا۔ یقیناً حبیب کے خطوط اسے جاتے ہوں گے۔ اسے تو کوئی منع نہیں کر سکتا تھا، مگر جواب میں صبیحہ کا جو بھی خط آتا وہ حبیب سے چھپا لیا جاتا اور اٹھتے بیٹھتے حبیب کے کانوں میں صبیحہ کے خلاف زہر انڈیلا جاتا۔

''کسی کی وفا کا امتحان لینا ہو تو اس سے ذرا دُور ہو جانا چاہیے۔ کیسے کھرا کھوٹا پہچانا جاتا ہے۔''

حبیب خاموش رہتے۔

''توبہ! آج کل کی ماؤں کا بھی خون سفید ہوگیا ہے۔ اتنے دن ہو گئے اولاد کو جدا ہوئے' دو لفظ خط میں بھی نہیں لکھے گئے۔''

''آج کل کی کیا بات کرتی ہیں اماں! آپ نے بھی تو مجھے جدا کر دیا تھا۔''

کبھی کبھار حبیب لاوا اُگل دیتے۔

''مجھے تو دوسرے خصم کی مجبوری تھی' کیا اس نے بھی دوسرا......؟''

''اماں! میں ابھی مرا نہیں۔'' حبیب غصے سے کھولتے ہوئے اُٹھ کر پرے چلے جاتے کہ ماں کی ایسی باتیں سننا نہ پڑیں۔

''جانے کیا وجہ ہے؟ کئی خط لکھ ڈالے مگر صبیحہ نے کوئی جواب ہی نہیں دیا۔'' آخر ایک دن حبیب ماں کے سامنے بلک پڑے۔

''ناراض ہوگی کہ تم ماں کے پاس کیوں آئے ہو۔''

''نہیں اماں! وہ تو اس نے خود مجھے مجبور کر کے بھیجا تھا' پھر بھلا ناراضگی کیسی؟''

''تم نے نوکری چھوڑ کر کاروبار جو کر لیا ہے۔ اس کا خیال ہوگا کہ کہیں سسرال میں اسے رہنا نہ پڑ جائے۔''

''وہ ایسی ہے تو نہیں.....چلو ایک منٹ کے لیے مان لیتے ہیں کہ ہوگی' مگر امید' اماں اولاد کی کشش تو کوئی مصلحت' کوئی مجبوری نہیں دیکھتی۔''

''اسی سے سمجھ لو کہ وہ کتنی باوفا تھی' نگاہ سے اوجھل ہوتے ہی دل سے بھی باپ بیٹی کو نکال پھینکا۔''

''وہ ایسی تھی تو نہیں۔'' انہوں نے پھر اسی کی حمایت کی۔

''جانے دے حبیب! میں نے اس کے متعلق بہت باتیں سنی ہیں۔''

''اس کے متعلق؟ وہ کیا.....؟''

''تم دونوں ایک ہی کالج میں پڑھتے تھے نا؟''

''ہاں۔''

''لڑکوں والے کالج میں؟''

''وہاں اور بھی لڑکیاں تھیں اماں۔''

''اور ہوں گی..... مگر سننے میں آیا ہے اس کا نخرہ سب سے جدا تھا۔''

''قدرت کے دیئے حسن کو کوئی نخرہ کہے تو وہ دوسری بات ہے.....'' حبیب پھر پاس سے اُٹھ گئے۔ ماں کا یوں ہر وقت صبیحہ کے خلاف زہر اگلنا اب بھی زہر ہی لگتا تھا۔

ایک دو بار خود جا کر اس کا حال چال پوچھنے اور خیریت معلوم کرنے کا ارادہ کیا تو سنجیدہ آڑے آ گئیں۔ ایک بار امید کا بہانہ بنا دیا کہ وہ گیا تو اس کی جدائی میں بیمار پڑ جائے گی۔ ساتھ لے جاتا تو اس کی پھوپھیاں تینوں کی تینوں اس کی جدائی میں پاگل ہو جاتیں۔

دوسری تیسری بار ارادہ کیا تو کبھی کاروبار کا حوالہ دیتیں کہ ایک دن بھی بند پڑا رہنے سے بہت نقصان ہو سکتا تھا' جس کا اثر بہنوں کی زندگیوں پر پڑنا تھا جن کے جہیز بن رہے تھے۔ اسے جلد از جلد اپنی ذمہ داریوں سے سبکدوش ہونا چاہیے تھا۔ پھر کبھی کوئی اور کام نکال لیتیں۔ عین جس دن حبیب نے جانے کی تیاری بالکل مکمل کر لی' کاروبار اپنے ایک اعتباری کے سپرد کر کے' تو اچانک بڑی کو دیکھنے کے لیے آنے والے مہمانوں کا پیغام اسے مل گیا۔

یوں کرتے کرتے چھ مہینے بیت گئے۔ اس عرصے میں نہ صرف صبیحہ کے بلکہ عذرا کے بھی کئی خط آئے سنجیدہ نے کسی کی بھی بھنک حبیب کو نہ پڑنے دی۔ آخر ایک دن حبیب آ کر بیٹھے تو بڑے پیار سے' بے انتہا میٹھی زبان میں بولیں:

''میں نے تمہارے لیے ایک لڑکی دیکھی ہے حبیب!''

''میرے لیے؟'' وہ سراسیمہ سے ہو گئے۔ ''اماں! میری شادی ہو چکی ہے اور شادی ایک بار ہوا کرتی ہے۔''

''مرد کی شادی کئی بار ہو سکتی ہے۔ دیکھ حبیب تو نے میرا کہنا نہیں مانا تو میں تمہیں دودھ نہیں بخشوں گی۔ میں کچھ کھا کر مر جاؤں گی۔''

''میں دودھ بھی تمہارے پاؤں پڑ کر بخشوا لوں گا اور کچھ کھا کر مرنے بھی نہیں دوں گا۔''

''تمہیں امید کی قسم جو تم میری بات نہ مانو تو۔''

''خدا کے لیے اماں! یہ ظلم نہ کیجیے۔''

''ظلم نہیں.....میں تو تمہارے لیے خوشیاں اکٹھا کر رہی ہوں۔''

اور پکی پکی امید کی قسم ڈال کر حبیب کو رضا مند کر لیا۔ رضا مند اس نے کیا ہونا تھا بس خاموش رہ گیا۔ دو چار دن میں ہی سنجیدہ نے قسمیں دے دلا کر اس کا دوسرا بیاہ رچا دیا۔ لاڈ کے مارے نئی دلہن کا اصلی نام بھی بدل کر حبیبہ رکھ دیا تاکہ اڑتی اڑتی خبریں جب صبیحہ تک پہنچیں تو اسے اندازہ ہو کہ حبیب کو دوسری بیوی کتنی محبوب تھی جو اس کا نام بھی حبیبہ ہو گیا۔

کچھ دن گزرے.....پھر صبیحہ کا اِک خط آیا۔ اسے تلف کرتے ہی حبیب کی شادی کی ساری خبریں اک خط کے ذریعے دیتے ہوئے یہ دھمکی بھی دے ڈالی کہ آئندہ حبیب کو کوئی خط نہ لکھے اور نہ ہی اسے ملنے کی کوشش کرے۔ اگر ایسا کیا گیا تو امید کے لیے اچھا نہ ہوگا۔ وہ اب اسے مل تو سکتی نہیں تھی، اس کے ساتھ سلوک بھی برا ہونے لگے گا۔

صبیحہ اس دھمکی سے ایسی ڈری کہ پھر اس کا کوئی خط نہیں آیا.....اس نے بالکل چپ سادھ لی۔

''تو کیا پھر خالو حبیب اپنی اس بیوی کو کبھی نہیں ملے؟''

ساری داستان سننے کے بعد آذر نے سر اٹھایا۔ اس کا لہجہ بڑا بھاری بھاری سا ہو رہا تھا اور صبیحہ کے دُکھ سے آواز بھرا سی رہی تھی۔

''کبھی نہیں.....'' امی نے جواب دیا ''پہلے ماں سنگدل اور خود غرض تھی، پھر حبیبہ سے واسطہ پڑ گیا۔ طبیعت تو خیر سے تمہاری خالہ کی بھی بہت سخت گیر ہے۔ اسے تو ہر وقت یہی فکر لاحق رہتا ہے کہ کہیں حبیب اس سے چوری چوری صبیحہ کو نہ ملنے لگیں۔''

''وہ آخر ان کی بیوی ہیں.....مل لیں گے تو کون سا طوفان آ جائے گا؟''

''جانتی ہے نا کہ صبیحہ اس سے کہیں زیادہ خوبصورت ہے، تعلیم یافتہ ہے اور جدی پشتی دولت مند ہے۔ شاید احساس کمتری میں مبتلا ہے۔ ہمیں بھی تو کبھی اس کا نام نیکی سے نہیں لینے دیتی۔ کوئی اس کی حمایت میں اک لفظ منہ سے نکال دے تو بگڑ اُٹھتی ہے۔''

''اور خالو بھی عجیب انسان ہیں۔ اتنا بڑا ظلم اس بے قصور پر کر ڈالا۔ اس کی پوری کی پوری زندگی تباہ ہو گئی اور یہ خاموش ہیں۔''

''وہ تو واقعی بے قصور تھی، مگر ظلم حبیب پر بھی بہت ہوا۔ دونوں کا آپس میں اتنا پیار تھا کہ مثال بنے ہوئے تھے۔''

''آپ نے خالہ صبیحہ کو دیکھا ہوا ہے؟''

''خالہ.....؟'' آذر کی امی ہنس پڑیں۔ ''تم نے اسے کس رشتے سے خالہ بنا لیا؟''

''میرا بس چلتا امی تو میں اس مظلوم عورت کو سب سے بڑے رشتے کا نام دیتا..... ماں کہتا.....'' پھر وہ چونک کر جلدی سے بولا۔

''خالہ حبیبہ اس کی بیماری کا ذکر کر رہی تھیں؟''

''ہاں..... وہ بیمار ہے آج کل..... اور سنا ہے اس نے امید سے ملنے کی خواہش کی ہے۔''

''وہ ہے کہاں؟''

''اسی شہر میں رہتی ہے..... ماں کے انتقال کے بعد یہیں مستقل رہائش اختیار کر لی ہے۔ مال پر اس کا اپنا فلیٹ ہے۔''

''مال پر..... پھر تو بہت دُور نہیں ہیں..... ملا دیتیں امید کو اس سے..... کیا بگڑ جاتا کسی کا.....؟''

''توبہ کرو..... ایسی بات کبھی بھولے سے بھی زبان پر نہ لانا۔''

''کیوں آخر.....؟ وہ اپنی اولاد سے ہی ملنا چاہتی ہے نا..... کوئی گناہ کی بات تو نہیں۔''

''حبیبہ کبھی نہ ملنے دے گی۔''

''لیکن کیوں؟ یہ ظلم کیوں.....؟ کچھ مجھے بھی تو پتہ چلے.....؟''

''امید کو یہ علم ہی نہیں کہ حبیبہ اس کی ماں نہیں ہے۔''

''آپ نے خالہ حبیبہ کا سلوک اس کے ساتھ دیکھا ہے کبھی؟''

''سب کچھ دیکھا ہے۔''

''پھر کسی نے آج تک آواز کیوں نہیں اٹھائی؟''

''تمہیں بتایا نا تمہاری خالہ حبیبہ سے سبھی ڈرتے ہیں۔''

''عجب بزدلی ہے۔''

''ویسے کوئی اور آواز بھی کیوں اٹھائے۔ خود حبیب بھی خاموش ہیں اور امید حبیبہ پر ایسا ایمان رکھتی ہے کہ اس کا سلوک اسے کبھی گراں نہیں گزرا۔ وہ اسے ہی سب کچھ سمجھتی ہے۔''

''یہ تو پھر بہت بڑا دھوکا ہوا نا کہ اسے دھوکے میں رکھا ہوا ہے۔''

''وہ خود ہی دھوکا کھا رہی ہے.....اپنی خوشی سے.....''

''اچھا.....میں اسے سمجھانے کی کوشش کروں گا۔''

''نہ نہ.....کہیں یہ بے وقوفی نہ کر بیٹھنا.....'' امی گھبرا کر بولیں۔ پھر ماتھے پر ہاتھ مار کر بڑبڑائیں ''دیکھو ذرا میری عقل.....کس بے درد پر اتنا بڑا راز کھول بیٹھی ہوں۔''

''کیوں.....؟ کیا کیا اس بے درد نے.....؟'' آذر ہنسنے لگا، مگر امی سنجیدہ رہیں۔

''دیکھو آذر! اگر میں نے کسی دوسرے کے منہ سے اس سارے قصے کے متعلق اِک لفظ بھی سن لیا تو تمہارا گریبان پکڑوں گی۔''

''آپ کی کوئی بات نہیں.....بس خدا نہ پکڑے۔''

امی کو اس کے اس انداز سے اندازہ ہو گیا کہ آذر کے من میں کھوٹ تھا۔

''آذر! قسم کھاؤ میرے سامنے.....کسی کو کچھ نہیں بتاؤ گے۔''

''قسمیں نہیں کھایا کرتے امی! ویسے مجھے اس عورت پر بڑا ترس آ رہا ہے۔ امید کو اس سے ضرور ملنا چاہیے۔''

''یہ ان کا معاملہ ہے آذر!'' امی نے پھر اسے سمجھانا چاہا۔

''جہاں کوئی بے انصافی یا ظلم ہو رہا ہو، وہاں دیکھنے، سننے والے پر بھی کچھ فرائض عائد ہو جاتے ہیں۔''

''اب رہنے دو اپنا فلسفہ.....بڑے آئے انصاف والے.....خالو کو نہیں دیکھا کیسے خاموش ہیں؟''

''خالو سے بھی نمٹ لوں گا؟''

''کیا؟'' امی چلا پڑیں ''آذر! خدا کے لیے اس قصے کو یہی سمجھو جیسے تم نے کچھ سنا ہی نہیں.....کیوں چھوٹی بہن سے مجھے ذلیل کروانے پر تل گئے ہو۔''

''اس میں ذلیل کروانے کی کیا بات ہے؟''

''وہ صبیحہ کے متعلق اِک لفظ نہیں سن سکتی۔ تم نے کوئی بھی بات کی تو اس نے میری جان کو آ جانا ہے۔''

آذر نے مزید کچھ نہیں کہا۔ چپ چاپ اُٹھ کر اپنے کمرے میں چلا گیا..... جاتے جاتے بھی امی پیچھے سے رازداری کی تاکید کرتی رہیں' مگر اس نے سننے کے باوجود ہاں یا نہیں میں بھی کوئی جواب نہیں دیا۔

رات آئی..... وہ ساری رات نہیں سوسکا۔ صبیحہ کے متعلق ہی سوچتا رہا۔ شوہر سے اور اولاد سے جدائی کا اِک اِک دن' اِک اِک لمحہ اس بیچاری نے کیسے کاٹا ہوگا۔

دن چڑھا..... آج کل اسے کام تو کوئی تھا نہیں' نتیجے کا انتظار فارغ رہ کر اور خاندان کے اِک اِک فرد کے متعلق سوچ سوچ کر اور اس کا نفسیاتی تجزیہ کر کر کے وقت گزارا کرتا تھا۔

باتوں باتوں میں ماں سے صبیحہ کے گھر کا پتہ تو پوچھ ہی لیا تھا' اس سے ملنے چلا گیا۔ وہ اندازہ کرنا چاہتا تھا کہ وہ کس قسم کی بیمار تھی اور امید سے ملنے کی کتنی تڑپ یا چاہت دل میں رکھتی تھی۔ اگر واقعی بہت..... تو..... پھر اس کے بعد اس نے سوچا تھا کہ امید کو سمجھائے گا۔

صبیحہ بہت بیمار تھی' اُٹھ کر ڈرائنگ روم تک نہیں آسکتی تھی۔ اس نے آذر کو اپنی خواب گاہ میں ہی بلا لیا۔

اور آذر..... وہاں جاتے ہی اس کے تو جیسے ہوش وحواس بے قابو سے ہو گئے تھے..... پھٹی پھٹی حیرت زدہ نگاہوں سے اردگرد دیکھے جا رہا تھا' اس کا گھر..... اس کے انداز واطوار' اس کا رہن سہن اور اس کی شخصیت.....

آذر کے تو وہم وگمان میں بھی نہ تھا کہ وہ ایسی عورت تھی..... اتنی پرکشش اور سحر انگیز ہستی کی مالک..... خالہ حبیبہ کا اور اس کا تو کوئی بھی مقابلہ نہیں تھا..... بالکل کوئی نہیں..... خالہ حبیبہ زمین تھی تو وہ آکاش!!

صاف ستھرا گھر..... صاف ستھری رہائش' سلجھا ہوا لب ولہجہ اور سلجھا ہوا طور طریقہ' بے حد خوبصورت' بے حد خوش اخلاق' وہ اپنی ہستی سے کوئی ماورائی مخلوق لگ رہی تھی..... مقدس اور پاکیزہ سی!!

آذر نے اپنا تعارف کرایا تو..... آذر کی حیرت ایک بار پھر دنگ رہ گئی۔ وہ اس کی سوت کا بھانجا تھا' مگر تعارف ہونے پر اس کے اخلاق ومزاج میں سرمو بھی فرق نہ آیا تھا۔

''اچھا..... تو تم حبیب کی سالی کے بیٹے ہو..... یوں میرے بھی تو بیٹے ہی ہوئے۔''

اس نے بڑے باوقار انداز میں آذر کے سر پر پیار سے ہاتھ پھیرا۔''تم تو ان کے ہاں آتے جاتے ہی رہتے ہو گے؟''اس کی آواز کی مٹھاس آذر کے جی کو اتنی اچھی لگی کہ اس کا دل چاہنے لگا' وہ مشفق ہستی بولتی چلی جائے اور وہ سنتا جائے۔

''جی ہاں!'' آذر نے بڑے ادب سے جواب دیا۔''سارے خاندان میں مجھے سب سے زیادہ لگاؤ خالو حبیب کے ساتھ ہے..... وہ مجھے بڑے اچھے لگتے ہیں۔''

''وہ ہیں ہی ایسے.....'' وہ اپنی اسی رس بھری آواز میں بولیں۔

''یہ آپ کہہ رہی ہیں؟'' حیرت سے آذر کے منہ سے نکل گیا''آپ؟ جن پر انہوں نے اتنے مظالم ڈھائے۔''

''انہوں نے نہیں..... مجھے آج بھی یقین ہے بیٹے! کہ انہیں مجھ سے اسی طرح محبت ہے۔''

''اتنا طویل عرصہ ان کی لاپروائی کا گزار کر بھی آپ کو ان کی محبت کا یقین ہے؟'' آذر پھر حیران ہوا۔

''اس لیے کہ وہ میرے دل میں ہنوز اسی طرح موجود ہیں' پھر بھلا میں ان کے دل سے کس طرح نکل سکتی ہوں۔ ہم دونوں میں نہ کبھی جھگڑا ہوا نہ ایک دوسرے کی طرف سے کبھی کوئی میل آیا..... پھر دلوں کی دُوری کیسی؟''

''مگر..... مگر خالہ جان.....''

''دیکھو بیٹے! تم ابھی بچے ہو..... دلوں کے ان معاملات کو ابھی نہیں سمجھ سکو گے۔'' پھر صبیحہ نے خود ہی موضوع بدل دیا۔

''آذر بیٹے! تم مجھے اپنے متعلق کچھ بتاؤ!''

''میں..... جی میں.....؟'' پہلے وہ گھبرایا پھر زور سے ہنس کر بولا۔

''میں تو صرف اِک بیدرد اور بے رحم انسان ہوں۔''

''نہیں..... یہ جھوٹ ہے.....''

''سارا خاندان یہی کہتا ہے.....''اس کے ہونٹوں پر تلخ سا تبسم بکھر اُٹھا۔

''اوہ! خاندان کہتا ہے.....تب تو یہ بالکل ہی جھوٹ ہے.....خاندان والے بہت کم سچ بولا کرتے ہیں۔''ان کے لبوں پر بھی اِک دلآویز سا تبسم لہرا گیا۔

''خالہ جان! آپ امید سے ملنا چاہتی ہیں؟''آذر نے اچانک ہی سوال کر ڈالا۔

اور.....پھر آذر نے دیکھا اس نے اپنے چہرے پر مسکراہٹوں کا جو خول چڑھایا ہوا تھا' وہ ایک دم تڑخ گیا اور دراڑوں میں سے اس کے دُکھ جھانکنے لگے۔

''امید سے.....امید سے.....ملنے کو.....لیکن.....''اس کی خوبصورت آنکھیں بھیگنے لگیں۔''مجھے لگتا ہے جیسے میری زندگی میں وہ دن کبھی نہیں آئے گا.....کبھی نہیں آئے گا.....کبھی بھی نہیں.....''

چہرہ ہاتھوں میں لے کر وہ پھوٹ پھوٹ کر رو دی۔

''آئے گا خالہ! ضرور آئے گا.....اگلے ایک دو دن میں ہی۔''

صبیحہ جس طرح تڑپ تڑپ کر رو رہی تھی' آذر دیکھ نہ سکا.....اس کا دکھ' اس کا درد' بہت ڈھیر سارے آنسوؤں کی صورت میں خود اس کی آنکھوں سے بھی چھلک پڑا۔ انہیں چھپاتے ہوئے وہ وہاں سے چلا آیا۔

امید کو اپنی ماں سے ضرور ملنا چاہیے تھا۔ ضرور.....ورنہ.....اتنی طویل زندگی وہ دکھوں سے بھری کاٹ کر آئی تھی اور اب بیمار تھی.....کہیں خوشی کے صرف اِک لمحے کو ترستے ترستے وہ دکھوں ہی کو گلے لگائے لگائے اس دنیا سے رخصت ہو جائے۔ خدا نہ کرے ایسا ہو.....اسے یہ آخری خوشی ضرور ملنی چاہیے تھی۔

صبیحہ کے گھر سے وہ سیدھا خالو حبیب کے گھر ہی گیا۔ ان کا سارا قصہ سننے کے بعد عظیم خیالات اور اونچے کردار والے خالو کا بت ٹوٹ پھوٹ چکا تھا اور اب آذر کی نگاہ میں وہ بالکل اِک عام سے انسان تھے بلکہ اس درجے سے بھی کچھ نیچے لیکن پھر بھی اس نیکی کی توقع جانے کیسے آذر نے ان کے ساتھ باندھ لی۔

خالہ سے پتہ چلا کہ وہ اپنے کمرے میں تھے۔ کاریڈور میں سے گزرتے ہوئے آذر کی

مڈبھیڑ امید سے ہوگئی۔ سر سے پاؤں تک سفید لباس میں وہ پاکیزگی اور تقدس کا اِک مجسمہ لگ رہی تھی۔

آج پہلی بار آذر نے اسے غور سے دیکھا تھا۔ واقعی وہ بے حد خوبصورت تھی۔ یہ خیال تو اسے پہلے بھی کئی بار آیا تھا کہ خالہ حبیبہ یا ناہید اور پرویز' اس کی بہن اور بھائی کے ساتھ اس کی ذرا بھی مشابہت نہ تھی۔ ہمیشہ وہ اسے ان سے بالکل مختلف لگا کرتی تھی۔

اور یہ اسے آج اندازہ ہوا کہ وہ کیوں مختلف تھی..... وہ ہو بہو اپنی ماں جیسی تھی۔ خوبصورت' نازک' پاکیزہ..... فرق تھا تو صرف عمروں کا..... اگر عمر ایک جتنی ہوتی تو شاید یہ پتہ نہ چلتا کہ دونوں میں سے صبیحہ کون تھی اور امید کون.....

امید کی آذر کے ساتھ کبھی بنتی نہیں تھی..... وہ ہمیشہ اسے گھر میں سب سے بڑی ہونے کے ناتے اپنی حیثیت اور مقام منوانے کی تلقین کیا کرتا تھا اور امید اس کی باتوں کو کوئی اہمیت نہیں دیتی تھی۔ اسے تو سارے خاندان میں فساد ڈلوانے کی عادت تھی۔ وہ کیوں اس کی باتوں میں آ کر اپنی ماں اور بہن بھائی کے خلاف کوئی بات یا کام کرے۔ اسے ان سے عشق کی حد تک پیار تھا۔

''کیا دیکھ رہے ہیں؟'' امید نے آذر کی خود پر گڑی نگاہوں سے قدرے گھبرا کر پوچھا۔

''تم سے ایک بات کرنا تھی۔''

''مجھ سے؟''

''ہاں۔''

''تو بتایئے؟''

''یہاں نہیں!''

''کیا مطلب؟'' وہ سٹپٹائی۔

''باہر لان میں آؤ..... اکیلے میں بات کرنی ہے۔''

''اکیلے میں.....؟'' وہ بری طرح گھبرا گئی ''اکیلے میں کیوں؟''

''بات ہی ایسی ہے۔''

''نہیں!''

''نہیں کیا؟'' اس نے قدرے رُعب سے کہا ''خالو جان سے بات کر کے ابھی آتا ہوں۔تم لان میں میرا انتظار کرنا۔''

امید نے کوئی جواب نہیں دیا۔ چپ چاپ آگے چل دی۔ آذر حبیب کے کمرے میں داخل ہو گیا۔ وہ کوئی کتاب پڑھ رہے تھے۔ قدموں کی آہٹ پر چونکتے ہوئے نگاہ اٹھائی۔

''کون.....؟ آذر ہے.....آؤ بیٹے آؤ.....'' کتاب رکھتے ہوئے وہ سیدھے ہو کر بیٹھ گئے۔

''آداب خالو جان!'' ابھی ان کے خلاف دل میں بہت ڈھیر ساری باتیں تھیں۔ بہت سارے شکوے تھے' لیکن جانے ان کی شخصیت میں کیا تھا' صورت دیکھتے ہی دل ہمدردیوں سے بھر اُٹھا۔

''آذر بیٹے! کل سے آیا ہوا ہوں.....تم ملنے ہی نہیں آئے۔''

''پتہ نہیں کیا ہو گیا ہے خالو جان! کچھ بور سا ہو رہا ہوں آج کل.....!''

''کیوں؟''

''نتیجہ ابھی تک نکلا نہیں..... پڑھائی وڑھائی ختم ہو چکی..... بور نہیں ہوں گا تو اور کیا ہو گا؟''

''میرے پاس آ جایا کرو نا.....''

''وہ.....بس.....'' اور آذر خواہ مخواہ ہی مسکرانے لگا' سر کو کھجلانے لگا.....صبیحہ کی بات کس طرح چھیڑے۔ وہ دل ہی دل میں سوچے جا رہا تھا' مگر سوجھ کچھ نہیں رہا تھا۔

''کسی خاص کام سے آئے ہو؟'' وہ الجھا الجھا سا تھا.....حبیب کو اندازہ ہوا۔

''خاص کام.....؟ خاص کام.....؟'' خالو باشعور تو بہت تھے' پھر اپنی ہی داستان میں ایسا کردار کیوں انجام دیا؟

''نہیں' نہیں!!'' آذر اُٹھ کھڑا ہوا.....خیال کی نگاہوں ہی نگاہوں میں خالہ حبیبہ اور صبیحہ کا موازنہ کیے جا رہا تھا۔

ایسی اچھی بیوی چھوڑ کر خالہ حبیبہ جیسی جاہل عورت کے ساتھ نجانے خالو نے کیسے زندگی گزاری تھی۔ نجانے ان کے دل پر کیا کیا کچھ بیتتا رہا ہوگا۔ ایسی حسین، تعلیم یافتہ اور محبوب بیوی کی جدائی میں اِک اِک لمحہ وہ خود نجانے کیسے مر مر کر جئے ہوں گے۔

پھر بھی اگر وہ انہیں ہی اس ظلم وزیادتی پر موردِ الزام ٹھہرائے تو یہ اس کی زیادتی تھی..... ظلم تھا.....تب.....ان کی عظمت کے پاش پاش بت کو دل میں پھر اسی عقیدت و احترام سے جوڑے، سجائے وہ بغیر کوئی بات کیے لوٹ آیا.....خالو آوازیں ہی دیتے رہے، مگر وہ اچانک یاد آجانے والے کام کا بہانہ بنا کر کمرے سے نکل آیا۔

''آذر بھائی!''

''اوہ.....!'' وہ ٹھٹک گیا.....خلافِ توقع امید اس کا باہر انتظار کر رہی تھی۔

''کیا بات کرنا تھی؟'' صبیحہ کا ہیولا اپنی پوری پاکیزگی کے ساتھ اس کے سامنے آن کھڑا ہوا۔

''مجھے لگتا ہے میری زندگی میں وہ دن کبھی نہیں آئے گا جبکہ میں امید سے ملوں گی'' صبیحہ سسک رہی تھی ''وہ دن ضرور آئے گا.....اگلے ایک دو دن میں ہی ان شاءاللہ.....'' اس کے کانوں میں اپنا وعدہ گونجنے لگا۔

''امید! بات یہ ہے.....بات یہ ہے.....'' وہ ہکلا ہکلا کر رہ گیا۔

''کیا بات ہے آذر بھائی؟'' آج امید کے دہن میں بھی ماں جیسی شیریں زبان تھی.....آذر کی ہمت بندھی۔

''تمہاری سگی ماں تم سے ملنا چاہتی ہے امید!'' وہ سرگوشی کے سے انداز میں اس کی طرف جھک کر بولا۔

''میری سگی ماں؟'' شیریں کلامی یکا یک ہی رخصت ہوگئی اور امید نے یوں حیرت سے اسے گھور کر دیکھا جیسے ایک دم ہی آذر کے دماغ کی کوئی کل ٹیڑھی ہوگئی تھی۔

''ہاں.....یہ والی تمہاری سگی ماں نہیں ہے۔''

''آذر بھائی! میں جانتی ہوں میری سگی ماں کون سی ہے۔ آپ کو اتنا پریشان ہونے کی

ضرورت نہیں۔''

''جانتی ہو؟''

''ہاں!''

''تو پھر سنو.....وہ بہت بیمار ہے.....میں ابھی اس سے مل کر آ رہا ہوں۔وہ تمہیں بہت یاد کرتی ہے۔''

''یہ والی میری سگی ماں نہیں ہے.....میری حقیقی ماں بیمار ہے اور مجھے بہت یاد کرتی ہے۔'' امید اس کے الفاظ دُہراتے ہوئے زور زور سے ہنسنے لگی۔

''آذر بھائی! اپنے دماغ کا علاج کرائیے.....اب زیادہ ہی آؤٹ ہوتا جا رہا ہے۔''

''امید! میری بات سمجھنے کی کوشش کرو۔'' آذر نے جھنجلاتے ہوئے اسے شانوں سے پکڑ کر جھنجوڑ ڈالا۔

''آپ کی بات..... آپ کی بات..... جب سے آپ نے ہوش سنبھالا ہے' سارا خاندان ہی آپ کی باتیں سمجھنے کی کوشش کر رہا ہے۔'' وہ اسی طرح زور زور سے ہنسے گئی۔

''اور اب میری باری آئی ہے' مگر مجھ پر آپ کی کسی بات کا کوئی اثر نہیں ہوگا۔'' پھر وہ یکا یک سنجیدہ ہوگئی۔ ''سمجھے آپ.....! مجھ سے آئندہ ایسی بات نہ کیجیے گا۔ میں اپنی امی کے متعلق کسی کی بھی بات نہیں سن سکتی..... یہاں تک کہ ابو کی بھی نہیں۔''

امید وہاں سے جانے لگی تو آذر نے اس کا راستہ روک لیا۔

''لیکن میری بات تمہیں سننا پڑے گی' ورنہ وہ مظلوم عورت تمہاری جدائی میں تڑپ تڑپ کر مر جائے گی۔''

''مر جانے دیجیے..... مجھے اپنی امی کے علاوہ دوسری کسی عورت سے کوئی واسطہ نہیں۔'' لاپروائی سے کندھے جھٹک کر اس نے پھر قدم اٹھایا۔

''امید!'' آذر نے اسے شانوں سے تھام کر ایک بار پھر جھنجوڑ ڈالا۔ اب بہت زور سے۔اب بہت زور سے۔ ''کچھ ہوش کرو۔''

''ہوش آپ کیجیے آذر بھائی!'' اس نے آذر کے ہاتھ کندھوں پر سے جھٹک دیئے اور

پھر زور زور سے چلانے لگی۔

''امی.....امی.....ابو.....''

''کیا بات ہے بیٹے؟ امید بیٹے! کیا ہوا.....؟'' اس کی آواز پہلے حبیب نے ہی سنی۔

''امی.....امی! ذرا جلدی سے ادھر آ جائیے۔''

حبیبہ باورچی خانے میں تھی.....حبیب پرلے کمرے میں.....امید کی چیخ و پکار پر دونوں اکٹھے ہی اس تک پہنچے۔

''کیا بات ہے؟'' وہ حیرت سے انہیں دیکھنے لگے۔

آذر اور امید آمنے سامنے کھڑے تھے۔ آذر کا سر جھکا ہوا تھا اور امید چلائے جا رہی تھی۔ حبیبہ کو دیکھتے ہی لپک کر اس سے لپٹ گئی۔

''آپ میری امی ہیں نا؟ میری اصلی ماں.....؟''

''ہاں ہاں.....!'' حبیبہ کے بجائے جلدی سے حبیب بولے ''یہی تمہاری ماں ہے..... مگر ہوا کیا.....؟''

''یہ آذر بھائی کہہ رہے ہیں.....کہہ رہے ہیں ابو جی! کہ میری ماں کوئی دوسری عورت ہے.....کہہ دیں یہ جھوٹ ہے.....آذر بھائی جھوٹ بول رہے ہیں۔'' اور حبیبہ کے کندھے کے ساتھ سر ٹکا کر وہ ہوش و خرد سے بیگانہ ہو گئی۔

''آذر بیٹے! یہ کیا کیا؟'' حبیب نے شکایت بھری نگاہوں سے آذر کو دیکھا اور امید کو بازوؤں میں سمیٹ کر اندر لے چلے۔

''خالو جان! صبیحہ خالہ اک نظر بیٹی کو دیکھنے کے لیے تڑپ رہی ہیں.....خدا کے لیے ان پر رحم کیجیے۔'' آذر ان کے پیچھے پیچھے چلا آیا، بھک منگوں کی طرح صدا لگاتا۔

حبیب نے اس کی بات کا کوئی جواب نہیں دیا.....امید کو بستر پر لٹا کر اسے ہوش میں لانے کی کوشش کرنے لگے۔

''پرویز کو بھیج کر ڈاکٹر کو بلواؤں؟'' خالہ حبیبہ نے خشمگیں نگاہوں سے آذر کو دیکھتے ہوئے شوہر سے پوچھا۔

''میں ڈاکٹر کو لے کر آتا ہوں!'' آذر جلدی سے کمرے سے نکل گیا۔

ڈاکٹر صاحب کا کلینک کوئی دُور نہیں تھا' وہ پانچ منٹ میں ہی انہیں بلالایا۔ اچھی طرح معائنہ کرنے کے بعد ڈاکٹر صاحب بولے۔

''ذہن پر کسی صدمے کا اثر ہوا ہے۔ گھبرانے کی کوئی بات نہیں..... تین چار گھنٹے تک انجکشن کا اثر رہے گا..... پھر بالکل ٹھیک ٹھاک اٹھیں گی ان شاء اللہ۔''

ڈاکٹر صاحب امید کو انجکشن اور دوسروں کو تسلی وغیرہ دے کر اور خود فیس لے کر رخصت ہوگئے۔ حبیب بالکل خاموش تھے۔ ڈاکٹر صاحب کے چلے جانے کے بعد آذر کا بازو تھاما اور اپنے کمرے میں لے گئے۔

''تم واقعی بہت بے درد ہو آذر..... بہت بے رحم!''

''میں.....؟ میں بے درد ہوں.....؟ میں بے رحم ہوں.....؟''

''ہاں!''

''خالو جان! آپ؟ آپ بھی مجھے ایسا کہہ رہے ہیں.....؟''

''ہاں! اس لیے کہ تم ہو۔''

''میں ہوں..... کمال ہے۔'' وہ تعجب سے انہیں دیکھنے لگا۔ ''کیا امید کی امی صبیحہ نہیں ہیں؟ کیا آپ کی وہ پہلی بیوی نہیں ہیں؟ اگر میں نے حقیقت امید پر آشکار کردی' اگر میں نے اس ممتا کی ماری عورت کے لیے رحم کی اپیل کردی تو میں بے رحم ہوگیا۔ مجھے کم از کم آپ سے خالو جان ایسی توقع نہیں تھی۔''

''تم بے رحم ہو آذر! اس معصوم کو کسی بات کا علم نہیں تھا' تم نے اسے کیوں بتایا؟''

''دوسرے تو سب حقیقت سے باخبر ہیں اور صرف اِک اسے حقیقت سے بے خبر رکھا گیا ہے اب تک..... میرے خیال میں یہ ظلم ہے۔ اسے کیوں ہر سچائی کا علم نہیں ہونے دیا..... اور آپ..... آپ خالو جان اس پر ہونے والے تمام مظالم کو چپ چاپ دیکھتے رہے ہیں۔ یہ سب کہاں کا انصاف ہے؟''

''ظلم وہ ہوتا ہے جو محسوس کیا جائے۔ وہ تمہاری خالہ کو اپنی سگی ماں سمجھتی ہے۔ اس کی

کسی زیادتی کو زیادتی نہیں کہتی اور..... اسے سب کچھ معلوم ہو جانے کے بعد یہی سب کچھ اس کے ساتھ پھر جب ہوگا تو پھر ظلم اور زیادتی ہوگی..... کیونکہ اسے احساس ہونے لگے گا.....''

''تو کیوں ہو گیا یہ سب کچھ؟''

''تمہاری خالہ کی فطرت نہیں بدل سکتی..... وہ سوتیلی اور سگی اولاد میں ہمیشہ فرق رکھے گی۔ اس کے دل میں اتنی وسعت ہے ہی نہیں کہ فرق نہ رکھے۔ اتنا حوصلہ ہے ہی نہیں کہ سب کو ایک سا جانے۔''

''اور آپ.....؟ آپ بھی خاموش ہیں؟''

''حبیبہ میری ماں کا دیا ہوا ''تحفہ'' ہے..... اسے ذرا بھی کچھ کہوں گا تو ماں کی روح بے چین ہو اٹھے گی!'' حبیب عجیب سے تبسم کے ساتھ بولے' جس میں سے زہر ٹپک رہا تھا..... دُکھ جھلک رہے تھے۔ ''اور ساتھ ہی..... اور ساتھ ہی میں امید ہی کی ڈالی گئی بہت ساری قسموں کا پابند ہو چکا ہوں۔''

''اور صبیحہ کا انجام؟''

''وہ بے چاری تو انجام تک کب کی پہنچ چکی..... اسے اب صبر آ جانا چاہیے تھا۔ میں نے صبر کیا ہوا ہے نا؟''

''مگر خالو جان! اولاد.....؟ اِک اولاد کی جدائی ماں کے لیے.....''

''سب کچھ جانتا ہوں!'' حبیب نے آذر کی بات کچھ اس انداز میں قطع کی جیسے ان میں سننے کی تاب نہ تھی..... پھر ہولے سے بولے:

''اب تو اس کی اولاد کی بہتری بھی اسی میں ہے۔ وہ اسے مل سکتی نہیں..... سچائیاں اس پر آشکارا کرنے سے فائدہ؟ زخم ہی لگیں گے۔''

''اوہ.....!'' آذر کتنی ہی دیر سر تھامے بیٹھا رہا..... پھر چپ چاپ وہاں سے اُٹھ کر گھر آ گیا۔

یہ سب کچھ کیا تھا؟ کیسے مظالم تھے؟ جو وہ انسان ایک دوسرے پر توڑ رہے تھے' جنہیں خدا نے ایک دوسرے کے درد کے لیے پیدا کیا تھا۔ اس نے رات کا کھانا بھی نہیں کھایا..... بس

صبیحہ‘ امید اور حبیب کے دُکھوں کو ہی کریدتا رہا..... اور جاگتا رہا.....

فجر کی اذان ہوئی تو اٹھ کر نماز پڑھی۔ دل اب تک بڑا افسردہ تھا..... بے حد ویران تھا..... نماز کے بعد تلاوت کی اور خالو حبیب اور صبیحہ کے درد کے مارے ٹوٹا بکھرا سا پھر بستر پر دراز ہو گیا۔

فجر کی نماز کے بعد وہ سویا تو کبھی نہیں تھا‘ مگر رات بھر کا جاگا ہوا تھا۔ چپکے سے نیند نے اپنی آغوش میں سمیٹ لیا۔ نجانے کتنی دیر سویا رہا‘ امی کے زور زور سے بولنے اور واویلا مچانے کی آواز پر ہی وہ بیدار ہوا۔

”ظالم..... بے درد..... بے رحم..... کمینہ..... ذلیل.....“ امی جانے کس وظیفے کا الاپ کر رہی تھیں..... آنکھیں ملتے ہوئے وہ گھبرا کر اُٹھ بیٹھا۔

مگر..... یہ جاپ‘ یہ الاپ اس کے کمرے میں آ کر کیوں؟ وہ بیٹھ کر امی سے پوچھنے ہی لگا تھا کہ امی نے پھر وہی گردان شروع کر دی۔

”تمہیں میں نے منع کیا تھا ناکہ صبیحہ اور حبیب کی داستان کے متعلق کسی کو کچھ نہ بتانا..... مگر تم تو ازلی بے درد‘ بے رحم اور ظالم ہو..... ہمارے سکون کے دشمن ہو۔“

”مگر امی! رات ہی رات میں آپ تک یہ بات پہنچ کیسے گئی؟“

”حبیبہ آئی تھی ابھی..... اور تمہاری جان کو روتی گئی ہے..... کیوں تم نے امید کو اس کی اصلی ماں کے متعلق کچھ بتانے کی کوشش کی؟“

”تو امی! حرج ہی کیا ہے؟ انسان کو حقائق کا سامنا ذرا دلیری سے کرنا چاہیے‘ امید بھی عجیب بدھو لڑکی ہے۔“ وہ بڑبڑایا۔

”دلیری کے کچھ لگتے۔ یہ بات امید کو ہرگز معلوم نہیں ہونا چاہیے تھی۔“

”آخر کیوں؟“ آذر کو بھی غصہ آ گیا۔ ”صرف اس لیے کہ وہ بے خبر ہر ظلم و زیادتی سہتی رہے اور دوسرے لوگ خبردار رہ کر سگا سوتیلا جان کر زیادتیاں کرتے رہیں..... کیوں.....؟ وہ انسان نہیں ہے اور دوسرے کسی اعلیٰ قسم کے انسان ہیں؟“

”ہاں شاباش! اپنی سگی خالہ کے خلاف بکتے چلے جاؤ۔“

''جو بھی انسان غلط بات کہے گا' غلط کرے گا' میں اس کے خلاف ہوں گا.....خواہ وہ آپ یا اباجی ہی کیوں نہ ہوں''۔

''تو ہو جاؤ ہمارے بھی خلاف..... ہم بھی یہی سوچتے ہیں کہ امید کو علم نہیں ہونا چاہیے۔''

''مگر کیوں؟''

''اس لیے کہ اس کی ماں ہر مہینے اِک کثیر رقم اپنی بیٹی کے لیے بھیجتی ہے۔ ہوسکتا ہے بیٹی ایک بار ماں کو مل لے تو اس سے دُور نہ رہ سکے۔ وہ اس کے پاس چلی جائے گی تو یہ رقم آنا بند ہو جائے گی۔'' امی نے غیظ و غضب کے جوش میں وہ بات بھی اگل دی جو ایسا راز تھا کہ سوائے دونوں بہنوں کے اور کوئی بھی نہیں جانتا تھا۔

''تمہارے خالو حبیب نے تو حبیبہ سے شادی کے بعد ایک دن بھی صحیح طرح کمائی نہیں کی۔ دھیان شاید صبیحہ کی طرف لگا رہتا تھا۔ کاروبار چوپٹ ہوا۔ کہیں بھی کوئی بھی نوکری ڈھنگ سے نہیں کی.....پھر آخر بال بچوں کا پیٹ تو بیچاری نے پالنا تھا.....اور ویسے بھی اس کی اولاد کی دیکھ بھال کرتی تھی۔ ہر ماہ صبیحہ کی طرف سے آنے والی رقم کو قبول کیسے نہ کرتی۔''

''اوہ! تو یہ بات ہے.....ان ماں بیٹی کا کھاتے ہیں اور ساتھ انہیں پر مظالم ڈھائے جاتے ہیں.....اور.....اور پھر اس ظلم کے خلاف آواز اٹھانے والے کو بے درد اور بے رحم کہا جاتا ہے۔ میں تو خاموش نہیں رہوں گا۔ میں تو چیخ چیخ کر سارے زمانے کو بتاؤں گا۔''

آذر کی آواز سن کر ابا بھی کمرے میں آ گئے.....شور شرابے کی وجہ پوچھنے پر آذر نے ہی سارا قصہ انہیں سنایا' مگر وہ بھی اسے ہی لعن طعن کرنے لگے.....کہ اس نے دوسروں کے اور بڑوں کے معاملات میں دخل دینے کی کوشش ہی کیوں کی تھی؟

چھٹی کا دن تھا' خاور اور یاور ابھی تک سوئے پڑے تھے.....ابا کے گرجنے کی آواز نے انہیں بھی بیدار کر دیا۔ آنکھیں ملتے ہوئے وہ بھی آ پہنچے۔ نغمی پہلے سے وہاں موجود تھی.....دونوں بھائیوں نے ابا کی گرج چمک کی وجہ پوچھی تو اس نے سب کچھ بتا دیا۔

''تب.....سبھی اسے ہی برا بھلا کہنے لگے.....اسے ہی جھٹلانے لگے کہ وہ غلطی پر تھا۔

اسے ان کے گھریلو معاملات میں دخل دینے کا سرے سے کوئی حق ہی نہیں تھا۔

اور..... یہی وہ لمحہ تھا جب اس کا پیمانہ لبریز ہوا اُٹھا..... یہاں تو کسی کے دل میں انصاف رتی بھر بھی موجود نہیں تھا۔ کسی سے بھی نیکی اور بھلائی کی توقع نہیں کی جاسکتی تھی۔ کسی کے دل میں بھی اپنے علاوہ کسی دوسرے انسان کا درد نہ تھا۔ پھر ان سب کے درمیان اس کے رہنے کا فائدہ..... ان میں سے تو کوئی ایک بھی اس کی زبان نہیں سمجھتا تھا۔

وہ اسی وقت اُٹھ کر اپنے کپڑے اِک بکس میں رکھنے لگا۔ سب دیکھ رہے تھے۔ اس کا ارادہ بھی بھانپ گئے تھے، مگر پھر بھی جلتی پر تیل ڈالے ہی گئے۔ اسے برابرا کہتے ہی رہے۔

''آذر بیٹے! یہ کیا کر رہے ہو؟'' صرف دادی اماں نے بڑھ کر اس کے ہاتھ تھام لیے۔

''میں بہت برا انسان ہوں دادی اماں، بہت بے درد..... ان سب کے درمیان رہنے کے قابل نہیں ہوں..... مجھے یہاں سے چلا ہی جانا چاہیے۔''

''نہیں بیٹے! ایسی چھوٹی چھوٹی باتوں سے دلبرداشتہ ہوکر کبھی کسی نے اپنا گھر بھی چھوڑا ہے؟''

''دادی اماں! کوئی حد بھی ہوتی ہے۔''

''ہاں، ہاں اماں! آپ اسے مت روکیں..... اب ہماری بھی حد ختم ہوگئی ہے۔ سوچا تھا بڑا ہو جائے گا، پڑھ لکھ جائے گا تو اسے کچھ عقل آجائے گی مگر اس کی عقل تو پہلے سے بھی زیادہ ماری گئی ہے..... وہی کے وہی لچھن۔''

''نہیں سردار! نہیں..... اسے گھر سے نہیں جانا چاہیے..... ہماری بے عزتی ہے۔ جوان لڑکا گھر چھوڑ کر چلا گیا تو زمانہ کیا کہے گا؟'

''زمانے میں پہلے کون سی اس نے ہماری عزت رہنے دی ہے۔ ذرا گھر سے نکلنے دیں اسے اماں! آٹے دال کا بھاؤ معلوم ہو جائے گا..... ساری عقلیں آجائیں گی۔ اب آرام سے بیٹھے بٹھائے کو روٹیاں جو توڑنے کے لیے مل جاتی ہیں۔ سونے کے لیے چھت موجود ہے اور اوڑھنے پہننے کو اچھے سے اچھا لباس..... سب کچھ جب اپنی گرہ سے کرنا پڑا تو سب سچائیاں اور

انصاف نکل جائیں گے۔"

سر جھکا کر اس نے باپ کی ساری بات سنی..... پھر اس نے بکس بھی وہیں چھوڑ دیا اور چپکے سے خالی ہاتھ لیے بلند آواز میں سب کو خدا حافظ کہتے ہوئے کمرے سے نکل گیا۔

"آذر! آذر..... کہاں جا رہے ہو؟" کمرے سے نکلتے نکلتے کان میں امی کی آواز پڑی۔

"جہاں خدا لے جائے۔" وہ بڑبڑایا۔

"نغمی جاؤ نا..... بھائی کو روکو..... خاور، یاور تم ہی اسے بڑھ کر پکڑ لو۔" امی رونے لگیں۔

آذر کا دل تڑپا..... مگر زندگی میں پہلی بار اس نے ان سب کے دیئے ہوئے لقب کو اس کے معنوی لحاظ سے اپنی پیشانی پر سجا لیا..... وہ سچ مچ بے درد بن گیا۔

نہ ماں کے آنسوؤں کا خیال کیا نہ دادی کی دہائی کا..... اور نہ نغمی کی آوازوں کا۔ خاور اور یاور بھی اس کے پیچھے لپکے، مگر سب کی اَن سنی کرتے ہوئے تیز تیز قدموں سے وہ گھر سے بھی نکل گیا۔

سڑک پر پہنچا..... سامنے سے اک رکشا آ رہا تھا..... ہاتھ ہلا کر اسے روکا..... خاور اور یاور جب تک اس کے قریب پہنچتے وہ اس میں بیٹھ کر ان سے تقریباً فرلانگ دُور پہنچ چکا تھا اور پھر رکشا سڑک کا موڑ مڑا تو وہ ان سب کی نگاہوں سے اوجھل ہو گیا۔

گھر سے نکل کر وہ اپنے ایک دوست نصیر کے پاس اسلام آباد چلا گیا..... اپنے والدین' بہن بھائیوں اور عزیز و اقارب کی نگاہوں میں ہی وہ بہت برا تھا' ورنہ اس کے دوست تو اسے ایسا نہ سمجھتے تھے۔

آذر کو دیکھتے ہی نصیر کی خوشی کی انتہا نہ رہی۔ اس بن بلائے کو اس نے یوں ہاتھوں ہاتھ لیا جیسے ہزاروں پیغامات بھیجنے کے بعد وہ اس کے گھر پدھارا تھا۔ اس کے سارے حالات معلوم ہونے پر نصیر نے نہ صرف اسے گھر میں جب تک چاہے قیام کرنے کی جگہ دی بلکہ تسلی دلاسوں سے اس تہی دامن کا دامن بھی لبالب بھر دیا۔

لیکن..... آذر کسی پر بھی بوجھ بننا نہیں چاہتا تھا۔ جب تک نتیجہ نہ نکلتا وہ کوئی ڈھنگ کی ملازمت بھی نہیں کر سکتا تھا اس لیے نصیر ہی کو کہہ کر اس نے اپنے نان نفقہ اور تن ڈھانکنے کے لیے تین ٹیوشنوں کا انتظام کرا لیا۔

نتیجہ نکلا..... ہمیشہ کی طرح اس نے پھر نمایاں کامیابی حاصل کی تھی۔ اس کا دل اس وقت دُکھ درد سے بلبلا اُٹھا جب اس نے دیکھا کہ اس بار تو خالو حبیب بھی اس کی خوشی منانے کو موجود نہ تھے۔ اِک لمحے کے لیے دل چاہا کہ انہیں اپنے پتے کی اطلاع کرائے مگر.....

دوسرے ہی لمحے اپنی اس خواہش کا گلا گھونٹ دینا پڑا۔ وہ بھی تو شاید اس سے ناراض تھے۔ تابوت میں آخری کیل تو انہی کی وجہ سے ٹھونکا گیا تھا..... ہمیشہ اس کی حمایت کرنے والے انسان نے بھی تو اسے ہی بے درد ٹھہرا دیا تھا۔

وہ سارا دن اس نے کمرے میں بند ہو کر گزارا..... نصیر نے بہت کہا۔ اس کی کامیابی پر ہلہ گلہ مچانا چاہا، مگر وہ نہیں مانا۔

اس کی شاندار کامیابی پر حکومت نے اسے انگلستان میں اعلیٰ تعلیم حاصل کرنے کے لیے وظیفہ دے دیا..... گھر والوں کی توجہ اور پیار ملا ہوتا تو وہ اپنے وطن کو کبھی نہ چھوڑتا۔ اعلیٰ تعلیم کے لیے وظیفہ بھی قبول نہ کرتا کیونکہ اس کے خیال میں اعلیٰ سے اعلیٰ تعلیم پاکستان میں بھی حاصل ہو سکتی تھی۔ بغیر کسی ادارے کے، بغیر کسی استاد کے، من میں لگن ہو، سچی لگن تو کتابوں اور ارد گرد بسنے والے انسانوں سے ہی انسان بہت علم حاصل کر سکتا ہے۔

مگر اب تو اس کے لیے پاکستان سے کہیں دُور، بہت دُور چلے جانا ہی بہتر تھا..... یہاں اس کے لیے کیا تھا؟ تلخ یادیں، ٹیسیں مارتے دُکھ اور درد؟ تب یہ وظیفہ اس کے دُکھوں کا علاج بن گیا۔

وہ چپ چاپ، بغیر اپنے گھر والوں کو اطلاع دیئے پاکستان کو چھوڑ گیا۔

وہ پاکستان، جو اس کا اپنا وطن تھا، جہاں اس کا اپنا گھر تھا، مگر وہ پھر بھی یہاں ہمیشہ بے وطن اور بے گھر ہی رہا۔ سب اپنوں کے اردگرد رہتے بستے ہوئے بھی زندگی کے بیس اکیس سال اس نے تنہائیوں میں گزارے تھے۔ بہت سارے خون کے رشتے موجود بھی تھے، پھر بھی کسی کے دل میں اس کا درد، اس کا پیار، اس کی چاہت اور طلب موجود نہ تھی۔

یوں پاکستان کو چھوڑتے ہوئے نہ اس کے دل میں کسی کی جدائی کی تڑپ موجود تھی اور نہ کسی کے لیے آنکھ میں آنسو۔

دو سال میں اس نے پی ایچ ڈی کر لیا۔ ہمیشہ کی طرح نمایاں کامیابی کے ساتھ..... اب وہ واپس پاکستان آنا چاہتا تو آ سکتا تھا، مگر شاید اپنوں کے دیئے زخم ابھی بھرے نہ تھے، وہیں ملازمت کر لی۔ بطور ماہر نفسیات دماغی امراض کے اِک ہسپتال میں اس کی تقرری ہو گئی۔

اچھی خاصی تنخواہ تھی..... وہ بڑی خوشحال زندگی گزارنے لگا..... اپنے فرائض پورا کرنے کی لگن میں اسے کچھ اور یاد ہی نہ رہا..... سب گھاؤ بھر بھرا گئے..... وہ تن من سے مصروف ہو گیا۔

اسے ملازمت کرتے چھ ماہ ہو گئے تھے، مگر نہ اسے تاریخیں یاد تھیں نہ دن..... ہفتے کے

ساتوں دن اس کے لیے ایک جیسے تھے۔ اس کی چھٹی بھی کام تھا اور اس کی تفریح بھی کام..... کام ہی کام.....

اور پھر..... اور پھر..... اسے یکا یک احساس ہوا کہ اس کا من اب کام سے کبھی کبھی چھٹی مانگنے لگا تھا۔ اس کا ذہن دن' تاریخوں اور اوقات میں اُلجھنے لگا تھا۔ اس خیال کے ساتھ ہی اس کی نگاہ پھر کلائی کی گھڑی پر جا ٹکی۔

''چار بج گئے۔'' وہ اپنے آپ سے بڑبڑایا۔ ''مگر پھر؟ اسے کیا؟'' اس نے سر جھٹک کر اونچا کیا۔

''اوہ! تو وہ یہ تھی!!'' آذر کے بھرے بھرے لبوں پر مسکراہٹ پھیل گئی اور دل و دماغ روشن ہو اُٹھے۔

طوبیٰ سامنے کھڑی تھی..... چند ہفتے پہلے وہ باپ کے علاج کے لیے انگلستان آئی تھی اور اس کا باپ اس کے ہسپتال میں اسی کے زیرِعلاج تھا۔ یہ لبنانی نژاد دوشیزہ۔ جانے اس کی ہستی میں کیسا سحر تھا..... وہ آ کر چلی بھی جاتی تو اس کے دل و دماغ پر پھر بھی چھائی رہتی۔ فضاؤں میں اسی کی خوشبو پھیلی رہتی..... چاروں اطراف اسی کی مسکراہٹیں سجی رہتیں۔

وہ سر جھٹکتا..... اپنی توجہ' اپنا دھیان کام میں' مریضوں میں لگانے کی کوشش کرتا مگر..... مگر کچھ ہی لمحوں بعد اس کا پیکر اپنی تمام تر رعنائیوں اور خوبصورتیوں اور مسکراہٹوں کے ساتھ اس کے سامنے موجود ہوتا۔

پورا ایک سال طوبیٰ کے والد وہاں رہے..... پورا ایک سال ان کی ملاقاتیں ہوتی رہیں..... پہلے پہلے صرف مسکراہٹوں کا تبادلہ ہوتا تھا' پھر علیک سلیک اور اب..... اب جب بھی وہ باپ سے ملنے آتی تو کچھ وقت کے لیے اس کے پاس ضرور بیٹھتی..... ہفتے اور اتوار کو وہ صبح کے دس بجے آیا کرتی تھی اور باقی دن پچھلے پہر چار بجے..... وہ کوئی کورس کر رہی تھی۔

آذر اب دن بھی یاد رکھنے لگا تھا۔ اسی حساب سے بار بار وقت بھی دیکھنے لگا تھا۔ اس کے آتے ہی اپنے سارے کام چھوڑ دیتا۔ پھر دونوں اِدھر اُدھر کی باتیں کرنے لگتے۔

اپنے اپنے ملکوں کی باتیں..... اپنے اپنے ملکوں کی خوبصورتیوں کے قصے اور لوگوں

کے رسم و رواج اور رہن سہن کے طریقوں کی داستانیں' دونوں بڑی دلچسپی سے ایک دوسرے کی باتیں سنتے۔

پھر..... ان کی ملاقاتوں میں تھوڑی سی اور بے تکلفی آ گئی..... اب اپنے اپنے رشتہ داروں' بہن بھائیوں اور عزیز واقارب کے تعارف کا مرحلہ آیا۔

طوبیٰ نے اسے سب کے متعلق بڑی تفصیل سے بتایا مگر آذر..... آذر کے پاس اس مسئلے کے تحت کسی کو کچھ بتانے کے لیے کیا تھا؟ جھوٹ وہ بولنا نہیں چاہتا تھا اور سچ اتنا تلخ تھا کہ زبان پر آتا تو..... اچھی بھلی میٹھی میٹھی' سہانی سہانی زندگی گزر رہی تھی..... مٹھاس میں کڑواہٹیں بھر لینے سے فائدہ؟

''میرا وہاں کوئی بھی نہیں..... جو کچھ بھی ہے اب یہیں ہے.....'' گول مول سے الفاظ میں اپنے متعلق بتا کر وہ خاموش ہو گیا۔

اور یہ جھوٹ بھی نہ تھا..... ذہنی رفاقت ہی دراصل اپنائیت ہوتی ہے۔ یوں وہاں اس کا واقعی اپنا کوئی نہ تھا۔ اس نے تنہا ہی زندگی گزاری تھی۔

طوبیٰ کو ڈپلومہ مل گیا اور اس کا والد بھی صحت یاب ہو گیا..... وہ اپنے وطن کو سدھار گئی۔ آذر پھر تنہا رہ گیا..... اس کے اردگرد ویرانے اُتر آئے..... اس کے جانے کے بعد اسے محسوس ہوا کہ ان دونوں میں ایسی اک ذہنی رفاقت تھی' جس نے اسے' تنہائیوں کے ڈسے ہوئے انسان کو اس کے بہت قریب کر دیا تھا۔

طوبیٰ بھی اس کی طرح بڑی بااصول تھی۔ وہ بھی بہت سچی کھری تھی..... وہ بھی سینے میں اِک ایسا دردمند دل رکھتی تھی کہ غیروں کے دُکھ بھی اس میں اُتار لیا کرتی تھی..... جب بھی ہسپتال باپ کو ملنے آتی' باپ تو باپ تھا' دوسرے مریضوں کے لیے بھی کچھ نہ کچھ لیے آتی۔ ہر ایک کے ساتھ انتہائی اخلاق اور مروّت سے پیش آتی۔ مسکراہٹوں اور میٹھی میٹھی باتوں سے اکثر کی بیماری اس نے آدھی کر دی ہوئی تھی۔

وہ خدا کی دی ہوئی ہر نعمت سے مالامال تھی۔ حسن' اخلاق' کردار اور پھولوں ایسا نکھرا نکھرا دلآویز تبسم' آنکھوں سے چھلکتی محبت اور خلوص کی مے..... بہت کچھ تھا اس کے پاس۔

وہ گئی تو یوں لگا جیسے پورے انگلستان سے بہار روٹھ گئی تھی۔ ہر طرف خزاں ہی خزاں تھی۔ بہت دن نہ اس کا کھانے پینے میں جی لگا اور نہ کسی کام میں..... سمجھاتا رہا دل ناداں کو مگر وہ مانا ہی نہیں..... تب اسے احساس ہوا..... اسے طوبیٰ کے ساتھ محبت ہوگئی تھی شاید..... ہاں..... یقیناً ایسا ہی کوئی حادثہ اس دل ناتواں کو پیش آ گیا تھا.....

اوہ! اس حادثے کا اسے علم ہوا بھی تو اس کے جانے کے بعد..... قدرت کی یہ کیسی ستم ظریفی تھی..... اِک اُداس اور افسردہ سا قہقہہ اس کے حلق سے پھوٹ نکلا۔

اس دن روٹھی ہوئی بہاریں اچانک ہی مسکرا اٹھیں..... میز پر اس کی ڈاک پڑی تھی اور سب سے اُوپر طوبیٰ کا خط تھا۔

بیشک اس میں کوئی محبت بھری بات نہیں تھی..... کوئی عہد کوئی پیمان نہیں تھا مگر..... کیا یہ بھی کافی نہیں تھا کہ اس نے اپنے وطن..... اپنوں میں جا کر بھی اسے یاد رکھا تھا' دل کی دھڑکنیں گنگنا اٹھیں۔

اس نے اس خط میں آذر کا شکریہ ادا کیا ہوا تھا کہ اس نے اس کے والد کی بڑی اچھی طرح دیکھ بھال کی تھی۔ بڑی توجہ اور دھیان سے اس کا علاج کیا تھا۔ اس لیے وہ اس کے حسن سلوک کو ساری زندگی نہیں بھول سکتی تھی۔

آذر نے کچھ اس انداز میں اس کے خط کا جواب دیا کہ اس کے لیے جواب کا جواب دینا ناگزیر ہو جائے..... اور پھر یوں ان کی خط و کتابت شروع ہوگئی۔ آذر نے زندگی کا اوائل حصہ بہت گھٹے ہوئے اور خاصے پابند قسم کے ماحول میں گزارا تھا۔ اس کا اثر اب بھی اس کی طبیعت پر موجود تھا۔

خط و کتابت بس دوستی کی خط و کتابت تک محدود رہی۔ عشق و عاشقی اور پیار و محبت کا موضوع بہت چاہنے کے باوجود بھی وہ چھیڑ نہ سکا۔ ویسے بھی ابھی اسے طوبیٰ کے دل کا اندازہ نہیں تھا۔ کہیں..... یہ دوستی بھی نہ جائے۔ یہ تعلق بھی نہ ختم ہو جائے اور طوبیٰ کا یہ تعلق بھی اس کے لیے غنیمت تھا اور شاید جان سے بھی زیادہ عزیز..... اس کے ذہن کی رفاقتیں تو میسر تھیں ہی.....!!

پھر طوبیٰ کے اس ایک خط نے جیسے اچانک اسے نئی زندگی کی نوید دے دی۔ آذر کے

ہسپتال کی اِک شاخ بیرون میں بھی تھی۔ اس میں اِک آذر جیسے ہی سند یافتہ ماہر نفسیات کے لیے جگہ خالی تھی؛ جس کا اشتہار اس نے اِک روزنامے میں دیکھا تھا۔

اس وقت اس کا جی چاہا کہ آذر وہاں تعینات ہو جائے، مگر ساتھ ہی اسے خیال آیا تھا کہ کسی ترقی کی بات ہوتی تو تب بھی تھا' بھلا آذر ویسی ہی ملازمت کے لیے انگلستان کیوں چھوڑنے لگا۔ وہ اپنی خام خیالی پر خود ہی ہنس پڑی تھی۔ بڑی سچائی سے اس نے یہ واقعہ اپنے خط میں لکھ دیا ہوا تھا۔

ساری زندگی آذر نے کسی کی توجہ اور محبت کے لیے ترس ترس کر گزاردی تھی۔ پیاسے کو طوبیٰ کی توجہ اور چاہت کی صرف سوچ ہی کا یہ ننھا سا قطرہ سیراب کر گیا۔ اسی وقت بیروت جا کر وہ نوکری کر لینے کا مصمم ارادہ کر لیا اور ساتھ ہی طوبیٰ کو خط کے ذریعے آگاہ بھی کر دیا کہ وہ وہاں درخواست بھیج رہا تھا۔

اس کا جذبہ صادق تھا۔ چند دن میں ہی وہاں تقرری ہوگئی اور وہ بیروت اپنی طوبیٰ کے پاس چلا گیا۔ ہوائی اڈے پر وہ اسے اپنی منتظر ملی۔ اس قدر گرمجوشی اور خلوص سے اس نے اس کا استقبال کیا کہ آذر کو ساری زندگی نے ایسی لذتیں نہ بخشی تھیں جو اس اِک لمحے نے دے دیں۔ وہ لمحہ اس کی بائیس تیئس سالہ زندگی پر محیط ہو گیا..... اس کا بیروت آنے کا فیصلہ غلط نہ تھا۔ اس کی محبت شاید رنگ لا رہی تھی..... اس کے جذبوں کی کشش نے طوبیٰ پر بھی اثر کیا تھا۔

وہ ملک طوبیٰ کا اپنا ملک تھا۔ وہ شہر طوبیٰ کا اپنا شہر تھا نہ آذر نے کہا نہ اس نے توقع کی مگر پھر بھی وہ اس مہمان کی میزبان بن گئی۔ ہسپتال میں ہی آذر کی رہائش گاہ تھی۔ گو چھوٹی سی تھی مگر طوبیٰ کے سلیقے نے اسے اِک بہت بڑی جنت بنا دیا۔

اس کے کھانے' پینے' پہننے اور اوڑھنے کے سب انتظامات خود ہی اس نے اپنے ہاتھوں میں لے لیے..... وہ خود کہیں ملازمت کرتی تھی۔ جب بھی فارغ ہوتی اس کے کمرے میں پہنچ جاتی..... کبھی اس کے لیے شاپنگ کرتی پھرتی تو کبھی اس کا باورچی خانہ سنبھالا ہوتا..... اپنی مرضی سے ہی اس کا کھانا وغیرہ بھی بنا دیتی..... اور اس کے ملبوسات بھی دھو کر' استری وغیرہ کر کے سنبھال دیتی۔

وہ ہمیشہ کی طرح اپنی ذات سے لاپروا اپنے فرائض میں ڈوبا رہتا۔ سارے دن کی

ڈیوٹی دینے کے باوجود ایک دو گھنٹے زیادہ ہی کام کر کے تھکا تھکایا کمرے میں آتا تو وہ اپنی پھولوں ایسی مسکراہٹ لیے دروازے میں ہی منتظر کھڑی ملتی۔ ساری تھکن اس لمحے دُور ہو جاتی۔ تن من روشنیوں سے منور ہو اُٹھتے۔ کسی کی چاہت‘ کسی کی طلب کی لذتوں سے وہ اب ہی روشناس ہوا تھا۔ یہی اصل زندگی تھی۔ یہی دنیا تھی۔

پھر شام کے دو تین گھنٹے دونوں کے اکٹھے گزرتے۔ کبھی کسی سینما ہال میں تو کبھی کسی دوسری تفریح گاہ میں۔ کبھی کسی ریستوران میں تو کبھی اپنے ہی کمرے میں..... اپنے ہی باورچی خانے میں..... وہ اپنے ملک کے پکوان اسے بنانا سکھایا کرتا اور طوبیٰ اپنے ملک کے..... بچوں کی طرح ہنڈکلھیا کا کھیل کھیلتے رہتے۔

آذر ہی کی طرح وہ بھی بڑی سادہ‘ معصوم اور شرمیلی تھی۔ دونوں گھنٹوں گپ شپ میں مصروف رہتے مگر دل کی بات نہ کبھی وہ زبان پر لائی اور نہ آذر لا سکا..... مرد ہو کر بھی وہ اس کے سامنے کبھی اعترافِ محبت نہ کر سکا..... لیکن.....

ایک دوسرے کے اعمال و افعال سے دونوں ہی کو یقین تھا کہ انہیں آپس میں محبت تھی..... کوئی بھی ایک دوسرے کے بغیر اِک پل نہیں رہ سکتا تھا۔ وہ ایک دوسرے کے لیے لازم و ملزوم ہو کر رہ گئے تھے۔

''ہم اسلام آباد کے ہوائی اڈے پر لینڈ کرنے والے ہیں‘ سب اپنی اپنی پیٹیاں باندھ لیں۔''

ایئر ہوسٹس کی آواز ہوا کی لہروں کے ساتھ لہراتی ہوئی چپکے سے اس کے کان میں اُتر گئی..... وہ چونک کر سیدھا ہو بیٹھا۔

ہوں..... تو وہ ایک بار پھر اپنے وطن کی سرزمین پر تھا۔ وہ بے درد.....!

اس کے لبوں پر تلخ سا تبسم بکھر اُٹھا..... دو مہینے کے لیے وہ پاکستان میں آیا تھا..... لاہور‘ کراچی‘ پشاور اور اسلام آباد وغیرہ کے مختلف کالجوں میں اسے لیکچر دینا تھے۔

اس کا پہلا لیکچر لاہور ہی میں تھا۔ اپنے والدین اور عزیز و اقارب کے شہر میں۔

جب سے پاکستان چھوڑا تھا اس نے کسی کے ساتھ کوئی رابطہ کوئی تعلق یا کوئی واسطہ نہ رکھا تھا اور اب‘ یہاں آ کر بھی اس کا ارادہ سوائے نصیر کے اور کسی سے ملنے کا نہ تھا‘ مگر.....

ائیر ہوسٹس کا یہ بے درد لفظ..... سبھی یاد آ گئے۔

سب یاد آئے تو جی چاہنے لگا اسلام آباد کے بجائے یہ طیارہ سیدھا لاہور کے ایئر پورٹ پر جا اُترے۔ کچھ بھی تھا وہ اس کا شہر تھا۔ اس کی ایک ایک اینٹ سے اسے پیار تھا۔ یہاں اس کے سب خون کے رشتے تھے۔ ماں، باپ، بہن بھائی، خالہ، پھپھیاں جانے سب کس حال میں تھے؟ سب کا درد سینے میں اِک سیلاب کی طرح اُمنڈنے لگا۔

''شکر ہے پہلا لیکچر لاہور میں ہے!'' اس نے آنکھیں میچتے ہوئے شکرانے کے طور پر سچ مچ ہی اپنے پروردگار کے حضور ہاتھ باندھ دیئے۔

''آپ اُٹھ نہیں رہے..... کیا اس بے درد دشمن کا طیارہ واپس بیروت لے چلیں؟'' اس کے کندھے پر ہاتھ رکھتے ہوئے وہی ایئر ہوسٹس اِک تبسم کے ساتھ کہہ رہی تھی۔

اور..... دوسرے مسافر منزل پر پہنچنے کی خوشی چہروں پر لیے اپنے اپنے بیگ، کوٹ اور کمبل وغیرہ سنبھالتے ہوئے جلدی جلدی طیارے سے نیچے اُتر رہے تھے۔

''نہیں.....!'' اب گھبرانے، بوکھلانے کے بجائے آذر کے ہونٹوں پر اِک پُراعتماد مسکراہٹ تھی۔ ''آپ کا بہت بہت شکریہ! آپ نے اِک بے درد دشمن کو دردمندوں کے پاس پہنچا دیا۔''

اور اس نے اپنا بیگ اُٹھایا..... کمبل بازو پر ڈالا اور دوسرے مسافروں میں شامل ہو گیا۔

گو دوسرے مسافروں کی طرح اس کا یہاں استقبال کرنے والا کوئی نہ تھا، مگر اسے لگا جیسے اس کے پاکستان کی فضائیں، یہاں کی معطر ہوائیں، یہاں کے خوبصورت نظارے سب اس کا استقبال کر رہے تھے۔ سب اسے خوش آمدید کہہ رہے تھے..... اور جیسے اس استقبال، اس خوش آمدید میں اس کے عزیز و اقارب بھی شامل تھے۔

سب کے شکوے گلے گزرتے ہوئے وقت کی میٹھی میٹھی پھوہار نے دھو دیئے تھے۔ اب اس کے سینے میں صرف اور صرف، سب کے لیے درد ہی تھا..... سب کے لیے محبت ہی تھی..... سب کے لیے خلوص ہی تھا!!

انگلستان اور بیروت میں آذر نے بہت کمایا تھا۔ بہت محنت کی تھی اور بہت پھل پایا تھا۔ پاکستان آنے کے وقت اپنے گھر والوں اور دوسرے رشتہ داروں سے ملنے کا اس کا کوئی ارادہ نہیں تھا۔ اس لیے اپنے چند ملبوسات کے علاوہ وہ اور کچھ بھی ساتھ نہیں لایا تھا۔ کسی کے لیے کوئی تحفہ نہیں، کوئی چیز نہیں!

مگر..... وطن کی سرزمین پر قدم رکھتے ہی اسے سب گھر والے بے تحاشا یاد آنے لگے تھے۔ سب یاد آئے تھے تو ان سب سے ملنے کو بھی دل بے قرار ہونے لگا تھا اور اب اس نے دل میں پکا ارادہ کرلیا تھا کہ وہ سب سے ملے گا۔ اپنے سگے بہن بھائیوں اور والدین سے بھی اور دوسرے رشتہ داروں سے بھی!!

اگر کوئی اچھی طرح نہ بھی ملا تو اسے فرق کیا پڑنا تھا۔ وہ ہمیشہ کے لیے تو ان کے پاس نہیں آیا تھا۔ صرف دو مہینے کی بات تھی اور اس میں سے بھی لاہور کے لیے اس کے پاس پندرہ دن تھے..... پندرہ دن..... اور پندرہ دن کے سخت گرم تو وہ بڑی آسانی سے جھیل سکتا تھا۔ زندگی کے بیس اکیس سال اس نے ان میں گزارے تھے، اس کے مقابلے میں پندرہ دن تو کچھ بھی نہ تھے۔

لیکن..... اب کیا کرے؟ وہ تو کسی کے لیے بھی کچھ لے کر نہیں آیا تھا۔ امی اور ابا اور بہنیں اور بھائی، بیشک ساری زندگی اسے ان سے جھڑکیاں، کوسنے، تکلیفیں اور دُکھ ہی ملے تھے، مگر تھے تو وہ سب اس کے اپنے، اس کا خون..... ان سب میں اتنے عرصے کے بعد یوں خالی ہاتھ چلے آنا اسے کچھ مناسب نہ معلوم ہوا۔

لاہور کے ہوائی اڈے پر اترتے ہی سب سے پہلے اس نے مال اور انار کلی کا چکر لگایا۔ ابا' امی اور سب بہن بھائیوں کے لیے اس نے بہت ساری چیزیں خریدیں۔ بڑی اچھی اچھی' بڑی خوبصورت' بڑی قیمتی۔ گھر والوں کے بعد خالہ' پھپھو کے بیٹے بیٹیوں کے لیے بھی کچھ نہ کچھ لیا۔

اور سب اپنوں کے لیے اپنی کمائی سے شاپنگ کرتے ہوئے اسے عجیب سی لذت محسوس ہو رہی تھی۔ ڈھیروں ڈھیر خوشی مل رہی تھی..... اچھے خاصے بڑے سائز کا ایک اٹیچی کیس اس نے مختلف قسم کی چیزوں سے بھر لیا اور پھر اپنی خوشیوں اور لذتوں میں ڈوبا وہ گھر کو ہولیا۔

پانچ چھ سال بعد ان راستوں سے گزر رہا تھا۔ وہی مانوس راستے' جہاں اس کا بچپن گزرا تھا۔ اس کی جوانی آئی تھی۔ راستے مانوس تھے' مگر شکلیں کچھ غیر مانوس اور کچھ اجنبی سی لگیں۔ جانے کیا کیا انقلابات یہاں آ چکے تھے۔ اس کا گھر سے چلے جانا بھی تو ایک انقلاب کی حیثیت رکھتا تھا۔ اور اب..... اب شاید یوں چپکے سے آ جانا بھی اِک انقلاب ہی تھا۔

ٹیکسی اس کے گھر کے باہر رُکی۔ جانے اس کے سب گھر والے اب بھی اسی گھر میں رہتے تھے یا کہیں اور چلے گئے تھے؟ وہ اندر جانے سے ہچکچا رہا تھا۔ اسی لمحے آذر کی نگاہ بڑے گیٹ پر لگی نئی تختی پر جا پڑی۔ وہاں خاور کا نام کندہ تھا۔

تو گویا وہ یہیں تھے۔ بغیر کسی ہچکچاہٹ کے وہ آگے بڑھ گیا..... اور پھر شرارت جو سوجھی تو بغیر کال بیل کیے' چپکے سے پچھلی طرف سے ہوتا ہوا' پیچھے والے صحن میں جا کھڑا ہوا۔ ہاتھ میں اٹیچی کیس تھا اور آنکھوں پر سیاہ چشمہ!!

''ہائے اللہ! یہ کون آ گیا؟'' اک جوان سی عورت تھی وہ' جو اسے دیکھ کر چلائی تھی۔

آذر بڑے غور سے اسے تکنے لگا۔ اس کے لیے بیشک وہ اک اجنبی اور غیر مانوس سا چہرہ تھا مگر..... وہ اسے خاصی اچھی اور پرکشش سی لگی۔ وہ چپ چاپ کھڑا اسے دیکھتا ہی چلا گیا..... باہر خاور بھیا کے نام کی تختی لگی تھی یقیناً کوئی غیر تو ہوگی نہیں..... بڑی بے تکلف سی مسکراہٹ آذر کے لبوں پر تھی۔

''ہائے امی! آیئے ذرا.....!!'' وہ گھبرا کر جلدی سے برآمدے میں چلی گئی تھی۔

''کون ہے ثروت؟'' اس کی آواز سن کر پوچھتے ہوئے جو عورت کمرے سے نکل کر

برآمدے میں آن کھڑی ہوئی تھی، وہ امی تھیں۔

لگتا تھا گزرنے والے چھ برسوں نے ان پر بڑے گہرے اثرات چھوڑے تھے۔ بال بہت سفید ہو چکے تھے اور بینائی شاید بہت ہی کمزور۔ چشمہ لگایا ہونے کے باوجود وہ آذر کو نہ پہچان سکیں۔

''خاور بیٹے! تم آنا شاید تمہارا کوئی دوست ہے۔''

آذر نے امی کی غلط فہمی دُور نہیں کی۔ چپ چاپ پراسرار سا بنا کھڑا رہا۔

''ہائے! مجھے تو ڈر آ رہا ہے۔'' وہ جوان سی عورت، جسے امی نے ثروت کہہ کر مخاطب کیا تھا، امی کے قریب ہو کر ہولے سے بولی۔

''نہیں دن دیہاڑے ڈر کیسا؟'' اسے جواب دیتے ہوئے امی نے کمرے کی طرف رُخ کر کے پھر پکارا۔

''خاور آؤ نا.....''

اور.....آذر نے دیکھا قدموں کی چاپ پر خاور کے بجائے اک گول مٹول خوبصورت سا بچہ کمرے سے نکل آیا۔

''امی! ابو کہہ رہے ہیں آنے والے کا نام پوچھ کر بتاؤ۔ میں میچ دیکھ رہا ہوں۔''

ثروت سے بات کرنے کے بعد وہ بچہ خود آذر کے قریب آن کھڑا ہوا۔ بہت ہولے ہولے اور بہت سوچ سوچ کر آیا تھا۔

''میچ.....میچ.....میچ.....توبہ!! ایک تو ٹی وی ان کی دین دنیا بن چکا ہے۔'' وہ بڑبڑائی۔ ''کسی اور کام کے رہ ہی نہیں گئے۔ اب اجنبیوں سے بھی ہم ملاقاتیں کرتے پھریں۔''

''انکل! آپ میرے ابو کے دوست ہیں؟'' وہ بچہ آذر سے پوچھنے لگا۔

''تم کیا ادھر چلے گئے ہو؟'' امی نے وہیں سے اسے ڈانٹا ''جا کر خاور کو بلاؤ۔''

مگر وہ بچہ ان کی طرف توجہ دیئے بغیر آذر ہی کی طرف متوجہ رہا۔

''آپ نے بتایا نہیں انکل؟''

''انکل نے نہیں بتایا تو بیٹے آپ اپنا تعارف کرا دیجیے۔''

آذر کو وہ بچہ بے حد پیارا لگ رہا تھا۔ ہاتھ میں پکڑا اٹیچی کیس وہیں رکھا اور بڑھ کر اسے گود میں اٹھالیا۔

''میں خاور ابو کا بیٹا ہوں اور یاور ابو کی بیٹی اپنی نانی کے گھر گئی ہوئی ہے۔ بہت منی سی ہے۔ ہر وقت جھولے میں پڑی رہتی ہے۔ چل نہیں سکتی، مگر پھر بھی وہ میری بڑی پکی دوست ہے۔''

''اوہ! تو یہ خاور بھائی کا بیٹا تھا اور یاور بھی نہ صرف شادی شدہ بلکہ بال بچے دار ہوگئے۔ رومانہ کی شادی آذر کی موجودگی میں ہی ہوچکی تھی۔ نغمی کی بھی یقیناً ہوچکی ہوگی۔ وہ بھی تو کہیں دکھائی نہیں دے رہی تھی۔

''انکل!'' بچے کے پکارنے پر وہ اپنی سوچ سے اُبھرا۔

تو..... اس کی گود میں خاور کا بیٹا یعنی اس کا اپنا بھتیجا تھا۔ اس کا خون۔ تبھی اسے اس پر اتنا پیار آرہا تھا..... بے اختیار ہوکر آذر سچ مچ اسے پیار کرنے لگا۔

''امی دیکھئے ناٹوٹو کو وہ کیسے پیار کررہا ہے؟'' ثروت نے متفکر سا ہوتے ہوئے امی کو ٹھوکا دیا۔

''ٹھہرو! میں خود معلوم کرتی ہوں۔''

امی برآمدے کی سیڑھیاں اُتر کر اس کی جانب چلیں۔ جب وہ آذر کے بالکل قریب آگئیں تو..... اب آذر سے مزید صبر نہ ہوسکا' بہت ستالیا تھا۔ انہیں بھی اور خود کو بھی۔

بچے کو نیچے اتارتے ہوئے اس نے بڑھ کر امی کے گلے میں بانہیں ڈال دیں۔

''امی میں آپ کا آذر ہوں' آپ نے پہچانا ہی نہیں!''

''آذر..... آذر.....؟'' امی کے انداز میں بے یقینی تھی۔ گلے سے اس کی بانہیں نکال کر ہاتھوں میں چہرہ تھامتے ہوئے بڑے غور سے اسے دیکھنے لگیں۔

آذر نے ان کی مدد کے لیے جلدی سے چشمہ اتار دیا ''یہ دیکھ لیجیے!''

''ارے! تُو تو سچ مچ میرا آذر ہے۔ میرا اپنا لال۔''

اسے پہچانتے ہی امی دھاڑیں مار مار کر رونے لگیں۔ ثروت ان دونوں کو اس طرح

ایک دوسرے سے لپٹے ہوئے دیکھ کر اندر بھاگی۔

''خاور.....! خاور.....!! آیئے تو سہی، دیکھئے کون آیا ہے؟'' اس کی چیخ و پکار آذر کو بھی سنائی دے رہی تھی۔

''یہ دیکھئے!'' دوسرے ہی لمحے خاور کے ساتھ وہ پھر برآمدے میں آ گئی ''جھوٹ تو نہیں کہہ رہی۔''

''ارے آذر.....تم.....؟ یہ تم ہو.....؟'' خاور بھائی کی بھی آواز امی کی طرح کپکپا رہی تھی۔

آذر نے نگاہ اٹھائی۔ خاور کا وجود پہلے کی نسبت کافی بھاری بھر کم ہو چکا تھا۔ مگر پھر بھی وہ ایک ہی چھلانگ میں ساری سیڑھیاں پھلانگتے ہوئے آ کر امی سمیت آذر سے لپٹ گئے۔

''ہائے ہائے! مجھے دیکھو میں کیسی اندھی ہو گئی۔ اپنی آنکھوں کے نور کو نہ پہچان سکی۔'' امی روئے ہی جا رہی تھیں۔

''ارے! یہ خوشی کا موقع ہے امی۔ آنسو بہانے کا تو نہیں!!'' خاور ماں کو تسلی دے رہے تھے۔ لیکن خود ان کی اپنی آنکھیں جو بھیگی جا رہی تھیں۔ اس کا جیسے انہیں علم ہی نہ تھا۔

ایک بار بغلگیر ہونے کے بعد آذر کو علیحدہ کیا، کتنے ہی لمحے بڑے غور سے اسے سر سے پاؤں تک دیکھتے رہے۔

''کیسا شاندار اور خوبصورت ہو گیا ہے میرا بھائی.....ہیں نا امی؟''

خاور نے دوبارہ اسے سینے سے لپٹا لیا۔

''ہاں! نظر بد دُور.....اسی لیے تو میں اسے پہچان نہ سکی تھی۔''

''ارے! تم بھی تو کچھ بولو آذر؟''

اور.....آذر واقعی گم سم تھا۔ اس انداز کے استقبال کی اسے بالکل ہی توقع نہ تھی۔

''ثروت! ادھر آؤ نا.....اور ٹوٹو.....تم بھی.....!'' خاور جوشِ مسرت سے بولے ہی جا رہے تھے۔

''یہ دیکھو تمہارا چھوٹا دیور.....اور ٹوٹو بیٹے! یہ آپ کے چچا ہیں۔ دیکھا.....ہیں نا بالکل

کسی شہزادے جیسے؟"

"ہائے ہائے! کب تک یہاں صحن میں ہی کھڑا رکھیں گے.....آؤ نا بھیا! اندر چلو۔"

ثروت بڑی بھابی تھی، اسی کے حساب سے آذر کے سر پر پیار کرتے ہوئے اس کا بازو تھاما اور ڈرائنگ روم کی طرف لے چلیں۔

"تو گویا میرے بعد یہاں بہت بڑے بڑے انقلابات آ گئے۔" آذر نے ثروت اور ٹوٹو کی طرف اشارہ کرتے ہوئے کہا۔

"یہ انقلابات کیا ہیں.....اس سے بھی بڑے بڑے۔" خاور تو مکمل مہر و محبت بنے ہوئے تھے.....آذر کو بازو میں لیے لیے ہی ڈرائنگ روم تک پہنچے۔

"میرے ہاں تو صرف ایک انقلاب آیا ہے۔" وہ آگے آگے چلتے ٹوٹو کی طرف دیکھ کر بولے۔

"رومانہ تین انقلاب لے آئی ہے.....نغمی دو.....ایک ہی جست میں۔"

"کیا مطلب؟" آذر سمجھ نہ سکا۔

"جڑواں!"

"اور یاور بھائی....؟" نغمی پر ہنستے ہوئے آذر نے یاور کے متعلق پوچھا۔

"ہم دونوں بھائی بہنوں سے مات کھا گئے ہیں۔اس کی بھی صرف ایک بیٹی ہے۔"

"سوا سال صرف شادی کو ہوا ہے.....اتنے عرصے میں ایک ہی بچہ ہونا تھا نا۔" ثروت ہنسنے لگی۔

"نہیں بھابی! نغمی والا معاملہ بھی تو ہو سکتا تھا۔"

"ہاں!"

امی سب کی باتیں سن سن کر ساتھ ہنس رہی تھیں۔ساتھ آنسوؤں کا بھی شغل برابر جاری تھا.....اور ثروت تو بس آذر کو دیکھے ہی جا رہی تھی۔بغیر پلک جھپکائے۔

"اے میرے بھیا کو نظر نہ لگا دینا۔" خاور نے بیوی کو آذر کی طرف اس قدر غور سے دیکھنے پر شرارت سے ٹوکا۔

''ہیں تو واقعی نظر لگانے والے۔'' ثروت مسکرائی ''لیکن دیور جیسا عزیز رشتہ ہے' لحاظ کرنا ہی پڑے گا۔''

''کرنا ہی پڑے گا..... بہت خوب!'' آذر نے ایک زوردار قہقہہ لگایا۔ ''جو چیز پہلی نظر میں اچھی لگ جائے' اس کا مطلب ہے وہ اچھی ہی ہوتی ہے۔''

''کون سی چیز؟''

''جو اس گھر میں مجھے نئی دکھائی دی' جس پر میری پہلی نگاہ پڑی۔'' آذر ثروت کی طرف دیکھتے ہوئے بولا۔

''محترمہ! اب اپنی تعریف پر پھولتی نہیں جائیے گا۔ میرے بھائی کے لیے کوئی چائے وائے کا بھی بندوبست کرو۔''

''بھائی جان! مجھے تو ایسا لگتا ہے جیسے ان کی نہیں بلکہ آپ کی تعریف کسی نے ڈھیروں ڈھیر کر ڈالی ہے۔'' آذر ان کے وجود کی طرف دیکھتے ہوئے ہنسا۔

''ہاں' ہاں!!'' خاور نے اپنی توند کی موجودگی کا بڑی فراخدلی سے اعتراف کیا۔ ''یہ میری تعریفیں کرتی رہتی ہیں۔''

''کب؟'' ثروت کچھ شرمائی۔ کچھ مسکرائی۔ پھر ہولے سے بولی ''امی کے سامنے تو کم از کم فقرے بازیوں سے باز آجایا کیجیے۔''

''ارے آج کے دن مجھے کسی بات سے منع نہیں کرو۔'' خاور ہنسے۔ ''میں منع نہیں ہوں گا۔ میرا بھائی آ گیا ہے۔ دو ووٹ ہو گئے اپنے۔''

''دو ووٹ تو ماشاءاللہ بھائی جان آپ اکیلے پہلے ہی تھے' تین کہیے۔''

''ہاں' ہاں..... تین!!'' خاور نے بڑی زندہ دلی سے قہقہہ لگایا۔

امی اور ثروت بھی ہنسنے لگیں۔ ثروت کی نگاہیں ابھی تک آذر کے چہرے ہی کا طواف کر رہی تھیں۔

''اے بیگم صاحبہ! بندہ عرض کرتا ہے کہ کوئی چائے وائے کا بندوبست کرو۔ اب میرا بھائی یہیں ہے' اسے دیدے پھاڑ پھاڑ کر دیکھنے اور نظر لگانے کا وقت ان شاءاللہ تمہیں بہت ملے گا۔''

''ہائے اللہ!'' ثروت جھینپ سی گئی۔ ''میں بھلا کیوں نظر لگاؤں گی۔ آپ کا بھائی ہے تو کیا میرا بھائی نہیں؟''

''کیوں نہیں! بھابی آپ کا پہلے۔''

''نہیں، نہیں..... دوسرے کے حق پر قبضہ جمانا اچھی بات نہیں۔''

''اور اس وقت، بڑی اچھی بات تھی۔ جب بھائی گھنٹہ بھر باہر کھڑا رہا اور جناب صاحب میچ دیکھے جا رہے تھے..... بڑے اطمینان سے۔''

''تم لوگوں نے اطمینان سے دیکھنے کب دیا۔'' خاور شوخی سے مسکرائے۔

''بس..... تو اسی برتے پر بھائی بھائی ہو رہا تھا..... یہ محبت تھی؟'' ثروت نے شرارت سے طنز کیا۔

''ارے بھاگوں والی! معلوم ہوتا میرا آذر آیا ہے تو کون کافر کسی میچ وچ کی پروا کرتا..... سر کے بل باہر بھاگتا.....'' خاور کی سنجیدگی پھر شوخی میں ڈھل گئی۔ آذر کو آنکھ مارتے ہوئے بولے۔

''میں میچ، میچ سمجھ کر کب دیکھتا ہوں..... وہ تو چند گھنٹوں کے لیے تم سے، یعنی کہ عورت ذات سے اور اس کی زبان سے فرار حاصل کرنے کا اِک بہانہ مل جاتا ہے۔''

''اچھا..... پھر آیندہ کبھی میچ دیکھنے ٹی وی کے سامنے بیٹھئے پھر دیکھئے کیا ہوتا ہے۔''

''ارے بیٹا! اسے بیٹھنے کو بھی تو کہو۔''

سبھی ابھی تک ڈرائنگ روم کے دروازے میں کھڑے تھے۔

''ارے! بیٹھو نا..... اور میں ایک منٹ میں چائے بنا کر لائی۔'' ثروت چٹکی بجاتے ہوئے اور صوفے کی طرف اشارہ کر کے اسے بیٹھنے کا کہتے ہوئے خود باہر بھاگ گئی۔

''یہ..... یہاں میرے پاس آ جاؤ!'' امی نے صوفے پر بیٹھتے ہوئے اسے بھی پاس بٹھا لیا۔ اور..... جب آذر صوفے پر بیٹھا تو نگاہ سامنے جا پڑی۔ بہت بڑے سائز کی اس کی اپنی ہی تصویر سامنے والی دیوار پر لگی ہوئی تھی۔ صرف اک اسی کی..... ارد گرد، اِدھر اُدھر کسی اور کی تصویر نہیں تھی۔ آذر مسکرا پڑا۔

شاید اس دنیا میں انسانوں سے زیادہ ان کی پرچھائیوں کی قدر کی جاتی ہے وہ جب تک ان کے درمیان رہا۔ اس کا مقدر گالیاں' کوسنے اور پھٹکار ہی بنا رہا اور جب وہ ان کی نگاہوں سے اوجھل ہو گیا تو..... اس کی جدائی نے اسے ان سب کے کتنا قریب کر دیا' اسے کس قدر محبوب بنا دیا کہ اس کی تصویر اک نمایاں جگہ پر لگا دی گئی تھی۔ کتنی عجیب بات تھی۔

''ارے بیٹے! تم نے اپنے متعلق کچھ بتایا نہیں' کہاں رہے اتنا عرصہ؟'' امی کی آواز میں ابھی تک آنسوؤں کے موتی ٹوٹ رہے تھے۔

''کہاں چلے گئے تھے یکا یک..... ؟ ہائے! کس کس طرح تمہاری جدائی نے ہمیں تڑپایا نہیں..... اور ہم سب نے کیسے کیسے تمہیں یاد نہیں کیا..... کچھ مت پوچھو۔''

''یاور بھائی کہاں ہیں؟ ابا کہاں ہیں؟'' اپنے متعلق بتانے کے بجائے آذر باپ اور بھائی کا پوچھنے لگا۔

''آج چھٹی ہے نا..... یاور اپنی بیوی شگفتہ کو اس کے میکے لے کر گیا ہوا ہے اور تمہارے ابا اپنے کسی ملنے والے کے بیٹے کی شادی پر۔''

''شام تک آجائیں گے نا؟''

''کیوں؟ شام تک کیوں؟''

''پھر مجھے جانا بھی تو ہے۔''

''کہاں؟'' امی نے اک نمایاں سی بے قراری اور بے تابی کے ساتھ پوچھا۔

''جہاں ٹھہرا ہوا ہوں۔'' آذر نے جان بوجھ کر ہوٹل کا نام نہیں لیا۔ ماں کی دلآزاری ہو جاتی۔

''کہاں ٹھہرے ہوئے ہو؟'' خاور نے پوچھا۔

''عظیم الشان ہوٹل!'' خاور کے پوچھنے پر اسے بتانا ہی پڑا۔ بہت مدھم آواز میں بولا تھا۔ مگر امی نے پھر بھی سن لیا۔

''ہوٹل.....'' وہ حیرت کے مارے چلا سی پڑیں۔ ''اپنا گھر ہوتے ہوئے بھی ہوٹل..... سنا تم نے خاور؟''

''سنا ہی نہیں امی دیکھ بھی رہا ہوں۔''

''کیا بھائی جان؟'' آذر مسکرایا ''کیا دیکھ رہے ہیں؟''

''تمہارے انداز.....خون میں وہ گرمی اور وہ سرخی نہیں رہی۔ بات بھی بڑی ناپ تول کر کر رہے ہو۔''

آذر مسکرایا.....ساری زندگی اسے جو گلہ ان سب کے ساتھ رہا تھا' وہ آج خود اس کے لیے ان کی زبان پر تھا۔

''بات اس لیے ناپ تول کر کر رہا تھا کہ میرے پاس تو کچھ بتانے کے لیے ہے ہی نہیں' سوائے اس کے کہ ایم اے کے بعد انگلستان جا کر پی ایچ ڈی کیا' پھر ملازمت۔ اسی دوران ایک دو کورس اور کیے.....اور اب آج کل ملازمت ہی کے سلسلے میں بیروت میں ہوں۔'' آذر نے مختصراً سب کچھ بتا دیا۔ ''اور رہی خون کی گرمی اور سرخی کی شکایت' تو وہ تھی ہی تو چلا آیا۔ پاکستان میں آ کر سب سے پہلے یہیں' آپ سب کے پاس ہی آیا ہوں۔''

پھر وہ سامنے بیٹھے اور ایک ٹک اپنی طرف دیکھتے' ٹوٹو کی جانب متوجہ ہو گیا۔ وہ جب سے آیا تھا' وہ بچہ ماں ہی کی طرح بس اسے دیکھے ہی جا رہا تھا۔

''بیٹے! ادھر آیئے میرے پاس۔''

ٹوٹو اُٹھ کر اس کے قریب چلا آیا۔

''بتایئے ذرا آپ میں کتنی طاقت ہے؟''

''بہت انکل! یہ اتنی ڈھیر ساری۔'' اس نے اپنے دونوں بازو بہت دُور دُور تک پھیلانے کی کوشش کی۔ مگر وہ اپنی حیثیت سے زیادہ نہ بڑھ سکے۔

''ٹوٹو بیٹے انہیں انکل نہیں چچا کہو' چچا جان!'' خاور نے اسے سمجھایا۔

''انکل تو آپ ہر ایرے غیرے کو کہتے ہو۔ یہ آپ کے بالکل' بالکل سگے چچا ہیں۔''

''یا ور انکل جیسے؟''

''ان سے بھی زیادہ بیٹے۔''

''ان سے زیادہ کیوں؟'' ٹوٹو نے پوچھا۔

خاور بیٹے کے اس تشریح طلب سوال سے قدرے گھبرائے۔ انہوں نے تو ایسے ہی بات کر دی تھی۔

''اس لیے بیٹے!'' ثروت چائے کی ٹرالی لیے آ رہی تھیں۔ شوہر کی مدد کے لیے جلدی سے بولیں ''یہ آپ کے چھوٹے چچا ہیں اور جو چھوٹے ہوتے ہیں نا' وہ دوست بھی ہوتے ہیں۔ یعنی کہ آپ کا ان کے ساتھ دُہرا تعلق ہے۔''

''تو یہ ہمارے دوست ہیں؟''

''بالکل!''

ٹوٹو بڑھ کر آذر سے لپٹ گیا۔ ''یہ میرے دوست ہیں اس لیے اب ان سے صرف میں باتیں کروں گا۔''

امی' ثروت' خاور' سبھی ہنسنے لگے۔

''لو جی! یہ پستے جیسی ننھی سی چیز سب کے حقوق پر ڈاکا ڈال لے گئی۔'' خاور ایک طویل سا قہقہہ لگاتے ہوئے بولے۔

''یہ تو اپنی اپنی ہمت ہے خاور!'' ثروت سنجیدگی سے بولی ''یہ آذر جیسا اتنا خوب صورت اتنا شاندار تحفہ دیا تو اللہ نے آپ ہی کو تھا۔ مگر آپ سب نے حفاظت سے نہ رکھا۔''

''بھابی! یہ آپ کیا کہہ رہی ہیں؟''

ثروت نے سب پر بڑی زبردست چوٹ کی تھی۔ بیشک آذر کے حق میں تھی' مگر وہ پھر بھی بوکھلا گیا۔

''تمہارے متعلق بہت کچھ سن چکی ہوں بھیا! اور بہت ارمان تھا' بہت شوق تھا تم سے ملنے کا۔ کیسے بتاؤں' تمہیں دیکھ کر کتنی خوشی ہوئی اور باقی سارے خاندان والوں پر کتنا افسوس!''

ثروت آنکھوں میں پھیلی نمی چھپانے کے لیے جلدی جلدی چائے بنانے لگی۔ آذر نے چونک کر خاور اور ماں کی طرف دیکھا' دونوں کی آنکھیں جھک گئیں۔ چند لمحے کمرے میں مکمل سکوت رہا' پھر امی ہولے سے بولیں:

''اماں تمہیں ہر وقت یاد کیا کرتی تھیں۔ آخری دنوں میں تو بس سارا سارا دن

دروازے پر نظریں جمائے رکھتی تھیں، تمہاری خاطر۔"

"دادی اماں؟ تو کیا دادی اماں.....؟"

"تمہارے جانے کے دو سال بعد ان کا انتقال ہو گیا۔"

"اوہ..... اناللہ وانا الیہ راجعون" آذر کے ہونٹ کپکپائے اور اس نے آنکھیں میچ لیں

"خدا ان کی مغفرت کرے۔"

سب ہی خاموش ہو گئے۔ چند لمحوں بعد خاور رشا کی انداز میں بولے "دادی اماں ثروت کو نجانے کیا کیا بتایا کرتی تھیں، تب سے یہ تمہارے گھر سے نکل جانے کا ذمہ دار ہمیشہ ہمیں ہی ٹھہرایا کرتی ہے۔"

"تو بیٹے سچ ہی کہتی ہے۔" امی ہولے سے بولیں "میری بہو سمجھدار ہے۔ میری بہو انصاف والی ہے۔"

"لو جی اب تو تعریف کافی ہو گئی۔" خاور موضوع بدلنے کی خاطر جلدی سے بولے "اب تو چائے پلا دو۔"

"چائے بھی پلاتی ہوں!" ثروت ہنس پڑی "یہ لیجیے اور جلدی سے فارغ ہو کر آپ نے عظیم الشان ہوٹل بھی جانا ہے۔ آذر کا سامان لانے کے لیے۔"

"کیوں؟" آذر نے عجلت سے پوچھا۔

"کیوں کی کیا بات ہے؟" ثروت اک اعتماد بھرے رُعب کے ساتھ بولی۔ "اپنا گھر ہوتے ہوئے ہوٹل میں رہو گے؟ شرم نہ آئے گی بھیا؟"

"ہاں ہاں" امی اور خاور کو اب خیال آیا۔ بیک آواز بولے:

"لیکن میرے لیے حکومت کی طرف سے وہاں کمرہ ریزرو ہو چکا ہے اور آپ کو خواہ مخواہ تکلیف کرنا پڑے گی۔"

"ایک کمرہ چھوڑ پورا محل ریزرو ہو چکا ہو بھیا! اپنے شہر میں رہو گے تو رہو گے اسی کٹیا میں ہی۔ اپنی ماں کے پاس اور اپنی بھابی کے پاس۔" ثروت بڑے مان، بڑی بے تکلف اور اپنائیت سے بولی۔

''دوسری بات..... ہمیں تکلیف کرنا پڑے گی.....تو وہ دیکھو تمہارا کمرہ اسی طرح خالی پڑا ہے۔''

''کیا؟''

''تمہارا کمرہ بیٹے! ہم نے ہمیشہ خالی رکھا ہے اور ہر رات تمہارا انتظار کیا کرتے تھے۔''

''اوہ امی!''

ساری شکایت، سارے گلے شکوے تو اپنے وطن کی مٹی چھوتے ہی اور یہاں کی ہوا میں پہلا سانس لیتے ہی دُور ہو گئے تھے۔ رہی سہی کسر اب نکل گئی۔ اپنی تصویر ڈرائنگ روم میں دیکھ کر، ماں اور بھابی کی باتیں سن کر۔''

اس نے تو خواہ مخواہ ہی پردیس کی خاک چھانی تھی۔ وہ سب تو اس کے ساتھ بہت محبت کرتے تھے لیکن..... پھر اسے طوبیٰ یاد آ گئی۔ ان سب اپنوں ہی کا احسان تھا کہ ایسے حالات پیدا کر دیئے جو اس کا گھر سے نکل جانا ناگزیر ہو گیا۔ نہ جاتا، تو پھر طوبیٰ جیسا انمول اور نایاب ہیرا اسے کیسے ملتا؟

یوسف علیہ السلام کو ان کے بھائیوں نے کنوئیں میں پھینکا تو وہ مصر کے بادشاہ بنے۔ اسی طرح اپنے خاندان اور گھر والوں کے سلوک سے تنگ آ کر وہ ملک چھوڑ گیا، تو اسے طوبیٰ مل گئی، جو اس کے لیے کسی بادشاہت سے کم نہ تھی۔

اس کے بعد..... یوسف علیہ السلام نے بھی تو بھائیوں کو معاف کر دیا تھا.....اور وہ..... اِس کی اُن کے سامنے کیا ہستی تھی؟

''اچھی بات بھابی! جو آپ کی خوشی ہوگی، جو آپ کہیں گی وہی ہوگا۔ اور ٹوٹو بیٹے آپ سے ہم نے پوچھا تھا کہ آپ میں کتنی طاقت ہے؟''

''بہت چچا جان! بہت..... میں بڑا ہو کر محمد علی باکسر بنوں گا۔''

''بالکل..... بالکل.....تو پھر جاؤ ذرا باہر صحن میں جو اٹیچی کیس پڑا ہے، وہ اٹھا کر لاؤ۔''

''میں لاتا ہوں آذر! اس سے شاید نہ اٹھ سکے۔'' خاور چائے کی خالی پیالی رکھتے

ہوئے اُٹھ پڑے۔

''نہیں بھائی جان! نہیں.....'' آذر نے جلدی سے کھڑا ہوتے ہوئے خاور کو تھام لیا۔

''اوہو بھئی کیا ہو گیا؟''

''آپ بڑے ہیں بھیا! آپ سے.....نہیں، نہیں!!''

''ارے بڑا ہوں تو کیا ہوا، تم مہمان بھی تو ہو ہمارے!!''

''یعنی کہ تیسرا دن چڑھنے سے پہلے پہلے بھاگ نکلوں یہاں سے۔'' آذر زور سے ہنسا۔

''خواہ مخواہ ہی!'' ثروت فوراً بول پڑی۔ ''اپنے گھر میں کاہے کو مہمان ہونے لگے۔ جاؤ بھیا خود ہی اٹھا لاؤ۔''

آذر نے اک قدم بڑھایا مگر.....وہیں ٹھٹک گیا۔ ٹوٹو صاحب سے اٹیچی کیس اٹھایا نہیں گیا تھا مگر گھسیٹ کر ہی لیے آ رہے تھے۔

''اوئے شاباش!'' آذر بے اختیار ہوتے ہوئے بولا ''بہت اعلیٰ بھابی!''

''بھابی کیا اعلیٰ؟'' خاور نے ہنس کر شوخی سے ثروت کی طرف دیکھا۔

''بکس تو ٹوٹو لایا ہے اور تحسین و آفرین بھابی کے لیے!''

''یہ بیٹا انہوں نے ہی پیدا کیا ہے نا؟''

''اور آذر! میں یقین سے کہتی ہوں اگر یہ پیدا کرتے تو وہ انتہائی کاہل ہوتا۔'' ثروت کی اس بات پر سبھی قہقہہ لگا اُٹھے۔

''ہاں بھابی! بھائی جان ہمیشہ سے ہی ذرا.....'' باقی آدھی بات آذر دانستہ چبا گیا۔

''ذرا نہیں بھیا.....'' ثروت بہ عجلت شوخی سے بولی ''بہت، بہت کہو!!''

''ابھی ابھی آیا ہوں نا۔ ایک آدھ دن تو لحاظ کرنا ہی پڑے گا۔'' آذر کی بھی ساری زندہ دلی عود کر آئی تھی۔ ''اور ویسے بھی اس گھر کے باہر بھابی ان کے نام کی تختی لگی ہے۔ کیا ہی اچھا ہوتا اگر میری بھابی کے نام کی ہوتی۔''

آخر میں آذر نے اک ٹھنڈا سانس بھر دیا۔ دونوں میاں بیوی ہنسنے لگے۔

''نام کی تختی کی بات چھوڑ۔ خاندان سارے میں میری بہو ہی جانی پہچانی جاتی ہے۔''
امی بڑی سنجیدگی سے بولیں۔

''ہم گناہگار اس قابل نہ تھے کہ ہمیں پروردگار ایسی بہو سے نوازتا۔''

''ہائے امی نہیں!'' ثروت اپنی تعریف سے شرماتی ہوئی بے حد اچھی لگی۔

''سچ آذر! اِک اس کی تسلیاں، اس کا اخلاق اور اس کا دم تھا جو میں نے تمہاری جدائی زندہ رہ کر برداشت کر لی۔''

''امی! آپ تو ایسے ہی ذرّے کو آفتاب بنائے دے رہی ہیں۔''
خاور بڑے پیار سے بیوی کی طرف دیکھتے ہوئے بولے۔

''حالانکہ آفتاب بہ نفس نفیس آپ کے سامنے روشن ہے۔'' خاور نے اپنی طرف اشارہ کیا۔

''اچھا آفتاب صاحب! آپ ذرا اب جائیے نا عظیم الشان ہوٹل۔''

''ابھی نہیں، ابھی نہیں۔'' آذر جلدی جلدی اٹیچی کیس کھولتے ہوئے بولا۔ ''ایک منٹ ٹھہر جائیے۔ ہم آفتاب کو چراغ تو دکھا لیں۔''

''کیا ہے اس میں؟''

''آپ سب کے پیار اور محبتوں کی نذر، بے حد حقیر سے نذرانے۔'' آذر نے سب سے پہلے سفید بہت خوبصورت کڑھائی والی گرم چادر نکال کر امی کو پیش کی۔

''یہ آپ کے لیے.....اور یہ بھابی کی منہ دکھائی۔'' بڑی خوبصورت سلمہ ستارے والی ساڑھی تھی ''یہ لیجیے بھابی!''

''تمہیں خاور کی شادی کا علم تھا؟'' امی نے حیران ہو کر پوچھا..... ''وہ تو تمہارے جانے کے بعد ہوئی تھی۔''

''علم تو نہیں تھا، لیکن یہ بھی جانتا تھا کہ بھائی جان بہت دیر تک کنوارے بیٹھنے والے نہیں ہیں۔ انہیں دنوں تاک جھانک میں لگے رہتے تھے۔'' آذر نے بات مذاق میں ڈال دی۔

چھ سال کی اس غیر حاضری میں بہت کچھ ہو سکتا تھا اور اسی اندازے سے اس نے ان

گنت چیزیں خرید لی تھیں۔ ثروت اسے پہلی ہی نگاہ میں بہت اچھی لگی تھی۔ بڑی پرخلوص اور بے حد محبت کرنے والی۔ اس لیے ان خریدی ہوئی چیزوں میں جو سب سے زیادہ قیمتی اور خوبصورت تھی، وہ اسی کے حضور پیش کر دی۔

''اب کب میں تاک جھانک میں لگا رہتا تھا؟''

''وہ..... زلیخا پھپھو کے گھر نہیں اکثر آیا جایا کرتے تھے..... اور وہاں بیشمار جوان لڑکیاں تھیں۔''

''وہ تو میں تمہارے لیے جایا کرتا تھا۔'' خاور نے اس کی شرارت کا جواب بھی شرارت ہی سے دیا ''تمہارے لیے افروز سنبھال کر رکھی ہوئی ہے۔''

''توبہ' توبہ!!'' آذر نے کانوں کو ہاتھ لگائے۔ ''دیکھا بھابی! خود باہر سے اچھی سے اچھی چیز تلاش کر کے لے آئے اور میرے لیے جھگڑالو افروز رکھ لی..... ان کی مرضی ہوگی نا کہ میری شادی کر کے خود عیش اڑائیں۔''

''شادی تمہاری کروں اور عیش میں اڑاؤں؟'' خاور نے تعجب سے اسے دیکھا۔

''ہر روز بلاٹکٹ لڑائی مار کٹائی سے بھرپور ایک فلم جو دیکھنے کو ملا کرے گی۔''

''ہاں!'' خاور کے ساتھ امی اور ثروت بھی قہقہے لگا اٹھیں۔

''بڑی شریر' جھگڑالو اور تیز لڑکی ہے۔'' امی ہنستے ہی گئیں۔

''یہ ٹوٹو میاں! آپ کا سوٹ۔''

''ہائے کتنا خوبصورت ہے اور ناپ بھی بالکل درست ہے۔''

''دیکھ لیجیے! پہلے بھائی جان کی تاک جھانک کی طبیعت کے انداز سے ان کی شادی کا اندازہ لگایا اور پھر.....'' آذر نے ہنس کر ثروت کی طرف دیکھا۔ ''یوں بچے کا ناپ صحیح نکل آیا۔''

''بڑے شریر ہو!'' ثروت جھینپ کر مسکرا دی۔ پھر موضوع بدلنے کی خاطر ساڑھی پر ہاتھ پھیرتے ہوئے جلدی سے بولی ''تمہاری پسند بہت خوبصورت ہے۔''

''ہماری پسند آگے آگے دیکھئے گا۔ یہ لیجیے بھائی جان! اک بے حد خوبصورت رنگ کا بہت ہی قیمتی سوٹ پیس تھا..... جو آذر نے خاور کے ہاتھوں میں تھما دیا تھا۔

''ارے اتنا بہت کچھ....''

''نہیں بھابی..... یہ بہت کچھ نہیں ہے۔ میرے خلوص اور محبت کے حساب سے بہت کم ہے ابھی..... بہت کم۔''

''دیور بھابی کی گود میں بیٹھنے کا نیگ لیا کرتا ہے آذر! تم ثروت سے وہ لینا نہ بھولنا۔'' اتنے سارے تحائف چھوٹا بھائی لے آیا تھا۔ اس کا تھوڑا سا بدلہ ہی ہے' بھائی کی خاطر شاید خاور بولے تھے۔

''بالکل نہیں بھولوں گا بھائی جان! بس ذرا باقی افراد خانہ کا انتظار کر رہا ہوں۔ بھابی کی گود میں بیٹھ کر ان کے گھٹنے توڑنے کا اور گھٹنے تڑوائی لینے کا تماشا سب کے سامنے ہوگا۔''

''نہ بھئی نہ میری ایک ہی ایک بیوی ہے اور اس کے صرف دو ہی گھٹنے ہیں۔ ایک کو سلامت رہنے دینا۔'' خاور نے اسے کچھ ایسے ملتجی انداز میں کہا کہ ثروت اور امی بے اختیار ہنسنے لگیں۔

''ہاں خاور! رومانہ اور نغمی کو آذر کے آنے کی اطلاع بھی دینا ہے۔''

''ابھی اس کا سامان لینے جاتا ہوں نا..... تو اسی ایک چکر میں سب کو اطلاع بھی دیتا آؤں گا۔''

''شکر ہے آج بھائی جان نے ہاں میں جواب دیا..... ورنہ بھابی! جب بھی امی انہیں کوئی کام کہا کرتی تھیں نا' یہ فوراً اسے میری طرف منتقل کر دیا کرتے تھے۔''

''اب بھی یاور بھیا نہیں ہیں تو خود حامی بھر لی ہے..... ورنہ وہ عادت چھوٹی نہیں ہے۔''

''چھ سال کی جدائی نے اسے تمہارا لحاظ کرنا سکھا دیا ہے شاید.....'' امی نے مسکرا کر کہا۔

''لحاظ نہیں امی! میرا خیال ہے چھ سالہ جدائی نے انہیں مجھ سے دُور کر دیا ہے۔''

''امی کا قیافہ بھی درست نہیں اور تمہارا خیال بھی ٹھیک نہیں۔'' خاور مسکرا کر بولے۔ ''دراصل بات یہ ہے کہ میں امی کا حکم اس کی طرف منتقل کرنے سے ڈر گیا تھا کہ آتے ہی کام دیکھ کر پھر نہ بھاگ جائے۔ چار دن گزار لے' ذرا ٹک گیا تو پچھلی بھی ساری کسریں نکال لوں گا۔''

''اوئے ہوئے..... مارے گئے آذر میاں!'' آذر نے ہاتھوں میں سر تھام لیا۔ سب بے تحاشا ہنسنے لگے۔

''اچھا امی!'' ثروت اُٹھ کر کھڑی ہوگئی۔ بڑی سیانی' بڑی سمجھدار تھی۔ ''آپ ماں بیٹا بیٹھ کر باتیں کریں اور میں رات کے کھانے کی تیاری کرتی ہوں۔ اور آپ خاور..... سب کو بتا آیئے اور سب کو رات کے کھانے کی دعوت بھی دے آیئے..... رومانہ اور نغمی بچوں اور شوہروں کو ساتھ لائیں۔''

''میری نمائش کا انتظام ہو رہا ہے؟''

''بالکل!'' ثروت ہنس پڑی۔ ''میرا دیور راجہ نمائش کے قابل ہے۔ کیوں نہ لگاؤں۔''

''گاڑی تو یاور لے گیا ہوا ہے۔''

''میں امی! سکوٹر پر چلا جاتا ہوں۔'' خاور نے چپ چاپ بیٹھے ٹوٹو کو اٹھالیا۔ ''چل یار! تجھے بھی تھوڑی سی سیر کرالاؤں۔''

''تم تو اسے بٹوے کی طرح ہر وقت ساتھ لیے پھرتے ہو۔ اس وقت رہنے دو نا اس کا چچا آیا ہوا ہے۔''

''چچا کے ساتھ ذرا اس کی ماں بیٹھ کر دُکھ سکھ کر لے نا..... چھ سال کی جدائی کا ملاپ ہے۔''

خاور ٹوٹو کو لیے باہر نکل گئے اور ثروت' باورچی خانے میں جا کر رات کے کھانے کی تیاری میں مصروف ہوگئی۔

کمرے میں امی اور آذر اکیلے رہ گئے..... امی پھر آذر سے جدائی کی ان جان لیوا گھڑیوں کی بات چھیڑ بیٹھیں' جو کاٹے نہ کٹتی تھیں۔ پھر وہ اس کے متعلق پوچھتی رہیں کہ اس نے انہیں کیسے کیسے یاد کیا تھا اور کیسے اس کا اپنا وقت گزرا تھا۔ بہت ساری باتیں ماں بیٹے نے کیں۔ امی نے نغمی کی شادی کے قصے سنائے۔ رومانہ کے سسرال والے کیسے اچھے تھے۔ ان کے متعلق بتایا۔ ساتھ ہی یہ اعتراف بھی کیا کہ آذر کی وجہ سے جو پہلی منگنی چھوٹی تھی..... وہ کتنی مناسب بات ہوگئی تھی۔

سسرال والوں کے بعد دامادوں کی عادات تفصیل سے بتائیں۔ پھر بہوؤں کا ذکر چھیڑ بیٹھیں کہ ثروت کیسے ان میں گھل مل گئی تھی۔ کس قدر محبت کرنے والی تھی..... اور یاور کے

نصیب میں شگفتہ جیسی جھگڑالو عورت لکھی گئی تھی۔ بیویوں کے ساتھ ساتھ ان کے مزاجوں میں بھی فرق آ گیا تھا۔ خاور بہت خوش مزاج ہو گئے تھے اور یاور سب سے الگ تھلگ ہی رہتے تھے۔

''امی! اور سب کی باتیں آپ نے سنائیں۔ سارے خاندان کے افراد کے متعلق اطلاعات دیں..... مگر اک خالو حبیب کے متعلق آپ نے مجھے کچھ نہیں بتایا..... کیوں؟''

''اوہ!'' امی سراسیمہ سی ہو گئیں۔

''کیوں امی! کیا ہوا؟''

''ان کے گھر میں بڑی تباہی آئی۔''

''کیسی تباہی؟'' آذر بڑے آرام سے صوفے پر نیم دراز تھا..... یکا یک اُٹھ کر بیٹھ گیا ''بتائیے نا امی! کیا ہوا؟''

''صبیحہ بھی مر گئی۔ حبیب بھی اللہ کو پیارے ہو گئے۔''

''اوہ..... کب؟'' آذر کی آنکھوں تلے اندھیرا سا چھا گیا۔

''تین سال ہوئے..... صبیحہ کی موت کی خبر سن کر ہی حبیب کو پہلا دل کا دورہ پڑا..... تین دن بعد جب اس کے قل تھے تو وہ بھی اس کے پاس جا پہنچے۔''

''واقعی سچا پیار تھا دونوں میں۔'' آذر نے آہ بھری۔ ''کیسی کیسی صورتیں خاک میں پنہاں ہو جاتی ہیں..... بہت دکھ ہوا۔ شاید خالو حبیب کی موت میرے لیے زندگی کا سب سے بڑا صدمہ ہے۔''

''سب کو ہی اس کی موت کا بہت صدمہ ہوا..... وہ بہت اچھا انسان تھا۔''

''اور باقی گھر والوں کا کیا حال ہے؟''

''باقی؟'' امی نے کچھ سوچا اور پھر قدرے توقف کے بعد بولیں:

''ناہید کی شادی ہو گئی..... وہ حبیب کی زندگی میں ہی ہو گئی تھی اور پرویز کو ماں کے بے جا لاڈ پیار نے ایسا بگاڑا ہے کہ کئی کئی دن گھر سے غائب رہتا ہے۔ آوارہ گردیاں کرتا ہے۔ شرابیں پیتا ہے۔''

''اور امید.....؟ کیا اس کی بھی شادی ہو گئی..... وہ تو ناہید سے بڑی تھی۔''

''ہائے ہائے.....جس ذکر سے میں بچنا چاہتی تھی، وہی چھڑ گیا نا آخر.....''

''کیوں امی؟ کیا ہوا اسے؟''

''ہونا کیا تھا بیچاری کو.....ہمارے خاندان کے ہاتھوں پاگل ہو گئی۔''

''کیا.....؟''

''تین سال سے ہوش و حواس کھوئے بیٹھی ہے۔''

''یہ کیا کہہ رہی ہیں امی؟ مجھے تفصیل سے بتائیے نا۔''

''تمہیں یاد ہو گا تمہیں نے تو اسے بتایا تھا کہ اس کی ماں حبیبہ نہیں کوئی دوسری عورت ہے۔''

''ہاں امی! یہ ظلم مجھی سے ہوا تھا۔''

''ظلم کیوں.....تم ٹھیک کہتے تھے شروع سے ہی ہمیں اسے بتا دینا چاہیے تھا۔ کسی نہ کسی طرح اسے علم تو ہو ہی جانا تھا۔ اچانک معلوم ہونے سے پھر دیکھو کیا نتیجہ نکلا۔''

''میں نے جب بتایا تھا اس وقت.....؟''

''نہیں.....تمہاری بات کا تو اس نے یقین ہی نہیں کیا تھا اور کچھ اس وقت حبیب اور حبیبہ نے اسے تسلی دلاسے دے کر بہلا لیا تھا۔ اسے اندازہ تو بہت عرصہ بعد ہوا کہ تم ٹھیک کہتے تھے۔''

''کب اور کیسے امی؟'' آذر نے بڑی بیتابی سے پوچھا ''مجھے سب کچھ جلدی جلدی بتائیے نا۔''

''تمہارے بڑے ماموں غفار اور ان کی بیوی بختیار کے رشتے کے لیے حبیبہ کے پاس گئے۔''

''امید کے ساتھ نا؟''

''ہاں۔''

''بختیار بھائی تو بڑے قابل تھے.....انجینئرنگ کی تھی نا انہوں نے؟''

''ہاں۔''

"امید کے لیے ان کا رشتہ تو بہت اچھا تھا..... ان کی بھی عادات امید ہی جیسی تھیں۔ کم گو اور بااخلاق۔"

"ہاں..... اور امید کو بھی یہ رشتہ نامنظور نہ تھا۔ تم جانتے ہی ہو۔ تمہاری مامی امید کو بہت پیار کیا کرتی تھیں۔"

"جی ہاں..... خوب صورت ہونے کی وجہ سے ہر ایک کے دل کو بھا جایا کرتی تھی۔"

"اور بھابی کے دل میں بھی یہی تھا کہ امید سارے گنوں پوری ہے۔ خوب صورتی' سلیقے کے ساتھ ساتھ بینک بیلنس کی بھی مالک ہے۔"

"بینک بیلنس؟"

"ہاں! صبیحہ لیکچرر تھی۔ ساتھ کئی ٹیوشنیں رکھی ہوئی تھیں۔ اتنی محنت صرف امید کی خاطر کرتی تھی۔ اپنا خرچہ نکال کر باقی باقاعدگی سے ہر ماہ امید کو بھیج دیا کرتی تھی۔ اچھی خاصی رقم بھیجتی تھی۔ اس میں سے حبیبہ کچھ تو گھر میں خرچ کر لیا کرتی تھی' باقی بینک میں جمع کراتی رہی۔"

"امید کے لیے؟"

"ہم سب کو تو یہی علم تھا' مگر حبیبہ کو اولاد کی محبت اور روپے کے لالچ نے خدا کا خوف بھلا ڈالا۔ اس نے کچھ رقم پرویز کے نام کر دی اور کچھ سے ناہید کے لیے بڑا قیمتی اور بڑا شاندار جہیز بننے لگا۔"

"اور امید کا؟" آذر نے بے چینی سے پوچھا۔ "امید کے لیے کچھ نہیں؟"

"امید کی تو شادی کرنے کا فی الحال اس کا ارادہ ہی نہ تھا شاید..... ہوتا بھی کیسے؟ امید سسرال چلی جاتی تو صبیحہ کی طرف سے وظیفہ آنا بند ہو جاتا۔"

"اوہ..... یہ دنیا بڑی ظالم ہے۔"

"ظالم سی ظالم..... سنو تو سہی۔ جب بڑی بھابی بختیار کے رشتے کے لیے گئیں تو حبیبہ نے باتوں باتوں میں سب کچھ بتا دیا کہ ناہید کے لیے ایسا قیمتی جہیز تھا اور یہ کچھ تھا۔ بڑی بھابی نے امید کا پوچھا تو اس کے متعلق یہ کہہ کر ٹال دیا کہ وہ شادی ہی نہیں کرانا چاہتی۔"

"بڑی مامی نے یقین کر لیا؟"

''تمہیں تو پتہ ہی ہے۔ بڑی مامی خود بڑی لالچی عورت ہے۔ ناہید کا جہیز دیکھ چکی تھی۔ امید کا پیار سب قیمتی قیمتی چیزوں اور نقد کی چمک دمک کے سامنے ماند پڑ گیا۔ بھابی کی توجہ کا مرکز اسی وقت ناہید بن گئی۔ فوراً اس کا رشتہ طلب کیا۔ حبیبہ کی دلی مراد بر آئی.....چٹ منگنی پٹ بیاہ ہو گیا۔''

''شادی بھی ہو گئی؟''

''بختیار جیسا رشتہ حبیبہ کو بھلا کبھی مل سکتا تھا۔ اس نے تو ایک دن' ایک گھنٹہ دیر نہیں کی اور امید سب کچھ دیکھ رہی تھی۔ سمجھ رہی تھی۔ چھوٹی بہن بیاہی گئی۔ وہ بیٹھی رہ گئی۔ اسے اس بات کا بڑا صدمہ تھا۔ اس کے بعد اس نے حبیبہ سے جیسے سارے تعلقات منقطع کر لیے تھے۔ باپ سے بھی بہت کم ہی بولتی چالتی تھی۔''

''مجھے حیرت ہے۔ خالو حبیب نے بھی اس ظلم کے خلاف آواز نہ اٹھائی؟''

''حبیبہ بڑی سخت عورت ہے آذر.....میری سگی بہن ہے' لیکن پھر بھی میں یہ کہہ رہی ہوں.....حبیب کو اس کے سامنے دم مارنے کی ہمت نہ تھی۔''

''ہاں! خالو کو خالہ کے سامنے زبان کو قفل لگائے تو میں نے بھی اکثر دیکھا تھا۔ یہی تو میں حیران ہوں کہ ایسا کیوں تھا؟''

''ماں نے قسمیں ڈالی ہوئی تھیں۔ تبھی وہ کبھی کچھ نہیں بولتے تھے۔''

''خالو جان کی ماں نے؟''

''ہاں!''

''پھر!''

''اپنے ساتھ ایسا سلوک دیکھ کر ہی پھر امید نے سوچنا شروع کیا کہ ایک بار جو بات تم نے اس کے کان میں ڈالی تھی' کیا وہ واقعی درست تھی۔ ثروت سے پوچھا۔ مجھ سے پوچھا۔ مگر ہم نے ٹال دیا۔''

''کیوں نہیں بتایا؟''

''کہیں ان کے گھر میں فساد نہ مچے.....کہیں اس دُکھیاری کا دل نہ ٹوٹے.....مگر ہونی

ہو کر ہی رہتی ہے۔ اس دن مسز نیازی حبیبہ کے پاس پھر صبیحہ کا پیغام لے کر آئی تھی۔ حبیبہ گھر میں نہیں تھی۔ مسز نیازی نے ماں کا پیغام بیٹی ہی کو دے دیا۔ تب وہ اسی وقت اس کے ساتھ چلنے کو تیار ہو گئی۔ مسز نیازی بھی پڑھی لکھی عورت تھی۔ حبیبہ کی اجازت کے بغیر اسے ساتھ لے جانا مناسب نہ سمجھا۔ لیکن حبیبہ کی واپسی کے انتظار میں رُک ضرور گئی۔ حبیبہ واپس آئی تو اس نے امید کو ماں سے ملنے کے لیے جانے کی اجازت نہ دی۔ تب امید کو بھی غصہ آ گیا۔''

''کیسی عجیب اور کیسی دردناک کہانی ہے۔'' آذر بڑبڑایا۔

''اسے کبھی غصہ نہیں آیا تھا، مگر اس دن آ گیا۔ زبان سے پھر بھی کچھ نہیں بولی بس مسز نیازی کے ساتھ ماں کو ملنے چلی گئی۔ صبیحہ کا دم شاید بیٹی ہی کے لیے اٹکا ہوا تھا۔ اس کی تو زبان بھی بند ہو چکی تھی۔ سنا ہے پورا ایک گھنٹہ بیٹی کو سامنے بٹھائے ایک ٹک دیکھتی رہی۔ کبھی ہونٹوں پر ہلکی سی مسکراہٹ پھیل جاتی اور کبھی آنکھوں سے آنسو رواں ہو جاتے اور پھر اسی عالم میں اس نے جان جانِ آفرین کے سپرد کر دی۔''

آذر مرد ہوتے ہوئے بھی صبیحہ کی داستان سن کر لرز اٹھا۔

''پھر کیا ہوا امی؟''

''اب وہاں امید کے لیے کچھ بھی نہیں رہ گیا تھا۔ لٹی پٹی واپس باپ کے گھر آ گئی۔ تیسرے دن وہ بھی ساتھ چھوڑ گئے۔ بس اسی دن سے امید ہوش و حواس کھوئے بیٹھی ہے۔ نہ تن کا ہوش ہے نہ کھانے پینے کا نہ پہننے اوراوڑھنے کا۔''

''اوہ! یہ تو بڑی بری خبر آپ نے سنائی۔''

''آذر کتنی ہی دیر خاموش بیٹھا رہا۔ صبیحہ اور امید کی داستان اور خالو حبیب کی یاد نے اتنا ویران اور اتنا بے سہارا سا کر دیا تھا کہ کسی سے بات کرنے کو جی نہیں چاہ رہا تھا۔ آنکھیں میچ کر صوفے پر ہی چپ چاپ پڑ گیا۔

امی نے سمجھا سفر سے آیا تھا آرام کرنا چاہتا تھا۔ چپکے سے اُٹھیں اور ثروت کا ہاتھ بٹانے کے لیے باورچی خانے میں چلی گئیں۔ آذر نے انہیں بھی جاتے ہوئے نہیں روکا۔ اس وقت کسی کا وجود اسے سہارا نہیں دے رہا تھا۔

شام ہوتے ہوتے گھر بھر گیا۔ سب سے پہلے ابا شادی سے لوٹے۔ پھر رومانہ اور نغمی اپنے اپنے بچوں اور شوہروں کے ساتھ آ پہنچیں۔ یاور اور شگفتہ بھی آ گئے۔ بڑی گہما گہمی تھی۔

آج کی اس خوشیوں کی برات کا دولہا آذر تھا۔ سب اسے بہت پیار سے بہت خلوص سے ملے۔ ڈھیروں ڈھیر باتیں ہوئیں۔ گلے شکوے ہوئے..... اور ہنسی مذاق ہوا۔

آذر کو دونوں بہنوئیوں اور دونوں بھابیوں نے بے حد پسند کیا۔ نغمی کے شوہر نثار نے تو علی الاعلان کہہ دیا کہ آذر قابلیت' اخلاق' وجاہت' غرض ہر لحاظ سے اس سارے خاندان کے مردوں میں سے نمبر ایک تھا۔ خوش قسمت تھے وہ والدین اور بہنیں اور بھائی جنہیں خدا نے ایسا بیٹا اور بھائی دیا تھا۔

چھوٹے موٹے بڑے سب بچے بھی اس سے ملے۔ چند منٹوں میں ہی وہ ان سب میں بھی ہر دلعزیز ہو چکا تھا..... اور سارے کے سارے بھنوروں کی طرح اسی کے اردگرد چکر کاٹ رہے تھے۔

کھانے وغیرہ سے فارغ ہو کر رات کے بارہ بجے کے قریب سب اپنے اپنے گھروں کو سدھار گئے تو وہ بھی اپنے کمرے میں آیا۔ وہی کمرہ تھا۔ مگر بڑا صاف ستھرا اور نئے فرنیچر اور سامان سے آراستہ۔

نواڑی پلنگ کے بجائے اب وہاں سپرنگ دار نرم و گداز پلنگ بچھا تھا۔ بڑا خوب صورت مخملیں صوفہ سیٹ ان دو پرانی سی کرسیوں کی جگہ سجا تھا۔ ایک طرف کونے میں رائٹنگ ٹیبل لگی تھی۔ اس کے جانے کے بعد کمرے کی ایسی آرائش کرنے کا کیا فائدہ تھا جبکہ وہ ساری زندگی ایسی چیزوں کے لیے ترستا رہا۔ آذر کو ہنسی آ گئی۔

الماری کھولی اس میں اس کے کپڑے اسی طرح کچھ دھو دُھلا کر استری کر کے رکھے ہوئے تھے اور کچھ ہینگروں پر ٹنگے ہوئے تھے۔ ساتھ لائے ہوئے ملبوسات الماری میں رکھنے کے بعد آذر سونے کے لیے پلنگ کی طرف بڑھا۔ بیڈ کور کو ہٹاتے ہی وہ اُچھل پڑا۔ وہاں بالکل ویسا ہی لحاف پڑا ہوا تھا' جو خالو حبیب نے اسے سلوا کر دیا تھا اور جسے وہ اِک مفلس کو دے آیا تھا..... کتنی عجیب بات تھی۔

وہ کھڑا حیران ہی ہو رہا تھا کہ ثروت اندر آ گئی۔

''بھابی! یہ لحاف..... یہ کس نے بنایا؟''

''میں نے خود..... اپنے ہاتھوں سے!''

''آپ نے؟'' آذر نے بے یقینی سے اسے دیکھا۔

''ہاں.....؟''

''آپ کو کیسے علم ہوا کہ ایسا لحاف.....'' اور آذر چپ سا ہو گیا۔

''.....میں سب کچھ جانتی ہوں آذر!'' ثروت نے اس کی نامکمل بات بھی سمجھ لی تھی۔
''اور یہ بھی کہ جس وقت تم آئے تھے تو اس وقت بہت خوش تھے اور اب..... تم کچھ چپ چپ سے ہو۔''

''نہیں تو.....!''

''دیکھو بھیا! مجھ سے کچھ چھپانے کی کوشش نہ کرنا..... میں دلوں کے بھید جان جایا کرتی ہوں۔''

''دلوں کے؟'' آذر ہنسنے لگا۔ ''بتائیے بھلا میرے دل میں کیا ہے؟''

''تمہارے دل میں؟'' ثروت کسی نجومی کی طرح کچھ دیر تک غور و فکر میں ڈوبی کھڑی رہی، پھر بولی ''اس وقت تو پریشانی لاحق ہے بچہ!''

''مان گیا نجومی بابا۔'' آذر مسکرا پڑا۔

''ہاں تو اب بتاؤ کیا ہوا؟''

''امی نے امید کی ساری داستان سنائی تھی اور ساتھ خالو حبیب کی وفات کا سنا تو اسی وجہ سے دل کچھ افسردہ سا ہو گیا تھا۔''

''خالو حبیب بہت اچھے انسان تھے اور تمہارا یہ لحاف مجھ سے انہوں نے ہی بنوایا تھا۔ خود کپڑا وغیرہ خرید کر لائے تھے۔''

''خالو حبیب نے؟''

''ہاں..... مرنے سے چند دن پہلے..... وہ اکثر تمہیں بہت یاد کیا کرتے تھے۔ اور تمہارا

انہوں نے انتظار بھی بہت کیا۔ تقریباً روز ہمارے ہاں آیا کرتے تھے۔ صرف تمہارے متعلق پوچھنے کی خاطر کہ تمہارا کوئی اتہ پتہ ملا یا نہیں؟''

ثروت نے کچھ اتنے مؤثر انداز میں سب کچھ بتایا کہ آذر سسکیاں لے لے کر رو پڑا۔

''کاش! خالو جان آپ آج کے دن تک زندہ رہتے۔ میں آپ سے معافی تو مانگ لیتا۔''

ثروت بڑی دیر تک اس کا سر اپنے ساتھ لگائے سہلاتی رہی اور اسے تسلی اور دلاسے دیتی رہی..... پھر اس نے اسے امید کی بہت ڈھیر ساری باتیں سنائیں۔

سارے خاندان میں صرف ایک ثروت کے ساتھ اس کی دوستی تھی، جو بڑی مختصر مدت رہی۔ مگر بڑی گہری اور پرخلوص تھی۔ وہ ثروت کو کہا کرتی تھی کہ اس پورے خاندان میں اگر کوئی اس کا ہمدرد تھا، تو وہ صرف آذر تھا۔

مگر وہ خود بہت بری تھی جو اس کے خلوص کو پہچان ہی نہ سکی۔ اس نے کبھی اس کی کسی بات کا اعتبار نہیں کیا تھا۔ کبھی اس کا کہنا نہیں مانتی تھی۔ اسے ہمیشہ ظالم اور بے درد ہی جانا..... ہائے! وہ کتنی بری تھی۔

امید کے متعلق یہ سب سن کر آذر کچھ اور دُکھی ہو گیا۔

''بھابی! مجھے ذرا تفصیل سے بتایئے کہ اس کی حالت کیسی ہے؟''

''بظاہر تو ٹھیک ٹھاک ہے۔ میرا مطلب ہے اسی طرح خوب صورت.....''

''ہاں! خوبصورتی اسے ماں سے ورثے میں ملی ہے۔''

''نصیب بھی تو ماں ہی کے لے لیے..... بیچاری!''

''باپ کے کون سے اچھے نکلے؟'' ان کے ذکر سے جیسے اس کا دُکھ کم ہوتا تھا۔

''توبہ، توبہ! کیسے ساری زندگی دو چاہنے والوں نے ایک دوسرے کی جدائی میں کاٹی۔ یہ اندازہ تو اس وقت ہوا کہ دونوں میں کتنی محبت تھی۔ جب امید کی امی کے بعد تیسرے دن ہی خالو حبیب بھی سدھار گئے۔''

''خالہ حبیبہ کا کیا حال ہے؟''

''ان کا کیا ہوگا؟ اپنے کیے کی بھگت رہی ہیں۔ ویسے دیکھنے والا نظارہ تھا۔ جب خالو حبیب کی میت پڑی تھی۔ خالہ حبیبہ کے بین سارے گھر میں گونج رہے تھے۔ انہیں خالو حبیب کی موت سے زیادہ یہ دکھ تھا کہ اب اگلے جہان میں وہ دونوں اکٹھے ہوں گے۔''

''ویسے مولیٰ کے کام نرالے ہیں۔ ساری زندگی خالہ حبیبہ خالو کو صبیحہ سے چھپاتی پھریں اور دونوں کا ملاپ کیسے موت نے چپکے سے کرا دیا۔ وہ کچھ بھی نہ کر سکیں۔''

''یقین کرنا آذر! جنازہ ہی نہیں اٹھنے دے رہی تھیں کہ صبیحہ وہاں پہلے پہنچ چکی ہیں۔''

''توبہ' توبہ!! کیسے کیسے دکھ انسانوں کو ملتے ہیں۔'' آذر نے ٹھنڈا سانس بھر کر کہا۔

''اچھا..... اس وقت بہت دل کا بوجھ ہلکا ہو گیا۔ اب تم آرام کرو۔''

''میں نے آپ سے امید کے متعلق پوچھا تھا بھابی!''

''بتایا تو ہے' بظاہر ویسی کی ویسی ہے۔ لیکن ہوش و حواس کوئی نہیں۔ کسی کو بھی نہیں پہچانتی۔ بس خاموش رہتی ہے ہر وقت۔ اس وقت کے بعد اس نے اک بات نہیں کی۔ کسی قسم کے پاگل پن کی بھی نہیں۔''

''شور و غل وغیرہ تو نہیں مچاتی..... یا پھر کپڑے وغیرہ پھاڑ دیتی ہو؟''

''بالکل نہیں! تمہیں بتایا نا لگتا ہے جیسے گونگی ہو چکی ہے۔ کھانے کو دے دیا تو کھا لیا ورنہ ہفتہ ہفتہ بھر بغیر کھائے پیئے گزار دیتی ہے۔ ہاں البتہ خالہ حبیبہ سامنے آ جائے تو اس کی حالت عجیب سی ہو جاتی ہے۔ دونوں ہاتھ بڑھا کر ان کی طرف یوں لپکتی ہے جیسے گلا گھونٹ دے گی ان کا۔ اس لیے اکثر اسے اس کے کمرے میں بند رکھا جاتا ہے۔''

''اور اس کی دیکھ بھال کون کرتا ہے؟''

''خالہ حبیبہ کھانا وغیرہ پکا چھوڑتی ہیں' پھر کسی نہ کسی کے ہاتھ اس کے کمرے میں بھجوا دیتی ہیں۔ خود سامنے جانے سے ڈرتی ہیں نا..... کھانے کے علاوہ لباس وغیرہ کا مسئلہ رہ جاتا ہے۔ وہ پانچویں ساتویں روز کپڑے دھونے والی مائی غسل کرا کے تبدیل کرا دیتی ہے۔ یہ کام سب سے مشکل ہوتا ہے۔''

''خالہ حبیبہ کو اس کا کوئی دکھ ہے؟ کوئی پشیمانی.....؟''

’’پہلے تو بالکل کوئی احساس نہیں تھا مگر جب سے ناہید نے ماں کی طرف سے لاپروائی برتنا شروع کی ہے اور پرویز نے بری صحبت میں پڑ کر ماں کو ستانا شروع کر دیا ہے‘ تو اب.....امید کے لیے دُکھی ہوتی ہیں۔ کہتی ہیں جس اولاد کے لیے اس غریب کے حقوق پر ڈاکہ ڈالا‘ اسے پاگل کیا‘ وہی اولاد بے فیض اور بے وفا نکلی۔‘‘

’’کیا کرتے ہیں دونوں بہن بھائی؟‘‘

’’ماں کو پوچھتے تک نہیں۔ پرویز نے تو شراب اور جوئے میں گھر کی خاک تک اُڑا دی ہے۔ جتنا اس کے نام بینک میں تھا‘ سب اجاڑ دیا.....اور اب کئی بار جب ضرورت ہوتی ہے تو ماں کو پیٹ ڈالتا ہے۔ ذرا عزت نہیں کرتا اور ناہید اتنا قیمتی جہیز وغیرہ لے کر ایسی گئی ہے کہ ملنا تو ایک طرف رہا‘ کبھی خیریت کا خط تک نہیں لکھا۔ بختیار بھائی کا تبادلہ حیدر آباد ہو گیا ہے۔ ساس کے ساتھ اس کا سلوک اچھا نہیں ہے۔ خود اپنی ماں سے نہیں ملتی اور شوہر کو اس کے والدین سے نہیں ملنے دیتی۔ بڑی مامی آٹھ آٹھ آنسو روتی ہیں۔ وہ بھی اب امید کو یاد کرتی ہیں.....اور امید کو یہ بھی ہوش نہیں کہ وہ ظلم کا انجام اپنی آنکھوں سے دیکھ لے۔‘‘

’’ہائے.....! پورے کا پورا خاندان کیسے تباہ ہوا۔ چلو خالو حبیب اور صبیحہ تو عمریں گزار چکے تھے۔ امید کے ساتھ تو ایسا نہ ہوتا۔ مجھے اس کی حالت کا سن کر سب سے زیادہ دکھ ہوا ہے۔ واقعی بھابی! سارے خاندان میں سب سے زیادہ خوب صورت اور سلیقہ مند تھی وہ.....کل جاؤں گا ان کے گھر!!‘‘

آذر کی آنکھیں بار بار بھیگی جا رہی تھیں اور وہ بار بار پونچھ رہا تھا۔

’’کاش! میں اس کے لیے کچھ کر سکتا۔‘‘

’’کچھ کیا.....بہت کچھ کر سکتے ہو۔ ماہر نفسیات ہو۔ اس کے پاگل پن کا علاج کر دو۔‘‘

’’مگر میں تو صرف دو مہینے کے لیے پاکستان آیا ہوں اور ان میں سے بھی لاہور صرف پندرہ دن رہوں گا۔ پندرہ دن میں شاید علاج مکمل نہ ہو سکے۔‘‘

’’اور چھٹی لے لینا۔‘‘

’’اور چھٹی.....؟ نہیں نہیں!!‘‘ اسے اپنی طوبیٰ یاد آ گئی۔ اس سے وعدہ کر کے آیا تھا کہ

پورے دو مہینے بعد وہ واپس اس کے پاس پہنچ جائے گا۔ کچھ ہو جائے وہ اس کے ساتھ وعدہ خلافی نہیں کر سکتا تھا۔

''دیکھو آذر! امید خاندان کی سب سے زیادہ خوبصورت لڑکی ہے۔ اسے ٹھیک کردو۔ پھر بھیا! تمہارا ابھی تو رشتہ ہمیں کرنا ہے۔ اس سے بہتر یا اس جیسی ہی خاندان میں اور کوئی لڑکی نہیں ہے۔''

''نہیں، بھابی! نہیں..... یہ نہیں ہوسکتا۔''

''کیوں نہیں ہوسکتا..... میں جو وعدہ کر رہی ہوں..... میں..... تم نہیں جانتے۔ بہت مانی جاتی ہوں خاندان میں۔''

آذر ثروت کی اس بات پر ہنس پڑا۔

''مانا میں بھی بہت جاتا تھا بھابی! مجھ سے زیادہ آپ کیا مانی جاتی ہوں گی۔'' آذر نے جیسے اپنے آپ پر خود ہی طنز کیا۔

''تو چلو پھر خود ہی اس کا ہاتھ مانگ لینا۔''

آذر پھر ہنس پڑا۔ ''میں اس لیے تو نہیں کہہ رہا تھا۔''

''پھر.....؟''

''میں اس کا علاج ضرور کرتا لیکن کسی لالچ کی خاطر نہیں۔''

''برا لالچ بھی تو نہیں..... غیر فطری بات بھی تو نہیں۔''

ثروت نے جب بہت اصرار کیا تو آخر آذر خاموش نہ رہ سکا۔

''بھابی! میں نے اپنے لیے لڑکی منتخب کرلی ہوئی ہے۔''

''ارے سچ!'' ثروت اچھل سی پڑی۔ ''تم تو چھپے رستم نکلے۔''

ثروت نے جلدی جلدی بغیر سانس لیے کئی سوال کر ڈالے۔

''کون ہے وہ.....؟ کیسی ہے.....؟ کہاں کی رہنے والی ہے؟ اپنی ہم مذہب ہے یا.....؟''

تب ثروت سے رازداری کا وعدہ لے کر اس نے طوبیٰ کی اور اپنی محبت کی پوری

داستان اس کے سامنے کھول کر رکھ دی۔ ساتھ ہی طوبیٰ کی تصویریں بھی دکھائیں۔ کچھ اکیلی کی تھیں' کچھ اس کے ساتھ تھیں۔ بہت خوبصورت رنگوں میں تھیں۔ چہروں پر بڑے میٹھے پیارے پیارے' جذبوں کی یلغار تھی۔ آذر نے کچھ نہ بھی بتایا ہوتا تو چہروں سے سب کچھ معلوم ہو رہا تھا۔

''بڑی پیاری لڑکی ہے۔'' ثروت نے اسے مبارکباد دیتے ہوئے طوبیٰ کی بیشمار تعریفیں کر ڈالیں۔ دیور کو بڑے پیارے پیارے سے مذاق کیے۔

آذر مسکراتا رہا..... آذر خوش ہوتا رہا۔ اس کی طوبیٰ کی تعریفیں ہو رہی تھیں۔ جذبے کچھ اور گہرے اور شدید ہوتے ہوئے محسوس ہو رہے تھے۔ کسی سے محبت کرنے میں جو سکون' لذت اور خوشی ملتی ہے وہ کچھ اور بھی سوا ہوئی جا رہی تھی۔

''اچھا بھابی! اب پلیز کسی اور کے سامنے کوئی بات نہیں کیجیے گا۔''

''مگر کیوں؟ کیا ہم سے چوری شادی کرنے کا ارادہ ہے؟''

آذر ہنس پڑا ''آپ کو بتانے کے بعد بھی آپ سے چوری شادی کروں گا؟ بڑی بھولی ہے میری بھابی۔''

''پھر.....؟''

''ابھی طوبیٰ کے والدین سے بات نہیں ہوئی۔''

''تو کیا ان کی طرف سے انکار کا خدشہ ہے؟''

''نہیں! ایسی تو کوئی بات نہیں۔ پھر بھی ہمارا فرض تو ہے۔''

''ہاں.....اور.....بفرضِ محال اگر انہیں کوئی اعتراض ہوا.....''

''تو پھر بھابی! آپ کا دیور جیتے جی مر جائے گا۔ طوبیٰ کے بغیر میں زندگی کا تصور بھی نہیں کر سکتا بھابی۔''

''سچ مچ اتنا اس سے پیار ہے؟''

''اس سے بھی زیادہ بھابی! آپ کی سوچ سے بھی کہیں زیادہ۔''

''خدا تمہاری محبت کو کامیاب کرے۔ خدا تم دونوں کو سلامت رکھے۔''

اس کی کومل سی بھابی بڑی بوڑھیوں کی طرح اسے دعائیں دینے لی۔ پھر یکایک مسکرائی۔

''اچھا دیور راجہ! بہت رات ہوگئی' اب سو جاؤ اور خواب میں اپنی طوبیٰ سے ملاقات کرو۔''

''شکریہ بھابی!'' آذر نے بڑے پیار سے ثروت کی طرف دیکھا۔

''شب بخیر!'' ثروت نے اسے کمبل اوڑھایا۔

''شب بخیر!''

وہ کمرے سے نکل گئی اور آذر طوبیٰ ہی کے تصورات میں کھویا کھویا خوابوں کی دنیا میں' جو کہ صرف اور صرف اس کی اور طوبیٰ کی تھی.....چلا گیا۔

چہرے پر رنگ اور نور بکھرے تھے.....بھرے بھرے خوبصورت ہونٹوں پر مسکراہٹیں ہی مسکراہٹیں تھیں اور.....اس کی معصومیت بھری وجاہت اور بھی نکھر اُٹھی۔

''آذر بیٹے! کہیں جا رہے ہو؟'' امی نے اک نمایاں سی بے تابی کے ساتھ پوچھا۔ بیٹے کی چھ سال کی جدائی نے من میں یوں ہول سا بھر دیا تھا کہ لمحہ بھر کے لیے بھی اسے اب نگاہ سے اوجھل کرنے کو دل نہیں چاہتا تھا۔

''جی ہاں!''

''کہاں؟''

''سوچ رہا تھا ذرا خالو حبیب.....اوہ!'' بات ادھوری چھوڑتے ہوئے آذر نے بڑے دُکھ سے ہونٹ بھینچ لیے۔

''ہاں ہاں.....خالو حبیب کا کیا ذکر تھا؟''

''کچھ نہیں.....ان کا اب کیا ذکر.....'' آذر نے اک ٹھنڈا سانس بھرا۔ ''میرا مطلب تھا خالہ حبیبہ کو مل آؤں۔''

''امید کے متعلق میں نے تمہیں بتایا تھا نا؟'' امی کا حافظہ اب پہلے جیسا نہیں رہ گیا تھا۔ بہت جلد بات بھول جاتی تھیں۔

''جی ہاں.....آپ نے بھی اور بھابی نے بھی.....اسی کی خاطر جا رہا ہوں' ورنہ یہ تو آپ بھی جانتی ہیں خالہ حبیبہ سے مجھے کبھی کوئی خاص اُنس یا لگاؤ نہیں رہا۔''

''ہاں۔''

''تو بس سچی بات یہ ہے کہ امید کے لیے ہی جا رہا ہوں۔''

''ضرور جاؤ!'' امی نے بھی اِک آہ بھری۔ ''اس لڑکی کا جب خیال بھی آتا ہے تو گردن ندامت سے جھک جاتی ہے۔ بیچاری ساری زندگی ہمارے خاندان کو اپنا ننھیال سمجھتی رہی۔ اسی طرح ہم سب سے پیار کرتی رہی..... مگر بدلے میں ہم نے اسے کیا دیا...... دیوانگی..... سدا کا پاگل پن..... خاموشیاں..... ویرانیاں!!''

امی بڑبڑاتی رہیں اور آذر تیار ہو کر خالو کے گھر چلا گیا۔ وہی گھر تھا جہاں بہاریں ہی بہاریں ہر وقت رقصاں رہتی تھیں۔ اب اِک کھنڈر سا دکھائی دے رہا تھا۔

اکثر جب وہ خالو سے ملنے جایا کرتا تھا' امید باہر ہی پھولوں اور پودوں کو پانی دیتی ہوئی مل جایا کرتی تھی۔ بڑے خوب صورت خوب صورت پھول اس نے لگا رکھے تھے۔ اپنے نازک نازک ہاتھوں سے کیاریاں بنایا کرتی تھی۔ یہ بڑے بڑے گملے اُٹھا کر کبھی ادھر سے ادھر رکھ دیتی اور کبھی ادھر سے ادھر!!

ہر چار چھ مہینے بعد اپنے باغیچے کا نقشہ بدل ڈالا کرتی تھی۔ برآمدے کے ستونوں کے ساتھ عشق پیچاں کی بیلیں لپٹی ہوتی تھیں۔ اس کے اپنے کمرے کی کھڑکی میں جوہی اور موتیا بہار دکھایا کرتا۔ ہر نیا موسم نئے نئے رنگ اور نئی نئی خوشبوئیں لے کر ان کے گھر میں اترا کرتا تھا۔

چھوٹا سا گھر تھا' چھوٹا سا باغیچہ تھا' مگر پھر بھی وہاں اتنی خوبصورتی ہوا کرتی تھی کہ آذر اکثر اپنی کتابیں وہاں لے جاتا اور اِک کنج میں بیٹھ کر پڑھا کرتا۔ پھولوں کی مہک اور نم مٹی کی سوندھی سوندھی خوشبو دماغ کو ایسی تازگی بخشتی کہ اسے سب کچھ بڑی اچھی طرح حفظ ہو جاتا۔

پھر اکثر خالو کا گھر دیکھ کر اسے اپنے گھر والوں پر غصہ آنے لگتا کسی میں بھی ایسا نفیس اور لطیف سا شوق نہ تھا۔ آذر نے کبھی پھول لگانے کی کوشش کی بھی تو سب بہن بھائیوں نے مذاق ہی اڑایا۔

ان کے شوق' ان کے مشغلے بالکل مختلف تھے۔ اس لیے آذر اپنے گھر میں ایسے خوشگوار ماحول اور معطر فضا کے لیے ترستا ہی رہا۔ خالو کے گھر جانے سے اس کے اس ذوق کی کچھ تسکین ہو تو جایا کرتی تھی' مگر وہ پھر خالو کا گھر تھا اپنا تو نہیں!!

اور آج..... یہ وہی اس کا آئیڈیل گھر تھا۔ مگر اب خزاؤں نے اس پر پورا پورا قبضہ جما

رکھا تھا۔ کوئی پھول نہیں تھا وہاں۔ سوکھی سوکھی ٹہنیاں جھاڑ اور جھنکار کی طرح پھیلی بکھری ہوئی تھیں۔ بیلیں سوکھ چکی تھیں۔ ان کے ہرے ہرے پتے مرجھا کر ٹہنیوں سے علیحدہ ہو گئے تھے اور ادھر ادھر اڑتے پھرتے تھے۔

اسے یاد آیا..... مرجھایا ہوا اک پتا بھی کبھی اس نے وہاں گرا ہوا نہ دیکھا تھا۔ امید اپنے ہاتھوں سے پیلے پیلے' سوکھے سوکھے پتوں کو ٹہنیوں سے علیحدہ کر کے' بکھرے ہوئے جو ہوتے تھے انہیں اکٹھا کر کے' اک گڑھے میں ڈال دیا کرتی تھی۔

''سوکھے پتوں کی کھاد بہت اچھی ہوتی ہے آذر بھائی!''

وہ کم عمری میں ہی یہ سب خود بھی جانتی تھی اور اسے بھی بتایا کرتی تھی۔

''تم بھی اپنے باغیچے کے لیے اسی طرح کھاد تیار کیا کرنا۔''

''میرا باغیچہ کبھی نہیں بن سکتا امید! کبھی نہیں!! خاور بھائی جان اور رومانہ آپا کی خواہش پر ابا وہاں پکا صحن بنوا رہے ہیں۔''

''کیوں؟''

''پتہ نہیں کیوں؟'' وہ کچھ جھنجلا کر بولا تھا ''بڑے غلط بھی کہیں گے تو ابا مانیں گے۔ ہماری کون سنتا ہے۔ گھر کے چھوٹے بچے تو بس فالتو ہی ہوتے ہیں۔ ان کا شوق اور مرضی کب کوئی دیکھتا ہے۔''

وہ بڑی حسرت سے اس کی چھوٹی سی پر بہار پھلواری کو دیکھنے لگا تھا۔ اور اب..... وہی چھوٹی سی پھلواری خزاں کی زد میں آئی ہوئی تھی۔ ان کے پکے صحن سے بھی زیادہ بدنما لگ رہی تھی۔

اس نے اک آہ بھرتے ہوئے یہ سب کچھ دیکھا اور آگے بڑھتا چلا گیا..... گھر میں ہر طرف سناٹا تھا۔ کوئی آہٹ کوئی آواز نہ تھی۔ برآمدے میں سے گزر کر اس نے کاریڈور کے دروازے پر دستک دی۔

''کون؟'' خالہ حبیبہ نے آ کر دروازہ کھولا۔

پہلی نگاہ میں وہ انہیں پہچان ہی نہ سکا۔ بال بہت سفید ہو گئے تھے اور چہرے پر جھریوں نے اک جال سا بچھا رکھا تھا۔ آذر کی امی سے وہ عمر میں بہت چھوٹی تھیں' مگر ان سے

کہیں بوڑھی لگ رہی تھیں۔

''کون؟'' کتنی ہی دیر آذر کو بغور دیکھتے رہنے کے بعد بھی وہ پہچان نہ سکیں۔

''یہ میں ہوں خالہ جان! آذر!!''

اور اس لمحے زندگی میں پہلی بار اسے خالہ کے ساتھ کوئی لگاؤ محسوس ہوا۔ ان کی ہمدردی دل میں اتری۔ دکھ بھی انسان کو شاید ایک دوسرے کے قریب کر دیتے ہیں۔ آذر نے خالہ کے گلے میں باہیں ڈال دیں۔

''آذر ہے؟ آذر.....؟'' خالہ اسے بھینچ بھینچ کر پیار کرنے لگیں اور ساتھ ہی رونے لگیں۔

''حبیب نے تمہیں کتنا یاد کیا ہے آذر.....تم کہاں چلے گئے تھے.....؟'' خالہ اس کا جواب سنے بغیر اک مجذوب کی طرح بولے ہی چلی گئیں۔

''اور اب.....تم آئے ہو تو تمہارا دوست جا چکا ہے۔ تمہیں اس کی یاد بھی نہ آئی..... اس کا خیال بھی نہ آیا.....وہ روٹھ گیا ہم سب سے!!''

امید کے حالات کی وجہ سے خالہ حبیبہ کے ساتھ اسے بڑی شکایات تھیں۔ مگر اس لمحے خالہ کی اجڑی حالت دیکھ کر کوئی بھی شکایت باقی نہ رہی.....وہ تو خود ہی اپنے کیے کی سزا بھگت رہی تھیں.....پھر وہ کیا کہتا.....؟ مرے پر سو درّے کا فائدہ؟

''خالہ جان! یقین کریں خالو حبیب کی وفات کا سن کر بہت صدمہ' بہت افسوس ہوا..... کل سہ پہر ہی یہاں پہنچا ہوں۔ اسی وقت آپ کے پاس آتا' مگر رومانہ آپا وغیرہ ملنے آ گئی تھیں۔''

''تم سے تو بیٹے ہمیں کوئی گلہ نہیں۔ تم تو ہمیشہ ہر ایک کا درد دل میں رکھتے تھے۔ ہم ہی اللہ کے گناہ گار بندے ہیں۔''

پھر خالہ نے خالو ہی کے کمرے میں لے جا کر اسے بٹھایا.....اس کے لیے چائے بنائی۔ وہ نہ نہ ہی کرتا رہا۔ ابھی ابھی ناشتہ کر کے آنے کا بھی بتایا' مگر وہ نہیں مانیں۔ ساتھ ساتھ آذر کو چائے پلائی' ساتھ دل کے سارے دکھ درد اس کے سامنے کھول کر رکھ دیے۔

خالو حبیب کی نیکیاں یاد کرتی رہیں۔ ناہید اور پرویز کی نافرمانیوں کی کہانیاں سناتی

رہیں۔ اپنے مظالم اور زیادتیوں کے قصے بیان کیے کہ کس کس طرح اور کیسے کیسے جائز و ناجائز طریقوں سے اس اولاد پر خرچ کیا...... اور آج اس اولاد نے صلہ کیا دیا۔

اس ڈھنڈار گھر میں اکیلی پڑی ہوئی تھیں۔ نہ کوئی بیماری سیماری میں پوچھنے والا تھا نہ ہمدردی کرنے والا اور نہ کوئی دو بول تسلی کے بولنے والا۔

..... اور پھر..... اتنی دیر سے جس ذکر کو وہ چھیڑنا نہیں چاہتی تھیں..... شاید..... آپ ہی آپ دُکھے دل نے اگل دیا۔

''اک امید تھی..... اس کے لیے یہ سب کچھ کیا ہوتا تو آج میری حالت ایسی نہ ہوتی۔ اس کا بھی حق ان کو کھلایا پلایا..... پہنایا کہ یہ پیٹ سے پیدا کی ہوئی اولاد ہے' مگر ہائے ری قسمت!''

ساتھ ساتھ وہ بے تحاشا روئے جارہی تھیں۔ اک لمحے کے لیے بھی آنسو رُک نہیں رہے تھے۔

''اس سے تو اچھا تھا حقدار کو حق دیتی..... وہ یقیناً اس بڑھاپے اور دُکھ سکھ میں میرا ساتھ دیتی..... وہ تو پہلے ہی بڑی باوفا تھی۔ بڑی محبت والی تھی۔ میں اچھا سلوک نہیں بھی کرتی تھی تب بھی جان دیتی تھی۔ اگر اچھا کرتی تو نجانے وہ کیا کرتی..... یہ میں نے کیا کیا......؟ آپ ہی اپنے پاؤں پر کلہاڑی مارلی۔''

آذر چپ چاپ بیٹھا سب کچھ سنتا رہا۔ درد کے مارے کراہتا رہا۔ ایک تو خالہ کے دل کا غبار نکل رہا تھا' دوسرے اپنی زیادتیوں اور گناہوں کا اپنی ہی زبان سے اعتراف کرنا بھی اک قسم کی توبہ ہوتی ہے۔ اگر اسی طرح خالہ کی کچھ بخشش ہوجاتی تو کیا برا تھا؟

بڑی دیر باتیں کرکر کے آخر خالہ خود ہی چپ ہوگئیں۔

''خالہ! کیا میں امید سے مل سکتا ہوں؟''

''مل لو..... دیکھ لو تمہارے ساتھ کیسا سلوک کرتی ہے۔''

''کیا مطلب؟''

''مجھے تو دیکھتے ہی جیسے اس کے دماغ کو کچھ چڑھ جاتا ہے۔ ہوش وحواس میں تو پہلے ہی

نہیں ہوتی، میں سامنے جاتی ہوں تو بالکل ہی آپے سے باہر ہو جاتی ہے۔" خالہ نے آہ بھری۔

"ٹھیک کرتی ہے۔ میں نے کب اس کے ساتھ کبھی اچھا سلوک کیا تھا جو آج اس سے اچھے کی توقع رکھوں۔ میرے ساتھ بھی ایسا ہی ہونا چاہیے تھا۔"

خالہ بڑبڑاتیں، بڑبڑاتیں آذر کو ساتھ لیے اس کے کمرے کی طرف چل پڑیں، کمرے کی چٹخنی باہر سے چڑھی تھی..... آذر کو یہ دیکھ کر اور بھی صدمہ پہنچا اور بھی دُکھ ہوا۔

"تم اندر چلے جاؤ۔" خالہ حبیبہ آہستہ سے چٹخنی گراتے ہوئے بولیں۔

"اور آپ.....؟"

"تمہیں بتایا نا میری شکل دیکھتے ہی بگڑ اٹھتی ہے۔ میری وجہ سے کہیں تم سے بھی نہ الجھ پڑے۔"

اسے سمجھاتے ہوئے خود وہاں سے ہٹ گئیں۔ آذر چند لمحے وہاں بند دروازے کے باہر کھڑا کچھ سوچتا رہا۔ پھر اِک دم قدم بڑھایا اور آہستہ سے اِک کواڑ ذرا سا کھول کر اندر دیکھنے لگا۔ سامنے وہ کہیں نظر نہیں آئی، پھر تھوڑا سا اور کھولا۔ پرلی دیوار میں فرانسیسی طرز کے بنے ہوئے لمبے دریچے کے سامنے اِک کرسی پر نیم دراز تھی اور باہر دیکھ رہی تھی۔

آذر دبے دبے قدموں سے اس کے قریب جا کر کتنی ہی دیر چپ چاپ دم سادھے کھڑا اسے دیکھتا رہا۔ اپنی پھلواری ہی کی طرح اس کی حالت ہو رہی تھی۔

وہاں جابجا سوکھے پتے بکھرے تھے، یہاں اس کے بال مٹی سے اَٹے چہرے کے اردگرد پھیلے تھے اور سوکھی ٹہنیوں کی طرح خشک اور کھردرے سے ہو رہے تھے۔ اس کا لباس بھی خاصا میلا کچیلا تھا اور جس طرح باغیچے میں ویرانی اُتر آئی تھی، اسی طرح اس کی آنکھوں میں بھی عجیب سی ویرانی تھی۔

وہ ایک ٹک باغیچے کو دیکھے جا رہی تھی اور آذر ٹکٹکی لگائے اسے دیکھ رہا تھا۔ پہلے کبھی جس طرح اس کا باغیچہ ہمیشہ تر و تازہ، معطر اور رنگ برنگے پھولوں سے پُررنگ ہوتا تھا، اسی طرح اس کا اپنا وجود ہوا کرتا تھا۔ اُجلا اُجلا، معطر معطر اور چہرہ رنگوں اور نور سے منور..... مسکراہٹوں سے مزین، مگر اب.....

''اوہ خدا! تو کتنا بے نیاز ہے۔ ایسی ایسی صورتیں پیدا کرتا ہے کہ انسان نگاہیں لوٹانا بھول جائے اور پھر ایسے ایسے غموں سے انہیں داغتا ہے کہ ان داغوں کی وجہ سے بگڑ جانے والی صورت کو کوئی اِک نگاہ بھر تکنا گوارا نہ کرے۔''

آذر اِک قدم اور بڑھا کر اس کے بالکل قریب جا کھڑا ہوا۔

''امید.....!'' بڑے پیار سے اور انتہائی ملائمت سے اس نے اسے پکارا۔

اس نے کوئی جواب نہیں دیا۔ شاید سنا ہی نہیں تھا۔

''امید.....!'' اور اب آذر عین اس کی نظروں کے سامنے آن کھڑا ہوا۔

اس نے چونک کر نگاہ اٹھائی.....پھر یکا یک خود بھی اُٹھ کر کھڑی ہوگئی۔ زبان سے کچھ نہیں بولی۔ بس اس کی آنکھوں میں اپنی متوحش نگاہیں ڈالے کتنی ہی دیر دیکھتی رہی۔

اس کی آنکھیں یوں ہر قسم کی پہچان سے خالی اور چہرہ کسی قسم کے تاثرات سے عاری تھا۔ جیسے اس نے زندگی میں پہلے کبھی آذر کو نہ دیکھا تھا۔

''امید.....! مجھے جانتی ہو نا میں کون ہوں؟'' آذر نے پھر اسی مدھم اور ملائم سے لہجے میں پوچھا۔

امید کی نگاہوں میں اجنبیت ہی پھیلی رہی۔ آذر نے پھر وہی سوال دُہرایا مگر اب پرزور لہجے میں لیکن امید اسی طرح بیگانہ سی بنی، اسے گھورتے ہوئے واپس کرسی پر بیٹھ گئی اور کھڑکی سے باہر اپنی اسی اجاڑ اور ویران پھلواری کو دیکھنے لگی۔ آذر کی طرف سے اس نے یوں نگاہ پھیر لی تھی، جیسے اس سے کبھی کوئی تعلق نہ رہا تھا۔ کبھی کوئی واسطہ نہ تھا، کبھی اسے ملی نہ تھی۔

آذر دو قدم پرے ہٹ کر بڑی دیر کھڑا اسے دیکھتا رہا۔ لیکن اس نے پھر اس کی طرف نگاہ ہی نہیں پھیری۔ دکھ درد سے آذر کی آنکھیں بھر بھر آ رہی تھیں۔ خالو حبیب یاد آ رہے تھے۔ صبیحہ یاد آ رہی تھیں۔

بیٹی کو اس حال میں دیکھ کر ان کی روحیں کس قدر بے چین و بے قرار ہوتی ہوں گی۔ صبیحہ کی خاص طور پر۔ زندگی میں بھی اسے قرار نہ ملا اور وہاں بھی بے سکون ہی رہی۔

امید کی اس بدتر حالت سے تو بہتر یہ تھا کہ ماں اور باپ کے ساتھ ہی وہ بھی رخصت

ہو جاتی.....اوہ.....نہیں، نہیں!! یہ وہ کیا سوچ رہا تھا؟ وہ کیسا غلط قسم کا انسان تھا۔ خود ذہنی امراض کا ڈاکٹر تھا اور اِک ذہنی مریضہ کے لیے وہ یہ کیا سوچ رہا تھا؟ اس نے اپنا سر جھٹکا۔

اسے ماں باپ کے ساتھ رخصت کرنے کی سوچوں کے بجائے اسے اس کو زندگی اور ہوش وحواس کی طرف واپس لانے کے متعلق سوچنا چاہیے تھا۔

امید نے سب کے ساتھ ننھیال جانتے ہوئے بہت محبت کی تھی۔ سب کے بہت کام کیے تھے۔ اس لیے اس کے پورے خاندان پر امید کا قرض تھا۔

اور اب.....اس پر بھی فرض عائد ہوتا تھا کہ پورے خاندان کا یہ قرض چکائے۔ خاندان بھر میں اسی کے پاس ایسی تعلیم تھی، وہی اس کا علاج کر سکتا تھا۔

پچھلی رات ثروت نے اسے اس کے علاج کے لیے کہا تھا تو اپنی مجبوریوں کے باعث اس نے معذوری کا اظہار کر دیا تھا، مگر اس وقت، اس گھر کی، خالہ حبیبہ کی اور سب سے زیادہ امید کی حالت دیکھتے ہوئے اپنا کوئی نقصان کر کے بھی وہ اس کا علاج کرنے کے لیے تیار ہو گیا تھا۔

''ہاں.....مجھے یہ قرض چکانا ہوگا۔ مجھے امید کو اس کے ہوش وحواس کی طرف لوٹانا ہی ہوگا.....اس پر کی گئی سب زیادتیوں کا ازالہ کرنا ہی ہوگا۔ یہ مجھ پر واجب ہو چکا ہے.....مجھ پر واجب ہو چکا ہے۔''

آذر سوچوں میں کھویا کھویا پلٹ کر کمرے سے باہر نکل گیا۔

وہ پھراسی طرح ڈوبی ڈوبی سی بیٹھی تھی اور نگاہیں اجڑی پھلواری پر جمی تھیں..... جسم یوں ساکت تھا جیسے اس میں جان ہی نہیں تھی۔ بس اِک پلکیں تھیں، جو تھوڑی تھوڑی دیر بعد جھپک اٹھتی تھیں تو زندگی کا گمان ہوتا تھا۔

آذر بڑی دیر سے کھڑا یہ نظارا کر رہا تھا۔ لباس وہی میلا کچیلا سا تھا جو کل پہنے ہوئے تھی۔ بال بھی اسی طرح بے ترتیب تھے۔ چہرہ بھی نجانے کتنے دنوں سے نہیں دھویا تھا۔ ناک کی پھنگ پر اور پیشانی پر مٹی لگی تھی۔ اس کے باوجود وہ خوبصورت تھی۔

آذر نے وہیں کھڑے کھڑے قدم اٹھائے' پھر رکھے' پھر اٹھائے' پھر رکھے۔ جان بوجھ کر کئی بار آہٹ کی۔ دو تین بار پکارا بھی' مگر وہ تو جیسے بہری تھی۔ حالانکہ کل اس کے پکارنے پر وہ چونکی بھی تھی' کھڑی بھی ہوئی تھی اور اس کی طرف اس نے دیکھا بھی تھا۔

اور اب..... سرے سے بہری ہی بن گئی تھی..... بالکل بہری..... جس کا مطلب تھا وہ لاشعوری بھی اور شعوری طور پر بھی دوسروں کی طرف سے لاپروائی برتنے اور لاتعلق رہنے کی کوشش کر رہی تھی۔ انتہائی کامیاب کوشش۔

اور..... یہ پاگل پن سے زیادہ اس کی ناراضگی کا اظہار تھا۔ خالہ حبیبہ اور دوسرے لوگوں کے ناروا سلوک کی وجہ سے دلبرداشتہ سی ہو کر وہ سب سے ہی اپنا ناتہ توڑ بیٹھی تھی۔ ستم بالائے ستم ماں اور باپ کی وفات کا صدمہ۔

وہ اپنی ذات سے بھی لاتعلق ہو گئی تھی۔ کچھ اتنی زیادہ کہ اب وہ اپنی پوری کوشش کر رہی

تھی کہ واپس نہیں آئے۔ نہ اس دنیا میں اور نہ ان لوگوں میں۔

اس کے ذہن کے اندر کی کیا کیفیت تھی؟ کوئی گنجائش اسے واپس لانے کی تھی یا نہیں؟ یہ ابھی آذر کو اندازہ نہیں ہوسکا تھا۔ کتنی ہی دیر وہ کھڑا سوچتا رہا' پھر چند قدم بڑھا کر عین اس کے سامنے آن کھڑا ہوا۔

اب امید کی نگاہوں کے سامنے آذر کا وجود تھا۔ نظریں اٹھائے بنا کوئی چارہ نہ رہا..... آذر کے پاؤں سے اوپر اٹھتی اٹھتی نگاہیں چہرے پر آ کر جم گئیں۔

اور..... جب آذر کی نظر سے نظر ملی تو آذر نے زبان سے کچھ نہیں کہا بس صرف ہونٹوں پر اک گہری سی مسکراہٹ لے آیا۔ یوں جیسے دو بچھڑے ہوئے دوست بہت عرصہ بعد ملیں تو زبان میں قوت گویائی نہ ہو۔ مگر آنکھوں میں پہچان' انس' محبت اور خلوص کے سب جذبے امنڈ آئیں اور لبوں کا صرف ایک تبسم ہی علیک سلیک سے لے کر محبت بھرے شکوے گلے بھی سارے بیان کر ڈالے۔

چند لمحے امید خالی خالی نگاہوں سے اسے تکتی رہی۔ اس کی یگانگت بھری مسکراہٹ کو' اس کی آنکھوں کی خلوص بھری چمک کو..... اور پھر..... زور سے چونک پڑی۔ گڑبڑا کر اٹھ کھڑی ہوئی۔ زبان سے اب بھی اس نے ایک لفظ نہیں کہا۔ بس جلدی سے نگاہ پھیر لی۔

''امید.....'' اب آذر نے اسے پکارا بھی۔

مگر..... اس اِک لمحے کی چونکاہٹ اور گڑبڑاہٹ کے بعد وہ پھر اِک پتھر بن چکی تھی۔

''اتنی دُور سے صرف تمہیں ملنے آیا ہوں۔''

آذر کا یہ فقرہ' یہ انداز' یہ لہجہ' اس کے اس تبسم سے کہیں زیادہ خلوص و محبت کا مظہر تھا..... مگر وہ نہ چونکی نہ گڑبڑائی۔

وہ نگاہ اس کی اچانک پڑی تھی اور اب تو اسے علم تھا کہ آذر یہیں کھڑا تھا۔ شعوری طور پر امید نے اس کی طرف دھیان نہ دینے کی کوشش کی تھی..... تبھی..... اس کے احساس کے کسی در پر ذرا سی بھی چوٹ نہ لگی تھی۔ اس نے اپنے ذہن کو یوں مقفل کر لیا کہ سوچ تو سوچ سننے کی حس کو بھی پوری قوتِ ارادی کے ساتھ اپنے بس میں کر لیا تھا۔

''ہوں.....'' آذر کے ہونٹوں پر ایک پر خیال سا تبسم لہرا گیا۔

''گویا مقابلہ ہے تمہارے ذہن کا اور میری نفسیات کی تعلیم کا۔ تو امید صاحبہ بارہ سال ہم نے بھی جھک نہیں ماری۔ گو سارا خاندان میری اس تعلیم کو باتیں ہی بناتا رہا ہے.....مگر.....آج ہم بھی دکھا دیں گے کہ اس کا کوئی فائدہ ہے یا نہیں۔ یہ کارآمد تھی یا بیکار میں نے وقت برباد کیا ہے۔ سب کو منوانا ہی پڑے گا۔''

آذر مسکراتا ہوا کمرے سے نکل گیا۔ کاریڈور میں ہی خالہ حبیبہ اسے مل گئیں۔

''ارے! تم کب آئے؟''

''یہی کوئی بیس پچیس منٹ ہوئے ہوں گے۔'' ساتھ ہی آذر ہنس پڑا۔

''ابھی تو مجھے شام کو پھر آنا ہے۔''

''کیا مطلب؟'' حبیبہ سمجھ نہ سکی۔

''میرا مطلب ہے خالہ! آپ تنگ آجائیں گی میں اتنا آیا کروں گا۔ آپ کے گھر!!''

''جم جم آؤ.....سو بار آؤ.....ہر بار بسم اللہ کہوں گی۔''

''دیکھئے خالہ جان! بات یہ ہے کہ میں امید کا علاج کرنا چاہتا ہوں۔''

''آہ.....!'' خالہ حبیبہ نے ایک طویل سا ٹھنڈا سانس بھرا۔ ''تم بھی اپنی سعی کر کے دیکھ لو۔ یہاں تو کئی ڈاکٹر آئے اور مایوس ہو کر چلے گئے۔''

''کسی کے بھی علاج سے کوئی تھوڑا سا بھی فرق نہیں پڑا؟''

''بالکل نہیں.....چند مہینے دماغی امراض کے ہسپتال میں بھی رہ آئی ہے۔''

''ہوں.....'' آذر بڑبڑایا۔ ''گویا یہ خود ہی ٹھیک ہونا نہیں چاہتی۔''

''کیا بیٹے؟ کیا کہہ رہے ہو؟''

''کچھ نہیں خالہ! میں جاؤں اب.....پھر آؤں گا۔''

''کوئی چائے وغیرہ تو پی لیتے۔''

''پیوں گا.....چائے بھی پیا کروں گا.....کھانا بھی کھایا کروں گا۔ مگر اس وقت مجھے جلدی ہے۔''

آذر عجلت سے سلام کرتا ہوا نکلا چلا گیا۔

رات دس بجے وہ گھر پہنچا..... پتہ نہیں کیوں سب ڈرائنگ روم ہی میں تشریف فرما تھے۔
اندر قدم رکھتے ہی اس نے محسوس کیا کہ سب کی نگاہیں کچھ اور ہی انداز میں اس پر اُٹھی تھیں۔
کہیں اچانک اس کے سینگ تو نہیں نکل آئے تھے۔اس نے سر پر ہاتھ بھی پھیرا.....مگر.....
''سارا دن کہاں رہے آذر؟'' امی کی آواز سے وہ شہد جیسی مٹھاس نہیں ٹپک رہی تھی۔
''آ گیا ہے اپنی اوقات پر.....'' ابا ہمیشہ والی بے تکلفی سے بولے۔
پھر امی کی طرف دیکھ کر بڑے چبھتے ہوئے لہجے میں کہنے لگے۔
''تم تو بیٹے کی بڑی تعریفیں کر رہی تھیں کہ اب پہلے جیسا نہیں رہا۔ انسان بن کر آیا ہے۔''
''پچھلے دو دن تو اس نے ایسے ہی گزارے تھے۔ ہر کام کرنے سے پہلے مجھ سے پوچھتا تھا۔کھانا بھی کھاتا تھا تو مجھے مطلع کر کے کہیں آتا جاتا بھی تھا تو بتا کر.....لیکن آج.....آج پتہ نہیں اسے کیا ہو گیا ہے؟''
''چور چوری سے جائے گا' ہیرا پھیری سے کبھی نہیں جائے گا۔'' خاور بھائی نے بات ہنسی میں اُڑانے کی کوشش کی تھی۔
''آخر قصہ کیا ہے؟'' سب سے زیادہ سمجھدار اسے اس گھر میں ثروت بھابی ہی لگتی تھیں۔
باقی سب تو فوراً طعن و تشنیع پر اُتر آتے تھے۔اسی لیے بھابی کے ہی قریب بیٹھ کر پوچھنے لگا۔
''قصہ کیا ہے؟'' بھابی نے حیرت سے اسے گھورا ''ارے بھیا! آج تمہاری آمد کے

سلسلے میں عصرانہ تھا۔تمہارے سامنے ہی تو سارا پروگرام بنا تھا۔''

''اوہ.....'' آذر نے ہاتھوں میں سر تھام لیا۔''بالکل بھول گیا تھا.....بخدا بالکل ہی!''

''ذہن کا ڈاکٹر اور اپنے ذہن کا یہ حال ہے۔'' یاور نے قہقہہ لگایا۔

''ساری نوکریاں وو کریاں چھوڑ کر بیٹا جی! پہلے اپنے دماغ کا علاج کرو۔'' ابا نے فقرہ کسا۔

''بہت پریشانی ہوئی بھیا۔'' ثروت کے لہجے کی نرمی اور ملائمت البتہ بدستور تھی۔

''تمہارا انتظار کر کر کے تقریباً رات کے کھانے کے وقت سب کو چائے پلائی ہے۔''

''سچ بھابی! مجھے بڑا افسوس ہے۔''

''اب تمہارا یہ اظہار افسوس ہماری شرمندگی اور پریشانی تو رفع نہیں کر سکتا۔'' امی کے لہجے میں تھوڑی سی تلخی تھی۔ یقیناً بہت زیادہ ہوتی اگر چھ سال کی طویل جدائی کے بعد اسے صرف دو ہی دن واپس آئے ہوئے نہ ہوتے.....وہ لحاظ کر گئی تھیں۔

ویسے.....آذر نے دل ہی دل میں بڑے انصاف سے سوچا۔ معاملہ بھی تو بڑا سنگین ہو گیا تھا۔ اسی کی خاطر دعوت کی گئی تھی اور وہی غیر حاضر تھا.....کتنا برا ہوا.....

خاور اور یاور نے اپنے اپنے دوستوں کو بلایا ہوا تھا۔ خاص طور پر آذر سے ملوانے کی خاطر.....ابا کے بھی کچھ واقف کار اور کچھ جاننے والے آئے تھے۔ سب اپنی اپنی شرمندگی اسے بتانے لگے۔

''کیسے کیسے ہم نے تمہاری تعریفیں نہیں کی ہوئی تھیں۔''

خاور کے اس فقرے سے ندامت اور شرمندگی کا احساس دوگنا تگنا ہو گیا۔ حقیقتاً اس سے بڑی زیادتی ہو گئی تھی۔ وہ اپنے آپ کو کوسنے لگا۔''واہ آذر! تم کبھی کسی کو سکھ نہ دے سکے۔ تم سے کبھی کسی کو خوشی اور راحت نہ ملی۔''

''لیکن آذر.....!'' ثروت کے مخاطب کرنے پر چونک کر اس نے ہاتھوں میں سے سر نکالا''تم نے بتایا نہیں آخر سارا دن تم رہے کہاں؟''

''خالہ حبیبہ کے گھر!''

''حبیبہ کے گھر؟'' امی تعجب سے بولیں ''ادھر تو تم ابھی کل ہی گئے تھے؟''

آذر خاموش بیٹھا کچھ سوچتا رہا۔ امی کی بات کا کوئی جواب نہیں دیا۔

''صبح کے گئے ہوئے اب رات کے دس بجے تک کیا وہیں رہے ہو؟'' امی نے پھر پوچھا۔

''جی ہاں!''

''حد ہو گئی..... '' ابا بڑبڑائے ''لڑکا بغل میں اور ڈھنڈورا شہر میں۔''

''ہمیں معلوم ہوتا اُدھر ہے تو کسی کو بھیج کر بلوا لیتے۔ حبیبہ کا گھر کون سا دُور ہے۔'' امی پچھتانے لگیں۔

''خواہ مخواہ اتنی پریشانی اٹھائی۔''

''یہ کسی کے ذہن میں نہیں آیا۔'' ثروت ہولے سے بولی۔

''گھر میں ذہن کا ڈاکٹر موجود ہے نا اس لیے سب کے ہی ذہن خراب ہو گئے ہیں۔'' خاور بھائی نے قہقہہ لگایا۔

''لیکن تم وہاں سارا دن کیا کرتے رہے۔؟'' پہلے تو خدا بخشے حبیب تھے اور اس کے ساتھ تمہاری دوستی تھی اور اب۔'' امی جھنجھلاہٹ میں اس سے باز پرس کرنے لگیں۔

''اب وہاں میرا فرض ہے امی۔''

''فرض.....؟'' سب کی حیرت بھری نگاہیں اس پر جم گئیں۔

''امید کے لیے وہاں تھا۔''

''اوہ.....!'' تب یک دم ہی سب کے چہروں کے تاثرات بدل گئے۔

''کچھ ہو سکتا ہے اس کا.....؟'' ابا نے حلیمی سے پوچھا۔

''اللہ کرے وہ ٹھیک ہو جائے۔ بڑی اچھی لڑکی ہے۔'' خاور کی دعا میں خلوص تھا ہمدردی تھی۔

''میں تو رات دن اس کے لیے دعائیں مانگتی ہوں۔ حبیبہ بے چاری بیوہ بھی ہوئی اور یہ دکھ بھی لگا۔ بڑی شرمسار ہے۔ وہ بھی سرخرو ہو جائے گی۔'' امی کو امید کے ساتھ ساتھ بہن کا بھی درد تھا۔

امید کا ذکر چھڑا تو سب اسی کی باتیں کرنے لگے۔ ساتھ ساتھ حبیب اور صبیحہ کو بھی یاد کرتے رہے۔

آذر کے انتظار میں ابھی تک کسی نے بھی کھانا نہیں کھایا تھا۔ ثروت کھانا لگانے چلی گئی۔ آذر بے خد حیران ہو رہا تھا کہ رات کے گیارہ بجنے والے تھے اور اب سب کھانا کھا رہے تھے۔ اس کی خاطر' ورنہ پہلے تو اتنی دیر تک کبھی کسی نے اس کا کھانے پر انتظار نہیں کیا تھا۔ اب اسے اتنی اہمیت دی جانے لگی تھی۔

''کیوں.....؟ کیوں آخر.....؟'' وہ ایک دم ہی مسکرا پڑا۔ وہ ہمیشہ امید کو بھی سمجھایا کرتا تھا کہ اپنا مقام بنائے۔ اپنی حیثیت منوائے اور آج۔ عجب سی ہی بات تھی نا.....وہ بھی موضوعِ گفتگو بنی ہوئی تھی۔ مطلب یہ کہ دونوں ہی کو اہمیت دی جا رہی تھی مگر انداز کتنے مختلف تھے۔

آذر نے گھر والوں سے جدا رہ کر جینا سیکھ لیا تھا۔ وہ اپنے پاؤں پر خود کھڑا ہو گیا تھا۔ وہ پڑھ لکھ کر اعلیٰ تعلیم حاصل کر کے' اعلیٰ عہدے پر فائز ہو کر ایک اعلیٰ انسان بن گیا تھا اور امید.....

آہ بے چاری.....!اس نے خود کو ہوش و حواس سے بیگانہ کر کے' سب سے بے پروا اور لاتعلق ہو کر' یہاں تک کہ اپنی ذات سے بھی روٹھ کر اس نے خود کو اہم بنا لیا تھا۔

جب تک وہ سب کی پروا کرتی رہی سب اس سے بے پروا رہے اور اب اس نے دنیا کی پروا کرنا چھوڑ دی تو سب اس کی پروا کرنے لگے۔ سب ہی اس کے لیے بڑا فکر مند تھے۔ کیا خوب معاملہ تھا؟

سب باتیں کرتے رہے اور آذر یہی کچھ سوچتا رہا۔ کھانے سے فارغ ہو کر اپنے کمرے میں آیا۔ لباس وغیرہ تبدیل کر کے پلنگ پر بیٹھا ہی تھا کہ ثروت دودھ کا گلاس لیے آ گئی۔

''سونے کے وقت دودھ پینا نہ بھولنا۔'' میز پر گلاس رکھ کر اسے ڈھکتے ہوئے بھابی سیدھی ہوئی۔

''کل والی حرکت نہ ہو.....'' ثروت کی مسکراہٹ کے ساتھ وہ بھی مسکرا پڑا۔

کل رات دودھ کا گلاس اسی طرح پڑا رہ گیا تھا۔ ایسی چھوٹی چھوٹی عادتوں کا وہ عادی

ہی نہیں تھا تو سونے کے وقت یاد کیسے رہتا۔

بس ہمیشہ کی طرح پڑھتے پڑھتے ہی سو گیا تھا۔ پھر صبح بھابی نے آ کر اس کے سینے پر سے کتاب ہٹائی تھی اور میز پر سے دودھ کا اسی طرح بھرا ہوا گلاس اٹھایا تھا۔

''نہیں بھولو گے نا؟'' بھابی کی دوبارہ یاددہانی پر اس کی سوچ ٹوٹ گئی۔

''کوشش کروں گا۔''

''یہ تم آج خاموش خاموش کیوں ہو؟''

''نہیں تو۔''

''دیکھو آذر! تم نے خود ہی کہا تھا کہ میں تمہاری بھابی نہیں دوست ہوں اور اک دوست سے کچھ چھپایا نہیں کرتے۔''

پھر بھابی خود ہی پوچھنے لگیں۔

''تمہاری خاموشی کی وجہ امید تو نہیں؟ وہ ٹھیک ہو جائے گی نا؟ اس کے پاگل پن نے تو.....''

''وہ پاگل نہیں ہے بھابی.....'' آذر نے ثروت کی بات کاٹ دی۔

''کیا؟'' ثروت چونک کر اس کے پاس ہی آ بیٹھی۔

''وہ پاگل نہیں ہے؟ پھر؟ پھر کیا ہے اسے؟''

''وہ ہم سب سے ناراض ہے بھابی۔ سب انسانوں سے۔ اس دنیا سے۔ اپنے آپ سے۔ اور سب سے انتقام لے رہی ہے۔''

''میں تمہارا مطلب نہیں سمجھی آذر!''

''پاگل پن تو ہوتا ہے ہوش و خرد کھو بیٹھنا۔ دماغ کا الٹ جانا۔ اس کا دماغ وغیرہ درست ہے۔ بس اسے شدید صدمہ پہنچا ہے۔ اسے ناراضگی ہے ہم سب کے ساتھ۔ اور یہ اس کے اظہار کا طریقہ ہے۔ اور اس کے ساتھ سب نے سلوک جو کچھ کیا ہے' اس کا بدلہ لینے کی اک صورت۔ سب سے بے پروا ہو گئی ہے۔ سب سے لاتعلق ہو گئی ہے۔ نہ کچھ سنتی ہے۔ نہ بولتی ہے۔''

''تو اب وہ ایسے ہی رہے گی؟''

''نہیں۔ کیوں ایسے رہے گی؟'' آذر اک عزم کے ساتھ،اک جذبے کے ساتھ بولا۔

''میں اس کا علاج کروں گا بھابی! اور نہ صرف کروں گا بلکہ وہ تو میں نے شروع بھی کر دیا۔''

''دوائیاں وغیرہ دی ہیں اسے؟''

''ثروت کی اس بات پر آذر زور سے ہنس پڑا۔

''بھابی! اس کے اس مرض کا علاج دواؤں سے نہیں ہوگا۔''

''پھر؟''

''آج میں سارا دن وہیں رہا ہوں۔''

''کیا کرتے رہے ہو؟''

''اچھا۔ تو اب روزانہ آپ کو اپنی کارکردگی کی رپورٹ بھی دینا ہوگی۔''

''ہاں..... پوری.....'' ثروت بھی اسی کے سے انداز میں ہنس پڑی۔

''تو سنیے جناب! آج سارا دن میں اس کے باغیچے میں رہا ہوں۔''

''باغیچے میں رہے ہو؟'' بھابی نے زور سے اک قہقہہ لگایا..... ''یہ اس کا علاج ہے۔''

''ہاں بھابی.....'' آذر سنجیدگی سے بولا۔ ''اس کے علاج کی اک کڑی۔''

''سچ کہہ رہے ہو؟''

''جی ہاں۔''

''اس سے اسے کیا افاقہ ہوگا؟''

''میں اس کے پاس جاتا تھا۔ اس سے باتیں کرنے کی کوشش کرتا تھا۔ بات سننا تو کجا وہ نگاہ اٹھا کر میری طرف دیکھتی تک نہیں تھی۔''

''ہاں۔ نہ صرف تمہارے ساتھ ایسا سلوک اس نے کیا ہے بلکہ سب کے ساتھ ہی ایسا کرتی تھی۔ تبھی تو سب اسے پاگل سمجھنے لگے ہیں اور سمجھیں بھی کیسے نہیں۔ پاگلوں کے سروں پر کوئی سینگ تو نہیں اُگ آیا کرتے۔ ویسے آذر! بہت علاج کرائے ہیں۔ کسی سے فرق نہیں پڑا۔''

''پڑتا کیسے.....وہ شعوری طور پر چاہتی ہی نہیں۔''

''تو پھر باغیچہ ٹھیک کروانے سے کیا ہوگا؟''

''میں جب بھی گیا ہوں وہ کھڑکی میں ہی کرسی ڈالے بیٹھی ہوتی ہے اور باہر باغیچے میں دیکھ رہی ہوتی ہے۔ آج سارا دن میں باغیچے میں رہا ہوں۔ عین اس کی نگاہوں کے سامنے۔''

''اس سے کیا ہوگا؟''

''باہر باغیچے میں دیکھتے رہنے والی عادت کے مطابق وہ بار بار باہر دیکھے گی اور ہر بار میں اسے دکھائی دوں گا۔ وہ مجھے دیکھنے سے اجتناب ضرور برتے گی کیونکہ اس کے سننے اور دیکھنے والے حواس پوری طرح چوکس ہیں..... مگر کتنی بار.....؟ اور کب تک.....؟ وہ میری وہاں موجودگی سے مضطرب ہونے کے باوجود آخر ایک دو دن میں عادی سی ہو جائے گی اور میرے وجود سے مانوس بھی..... پھر جب نگاہیں مجھ سے مانوس ہو جائیں گی تو وہ یقیناً میری بات بھی سننے لگے گی۔''

''اور بات سننے لگے گی تو پھر کیا ہوگا.....؟''

''پھر اس کا علاج ہوگا۔ میری باتیں ہی اس کے مرض کی دوا ہوں گی۔''

''بہت وقت لگے گا؟''

''ایک دو مہینے۔''

''مگر تمہاری ڈیوٹی؟ تم تو کام سے آئے ہو۔''

''وہ بھی ہوتا رہے گا۔ سب انتظام کرلوں گا۔''

پھر یکا یک کسی سوچ کے تحت' ثروت کو ہنسی آ گئی۔

''سارا دن ان کے لان میں بیٹھے رہے ہو۔ کیسا عجیب نظارا ہوگا؟''

''ارے بھابی! آپ اس پر ہنس رہی ہیں۔ یہ تو لان تھا' سوچئے ذرا امید کو اگر چھت کی کڑیاں دیکھتے رہنے کی عادت ہوتی تو پھر مجھ پر کیا بیتتی۔ چھت پر کیسے پہنچتا۔ انسان کو ہر حال میں خدا کا شکر ادا کرنا چاہیے۔'' اور دونوں دیور بھابی ہنسنے لگے۔

''واقعی..... پھر معاملہ بڑا خراب ہو جاتا۔ تم آخر انسان ہو کوئی چمگادڑ تو نہیں؟''

''ویسے میں آپ کو کافی عقلمند سمجھتا تھا بھابی!''

''تو میں نے بے وقوفی کون سی کر ڈالی۔'' یکا یک ثروت پریشان ہو گئی۔

''میرے باغیچے میں بیٹھنے پر ہنس رہی تھیں۔ میں وہاں بیکار تھوڑا بیٹھا تھا۔''

''پھر کیا کر رہے تھے؟''

''اک باغیچے میں انسان جائے تو وہاں کیا کرتا ہے؟''

''رنگ برنگے پھول دیکھتا ہے۔ ان کی خوشبو سے دل کو معطر کرتا ہے۔ قدرت کی خوبصورتی اور پاکیزگی سے دل و دماغ.....''

''ان کے باغیچے میں نہ رنگ برنگے پھول ہیں اور نہ خوشبو۔ نہ قدرت کی خوبصورتی نہ پاکیزگی.....'' آذر زور سے ہنس پڑا۔

ثروت متحیر سی ہو کر اسے دیکھنے لگی۔

''امید تو ٹھیک ہو جائے گی لیکن تم مجھے پاگل کر دو گے۔''

''ان کے باغیچے کی صفائی کرتا رہا ہوں۔ میری اچھی بھابی، پیاری بھابی!''

''کیا.....؟'' تعجب نے ثروت کو بوکھلا سا دیا۔

''میرا خیال ہے آپ وہاں کبھی نہیں گئیں؟''

''بہت عرصہ ہو گیا نہیں گئی۔ گھر سے فرصت ہی نہیں ملتی۔ ویسے بھی امید کو نہیں دیکھ سکتی۔ دل دکھتا ہے۔''

''تبھی آپ کو معلوم نہیں۔ اور میں شروع سے اس کی عادات سے واقف ہوں۔ اسے پھولوں کا بہت شوق ہوا کرتا تھا۔ عشق کی حد تک شوق۔ خود لگاتی تھی۔ خود پانی دیا کرتی تھی۔ خود کانٹ چھانٹ کرتی تھی۔ ان کا باغیچہ اتنا خوبصورت تھا کہ میں ہمیشہ اپنے لیے ایسے باغیچے کی حسرت دل میں رکھا کرتا تھا اور اب وہی باغیچہ اجڑا پڑا ہے۔ جھاڑ جھنکار اگے ہوئے ہیں۔ مرجھائے پھولوں کی پتیاں اور سوکھے پتے بکھرے پڑے ہیں۔ یہی ساری صفائی میں نے سارے دن میں کی۔''

''ہائے ہائے آذر! کسی اور سے کرا لیتے نا۔ تم نے کیوں کی.....؟''

''کیوں.....؟ خدا نے مجھے ہاتھ نہیں دیئے؟ اور پھر کسی دوسرے سے کرانے سے اس کی نگاہوں کے سامنے رہنے کا مقصد پورا نہ ہو پاتا..... کام کرتے ہوئے میں دزدیدہ نگاہی سے اسے بھی دیکھ رہا تھا۔ مجھے باغیچے میں مصروف دیکھا تو بے چینی سے اپنے کمرے میں ہی چکر

کاٹنے لگی تھی۔''

''اچھا.....؟''

''ہاں.....اوراب کل کھلے کھلائے پھولوں کے گملے لا کر رکھوں گا۔ بیج ڈالنے سے ہفتے دو ہفتے کے اندر اندر پھولوں کا کھل اٹھنا تو ناممکن ہے۔ آخر باغیچے کواسی طرح پر بہار بنانا پڑے گا نا۔''

''پھر کیا ہوگا؟''

''سب کچھ ٹھیک ٹھاک ہو جائے گا ان شاء اللہ۔ پھولوں کا اس کے مزاج پر اچھا اثر پڑے گا۔اور مجھے یہ بھی یقین ہے کہ پھر وہ خود بخود باغیچے میں بھی نکلا کرے گی۔''

''ہاں۔ یہ درست ہے پھول اوران کی خوشبو دماغ پر اچھا اثر ڈالتے ہیں۔''

''پھر کمرے سے نکلے گی تو اس خول سے بھی باہر آ جائے گی جو اس نے اپنے گرد بنالیا ہوا ہے جس کے ذریعے وہ ہم سب سے علیحدہ ہوگئی ہے۔''

''سچ بھیا! امید ٹھیک ہوگئی نا تو میں اس دن نیاز دلواؤں گی۔ اک بہت بڑی دعوت منعقد کروں گی۔''

''آپ کو اتنی عزیز ہے وہ؟''

''ہاں..... وہ بھی..... اور تمہاری کامیابی بھی..... کیونکہ تم بھی مجھے بہت عزیز ہو آذر.....''

جانے ثروت کو کیا ہوا؟ یکا یک آنکھوں میں ڈھیر سارے آنسو لیے اس کے قریب ہو گئی.....

''آذر.....!''

اس کی آواز میں عجیب سی لرزش تھی اور ہونٹ کپکپا رہے تھے۔

''تمہیں ایک بات بتاؤں.....؟''

''کہیے بھابی.....!'' وہ ثروت کی حالت سے متعجب سا تھا۔

''میرا ایک بھائی تھا۔ بالکل تمہارے جیسا۔ اتنی ہی عمر ہوگی۔ جب میری شادی ہوئی تو

اپنے سسرال کی ساری لڑکیوں میں سے مجھے یہ امید سب سے زیادہ اچھی لگی تھی۔ بے حد اچھی۔ میں نے دل میں پکا ارادہ کرلیا تھا کہ اس کے ساتھ اپنے بھائی کی شادی کروں گی۔''

''تو امید کے پاگل پن کی وجہ سے یہ رشتہ کھٹائی میں پڑ گیا؟''

''نہیں.....امید پر تو یہ حادثہ بعد میں گزرا۔ میرا بھائی پہلے ہی' پہلے ہی.....''

ثروت یکا یک چپ ہوگئی۔ اس کا پورا وجود لرز رہا تھا۔

''کیا ہوا بھابی.....؟ کیا ہوا آپ کے بھائی کو.....؟'' آذر نے اس کی حالت دیکھتے ہوئے تسلی کے طور پر اس کے سرد ہاتھ تھام لیے۔

''وہ ایک حادثے کی نذر ہو گیا۔'' اور ثروت اس کے اور اپنے ہاتھوں پر پیشانی ٹکائے ہوئے پھوٹ پھوٹ کر رونے لگی۔

''اوہ.....!''

آذر زبان سے تو کچھ نہ کہہ سکا۔ لیکن اس کی آنکھوں سے اس دکھ کا اظہار ہو رہا تھا جو ثروت کے بتانے پر اس نے محسوس کیا تھا۔

کتنی ہی دیر ثروت روتی رہی۔ پھر چونک کر سر اٹھایا۔ آنسو پونچھتے ہوئے اک افسردہ سی مسکراہٹ کے ساتھ بولی۔

''ارے! لیکن بھلا میں اب کیوں رو رہی ہوں۔ پروردگار تو بڑا بے نیاز ہے۔ اس نے مجھے منا ایسا بھائی دے تو دیا ہے.....'' اب اس کی مسکراہٹ میں افسردگی کی آمیزش نہیں تھی۔

''جب سے تم آئے ہونا.....تو.....مجھے یوں لگا جیسے میرا منا آ گیا۔''

''منا.....؟''

''وہ مجھ سے تین سال چھوٹا تھا لیکن مجھ سے بڑا لگتا تھا۔ بڑا جوان تھا۔ اور میں پھر بھی اسے منا ہی کہا کرتی تھی۔ بچپن سے عادت پڑی ہوئی تھی۔''

ایک بار پھر ثروت کے الفاظ میں آنسوؤں کے موتی ٹوٹنے کی صدا شامل ہوگئی۔

''جب میں اپنے سسرال آئی نا تو وہ مجھے ملنے آیا اور عادت کے مطابق میں اسے اتنے جوان رعنا کو' منا ہی کہہ کر مخاطب کرنے لگی۔ وہ مجھ سے روٹھ گیا۔'' ثروت پھر رونے لگی۔

''اس وقت تو میں نے اسے راحیل کہہ کر منالیا مگر اب.....اب کوئی بھی تو صورت اس روٹھے ہوئے کو منانے کی نہیں۔''

''ارے! یہ آپ کیسی بہن ہیں؟'' ساتھ ہی مجھے اپنا بھائی کہہ رہی ہیں اور ساتھ ہی میرے سامنے ہی کسی دوسرے کا ذکر کر رہی ہیں۔ سچ بھابی! مجھے منا کہیے۔ صرف میکے یا سسرال میں ہی نہیں، ساری دنیا کے سامنے کہیے۔ کبھی نہیں روٹھوں گا۔''

آذر نے ثروت کے دونوں ہاتھ اپنے رخساروں پر دھر لیے۔''اور آپ کا منا آپ کو کیا کہا کرتا تھا۔؟ آیندہ میں بھی وہی کہوں گا۔''

''وہ مجھے آپا کہا کرتا تھا۔ ہم دونوں ہی تو بہن بھائی تھے۔ بہت بے تکلفی بھی ہم میں تھی۔ ساتھ تم کہہ کر مخاطب کرتا تھا۔''

''تو آپا! تمہارا یہ منا امید رکھے کہ اس کی آپا کی آنکھ سے آیندہ اس بات پر کبھی کوئی آنسو نہیں بہے گا۔''

اتنے پیارے انداز میں اس نے کہا کہ ثروت نے بے اختیار ہو کر اسے گلے سے لگا لیا۔

''ہاں منا۔ کبھی نہیں۔ تو تو سچ مچ میرا منا ہے۔ ویسا ہی کھرا اور اک دردمند دل کا مالک۔''

''دردمند۔''

آذر نے زور سے اک قہقہہ لگایا۔''آپا! باقی دنیا سے تو پوچھ لیا ہوتا کہ میں اس خطاب کا مستحق ہوں بھی؟''

''دنیا سے مجھے پوچھنے کی کیا ضرورت ہے۔ میں نے ہمیشہ اپنی آنکھ' اپنے کان اور اپنا دماغ استعمال کیا ہے۔''

ثروت مسکراتے ہوئے اٹھ کھڑی ہوئی۔

''اوہ۔ بارہ بج گئے۔''

''ارے! مجھے تو صبح ڈیوٹی پر جانا ہے۔'' آذر نے جلدی سے لیٹتے ہوئے کمبل اوپر کھینچا۔

''ارے!'' ثروت نے پھر اس کا کمبل ہٹا دیا۔ ''دودھ منا! آج پھر دودھ بھولا جا رہا ہے۔'' ثروت نے بڑی پھرتی سے اس کے ہاتھ میں دودھ کا گلاس تھما دیا۔

آذر دودھ پینے لگا۔ ثروت' جلدی جلدی اس کا بستر درست کرنے لگی۔

''یاد آیا منا! تم نے تو کہا تھا کہ اب تمہارا لیکچر پرسوں ہوگا مگر پھر کل کے لیے کس ڈیوٹی کی بات کر رہے تھے؟''

''امید والی ڈیوٹی میری آپا! امید والی۔''

آذر نے دودھ والا گلاس خالی کر کے اس کے ہاتھ میں تھما دیا۔

''کیا وہ ڈیوٹی نہیں؟''

''کیوں نہیں۔'' ثروت نے پرزور تائید کی۔ ''سب سے بڑی ڈیوٹی۔ یہ تو اک انسانی زندگی کا سوال ہے۔''

پھر ثروت نے اسے لٹا کر اچھی طرح کمبل اوڑھاتے ہوئے دل کی گہرائیوں سے دعا دی۔

''خدا تمہیں اس میں کامیاب کرے منا! اور خدا تمہیں سدا سلامت رکھے۔''

یوں ہی اسے دعاؤں سے نوازتے ہوئے ثروت کمرے سے نکل گئی۔ اور آذر لیٹا لیٹا ثروت ہی کے متعلق سوچتا رہا جس کا کوئی بہن بھائی نہ ہو اس کی بھی کوئی زندگی ہے؟ بے شک آپس میں سلوک سے رہیں یا نہیں رہیں لیکن پھر بھی بہن بھائی ایک دوسرے کا مان تو ضرور ہوتے ہیں۔

اور وہ۔ بے چاری کیسے اکیلی تھی۔ آذر نے دل میں عہد کر لیا کہ وہ ہمیشہ ثروت کو سگی بہن کا سا پیار' مقام اور عزت دے گا۔ ہمیشہ دوسروں کا درد اپنے اندر سمو لینے والا آذر ثروت کے درد کو پوری طرح دل میں بسا کر سو گیا۔

رات کو وہ دیر سے سویا تھا' اس لیے صبح بیدار بھی دیر سے ہی ہوا۔ نماز بھی قضا ہو گئی تھی۔ اپنے آپ ہی پر الجھتا ہوا جلد جلد تیار ہو رہا تھا۔

''بھئی اب آ بھی جاؤ۔'' یاور کی ہانک سن کر وہ جلدی جلدی کوٹ پہنتے ہوئے کھانے والے کمرے میں آ گیا۔

خاور اور ثروت کے علاوہ باقی سب ناشتے کی میز پر اسی کے انتظار میں بیٹھے ہوئے تھے۔

"آپا کہاں ہیں؟" ثروت کو موجود نہ پا کر آذر نے ہاتھ میں پکڑا توس واپس رکھتے ہوئے پوچھا۔

"تمہیں کس نے کہا کہ رومانہ آئی ہوئی ہے؟"

"میں رومانہ آپا کی بات نہیں کر رہا امی۔"

"پھر؟"

"بھابی کا پوچھ رہا ہوں۔"

"تو بھابی کہتے نا۔ تم تو آپا کہہ رہے تھے۔"

"میں اب انہیں آپا ہی کہا کروں گا۔"

"مگر پگلے! وہ تیری بھابی ہے۔"

"بھابی سے لگتا ہے جیسے میرا اور ان کا تعلق صرف خاور بھائی کے ذریعے یا واسطے سے ہی ہے۔"

"تو کیا ان سے علیحدہ تمہارا اس کے ساتھ کوئی تعلق ہے؟" یاور کا لہجہ بڑا چبھتا ہوا اور عجیب سا تھا۔ اس کی بیوی کسی سے گھلتی ملتی نہیں تھی تبھی وہ اکثر ایسی طنزیہ اور کڑوی کسیلی سی باتیں ثروت کے خلاف کر دیا کرتا تھا۔

"جی ہاں....." آذر نے بڑی سنجیدگی سے جواب دیا۔ "اس گھر میں مجھے وہ سب سے زیادہ اپنی لگتی ہیں۔ جیسے میری سگی بہن یہی ہوں۔"

یاور سے بات کر کے وہ پھر ثروت کو آوازیں دینے لگا۔

"آپا! آ بھی جاؤ نا۔ جب تک تم نہیں آؤ گی۔ میں ناشتہ نہیں کروں گا۔ اور مجھے بہت دیر ہو رہی ہے۔"

"آئی منا.....! آئی.....بس تمہارے بھائی جان کو رخصت کر لوں.....انہیں بھی دیر ہو رہی ہے۔"

دوسرے کمرے سے ثروت کی آواز آئی تو سب ہی چونک پڑے۔

''منا.....؟''

امی اور یاور بیک آواز بڑبڑائے۔

''ثروت نے تمہیں منا کہا ہے؟'' امی کی آواز یکا یک ہی تندسی ہوگئی جیسے انہیں یہ بات اچھی نہ لگی تھی۔

''کیوں امی! انہوں نے اگر مجھے منا کہہ دیا تو کوئی حرج نہیں ہے؟'' وہ امی کا انداز بھانپ گیا تھا۔ یوں شاید وہ اس بات کی طرف دھیان ہی نہ دیتیں مگر اب ان کے بیٹے یاور نے تلخ سی بات کر کے انہیں احساس دلا دیا تھا۔

''لیکن آخر کیوں؟''

''وہ مجھے اپنا بھائی کہتی ہیں۔''

''چار دن بعد چلے جاؤ گے۔ چھوڑو یہ بہن بھائی کے چونچلے!'' ابا بھی امی کے ہم نوا بن گئے۔''

آپ برا مانیں یا بھلا۔ میں آپ کو سچی بات بتادوں امی! میری دونوں بہنوں کے پاس دو بھائی میرے علاوہ موجود ہیں اور آپ کے پاس دو بیٹے اور.....لیکن میری ثروت آپا بالکل اکیلی ہیں.....''

''اکیلی ہے تو پھر.....؟''

''پھر میں ان کا منا بن گیا ہوں۔''

''خدا تمہیں زندگی دے۔ تم کیوں اس کا منا بنو۔''

''حد کرتی ہیں امی آپ بھی۔''

آذر پر جھنجھلاہٹ سوار ہوگئی۔

عجیب سی تو ہم پرستی تھی اور عجیب سی کنجوسی۔ ثروت کے لیے اس کا یہ خلوص اور پیار اور ہمدردی انہیں پسند نہ آئی تھی۔

وہ آذر کو صرف اپنی ملکیت دیکھنا چاہتی تھیں۔

ساری زندگی اسے فالتو سمجھا' اس کی طرف سے بے توجہی برتی اور اگر اب اس نے

ثروت کے ساتھ بہن بھائی والا ناتہ جوڑ لیا تھا تو تب بھی سب بخیل ہو گئے تھے۔ اک فالتو چیز بھی کسی کو نہیں دے سکتے تھے۔

کیسا زمانہ تھا اور کیسی انسانیت تھی۔ بھلا آپا نے اسے اٹھا کر اک ڈبیا میں بند کر کے اپنے پرس کے اندر تو نہیں رکھ لینا تھا۔ تھا تو وہ انہیں کا۔ صرف ایک طرز تخاطب بدل لینے سے ملکیت تو نہیں بدل جانا تھی۔ یہ خالی خولی آپا کہہ دینے سے ثروت کو اگر خوشی مل سکتی تھی تو ان سب کا آخر کیا بگڑ جانا تھا؟

انہیں سوچوں میں ڈوبا ڈوبا بغیر ناشتہ کیے ہی وہ اٹھ کھڑا ہوا..... اتنے میں ثروت اندر آ گئی۔

''ارے منا! اتنی جلدی اٹھ گئے.....؟ ابھی تو مجھے آوازیں دے رہے تھے کہ میرے بغیر ناشتہ نہیں کرو گے.....''

وہ بڑے پیار سے اسے دیکھتے ہوئے بولی۔

''وہ آپا.....؟''

اس تخاطب کے ساتھ ہی آذر نے امی ٗ ابا اور یاور کی طرف دزدیدہ نگاہوں سے دیکھا۔ ارادتاً یا شاید اچانک ہی ایسا ہوا تھا۔ امی نے پلیٹ میز پر پٹخی۔ آذر کے ہونٹوں پر تبسم پھیل گیا۔

''آپا! کچھ منگوانا ہے؟ میں بازار جا رہا ہوں۔''

''نہیں منا! اس وقت تو کچھ نہیں چاہیے۔''

''بازار کیوں جا رہے ہو؟'' امی کی تیوریوں پر ہزاروں بل تھے۔

''شاپنگ کے لیے!''

''وہ تو میں جانتی ہوں کہ شاپنگ کے لیے جا رہے ہو۔ میں پوچھ رہی تھی۔ خریدنا کیا ہے؟''

''جو مل گیا۔ جو پسند آ گیا۔'' آذر نے دانستہ گول مول سا جواب دیا۔'' امی غصیلی نگاہ سے اسے دیکھتے ہوئے چپ سی ہو گئیں۔''

''ارے منا! ناشتہ کر لیا؟'' ثروت نے پوچھا۔

''بہو! تم اسے منا کیوں کہتی ہو؟'' اب امی نے تیکھے تیوروں سے ثروت کو دیکھا۔

''وہ.....وہ امی.....!''

امی کے تیور دیکھ کر ثروت ہکلانے لگی۔

''پیار سے۔ میرا چھوٹا بھیا ہے نا۔''

''ہم سب اسے آذر کہتے ہیں بھابی۔'' یاور بڑے کٹیلے سے لہجے میں بولا۔

''آپ سب کا میں آذر ہوں۔ لیکن اپنی ثروت آپا کا میں منا ہوں۔ آج سے برائے مہربانی آج کے بعد پھر کوئی ان سے یہ سوال نہ کرے۔'' آذر کو غصہ آ گیا۔

ابا کی موجودگی کی بھی پروانہ کی۔ نہ امی کی..... اتنی اچھی بہو تھی ان کی۔ ہر وقت۔ ہر ایک کے حکم کی منتظر کھڑی رہتی تھی۔ اتنی سب کی خدمتیں کرتی تھی اور اس کے لیے اتنی بھی گنجائش یہ نہیں نکال سکتے تھے کہ وہ ان کے بیٹے کو بھائی کہہ کر اپنی اک محرومی دور کر لے۔ کیسے کٹھور تھے سب اور کس قدر تنگ دل۔

''آپا!'' پھر آذر ثروت کے قریب جا کر ہولے سے بولا۔

''اسی لیے میں ناشتہ کیے بغیر چل دیا تھا۔ موڈ ہی خراب کر دیا میرا۔ اچھا خدا حافظ۔''

''منا.....منا.....'' ثروت اسے پکارتے ہوئے پیچھے لپکی۔

''جانے دو..... یہ ہمیشہ سے ہی ایسا ہے اور سدا رہے گا۔ بے درد.....!''

ابا کی بارعب آواز ثروت کے پاؤں کی بیڑیاں بن گئی۔

امید سنتی سب کچھ تھی۔ سمجھتی بھی تھی۔ لیکن دنیا سے اور اپنی ذات سے ترک تعلق کے سلسلے میں اس نے اپنی ہر جنبش، ہر چھوٹی سے چھوٹی اور بے اختیاری حرکت کو بھی اپنے بس میں کیا ہوا تھا۔

اس لیے اپنی آمد سے چاپ یا آہٹ کی وجہ سے اسے باخبر کیے بغیر آذر اسے دیکھنا چاہتا تھا۔ کیا اکیلے میں بھی وہ اسی طرح وقت گزارتی تھی؟ کھڑکی میں گھنٹوں بیکار بیٹھ کر اور باغیچے کی طرف نظریں گاڑ کر یا اس کا کوئی اور مشغلہ بھی تھا؟

اس کے علاوہ چپکے سے جا کر وہ یہ بھی معلوم کرنا چاہتا تھا کہ پچھلے تین چار دن کی محنت کا کوئی ثمر اسے ملا بھی تھا یا وہ ہوا ہی میں تیر چلائے جا رہا تھا؟

سامنے والے دروازے کی طرف سے نہیں گیا اسے دستک دے کر کھلوانا پڑتا تھا اور یوں سارا گھر گونج اٹھتا تھا۔ خالہ حبیبہ کے ساتھ ساتھ امید بھی وارد ہونے والے سے باخبر ہو جاتی تھی۔ لہٰذا وہ پچھلے دروازے سے صحن میں داخل ہوا اور پھر چوروں کی طرح ادھر ادھر، اردگرد دیکھتا ہوا بہت دبے دبے اور بے آواز قدم اٹھاتا ہوا اس کے کمرے کی چوکھٹ میں جا کھڑا ہوا۔

کھڑکی کے سامنے والی کرسی جہاں وہ اکثر موجود ہوا کرتی تھی اس وقت خالی پڑی تھی۔

آذر اسی انداز میں چلتا ہوا کمرے کے اندر بڑھ گیا۔ اس کا بستر بھی خالی تھا۔ کمرے سے ملحقہ غسل خانے کا دروازہ بھی چوپٹ کھلا تھا جس کا مطلب تھا وہ ہاں بھی نہیں تھی۔

آذر پریشان سا ہو گیا۔ وہ تو کمرے سے نکلا ہی نہیں کرتی تھی۔ پھر آج کہاں غائب تھی؟

''خالہ.....خالہ.....!'' چپکے سے جا کر اس کا مشاہدہ کرنے کا پلان دھرے کا دھرا رہ گیا۔ وہ گھبرا گھبرا کر حبیبہ کو پکارنے لگا۔

''کون ہے؟'' خالہ حبیبہ کی باورچی خانے سے آواز آئی۔ ''آذر آیا ہے؟'' اپنی آواز کے پیچھے پیچھے وہ خود بھی چلی آئیں۔

''امید کہاں ہے؟'' نہ سلام نہ آداب' بس ان کے آتے ہی گھبرایا ہوا پوچھنے لگا۔

''یہیں تھی ابھی۔'' وہ بھی گھبرا گھبرا کر ارد گرد نگاہیں دوڑانے لگیں۔ پھر اسی گھبراہٹ میں جلدی سے غسل خانے کے اندر گھس گئیں۔

''ارے کہاں گئی.....؟''

اور آذر سے مزید کوئی بھی بات کیے بغیر عجلت کے ساتھ کمرے سے باہر نکل گئیں۔

آذر ان کے پیچھے پیچھے تھا اور وہ اسے ہر کمرے میں ڈھونڈ رہی تھیں۔ مگر وہ کہیں بھی نہیں ملی۔

''ہائے ہائے! پاگل پن میں منہ اٹھائے کہیں سڑک پر نہ نکل گئی ہو۔'' پریشانی اور فکر کی زیادتی کی وجہ سے وہ آذر ہی سے الجھ سی پڑیں۔ ''تمہیں نے کہا تھا کہ اس پر سے ساری پابندیاں اٹھا دی جائیں۔ نتیجہ دیکھ لیا نا۔ اک پاگل پر کیا اعتبار۔ وہ کب کون سی حرکت کر بیٹھے۔''

''وہ پاگل نہیں ہے خالہ!''

''اور یہ ہوشمندوں والی حرکت ہے؟'' حبیبہ رونے ہی لگیں۔

''ہائے نہ جانے کہاں چلی گئی؟''

آپ حوصلہ رکھیں نا۔ میں ابھی اس کا پتہ کرتا ہوں۔''

آذر جلدی سے برآمدے میں نکل گیا۔ دور سامنے سڑک کی طرف دیکھا۔ دائیں بائیں' کسی طرف بھی نہیں تھی۔ اور ابھی وہ سوچ ہی رہا تھا کہ اس کی تلاش میں کس سمت جائے کہ قریب ہی ہونے والی ایک ہلکی سی آہٹ نے اسے چونکا دیا۔ جس طرف سے آواز آئی تھی وہ جلدی سے ادھر گھوما۔

''اوہ.....'' اک اطمینان اور مسرت سے لبریز طویل سا سانس اس کے حلق سے برآمد ہو گیا۔

سارے لان کی صفائی کرنے کے بعد آذر نے جو گملے جگہ بہ جگہ رکھے تھے ان سب کی ترتیب بدلی ہوئی تھی، اور امید انہیں پانی دے رہی تھی۔ وہ جو کچھ جاننے کے لیے پچھلے صحن میں داخل ہوا تھا اور دبے دبے اور بے آواز قدموں سے چل کر اس کے کمرے میں گیا تھا' اس ہر بات کا جواب آذر کو امید کے گمشدہ وجود کے ساتھ ساتھ ہی پوری تفصیل سے مل چکا تھا۔

امید کا یہ فعل آذر کی عین توقع کے مطابق تھا۔ بلکہ توقع سے بھی کہیں بڑھ کر وہ اپنے خول سے باہر نکل رہی تھی۔ آذر کی خوشی کی انتہا نہ رہی۔

کئی لمحے وہ چپ چاپ کھڑا اس کی محویت کو دیکھتا رہا۔ پھر ہولے ہولے قدم اٹھاتا ہوا اس کے قریب جا کھڑا ہوا۔ اس کے قدموں کی آہٹ پر پہلے تو امید نے کوئی توجہ نہیں دی پھر یکا یک چونک کر سیدھی کھڑی ہوگئی۔

پودوں کو پانی دینے والا فوارہ ہاتھ میں تھا۔ اپنے قریب آذر کو کھڑے دیکھا تو سٹپٹا کر فوارہ وہیں پھینکتے ہوئے وہاں سے بھاگ اٹھی۔

''امید..... سنو امید.....'' آذر اسے پکارتے ہوئے اس کے پیچھے لپکا۔

مگر وہ بھاگی ہی چلی گئی۔ آذر کی آواز سنی تو ہوگی مگر اس کے انداز سے یہی ظاہر ہوتا تھا کہ اس نے سنی ہی نہیں تھی۔ آذر پیچھے پیچھے ہی تھا۔ کمرے کی چوکھٹ میں قدم رکھتے ہی امید نے مڑ کر اس پر اک نگاہ ڈالی اور پھر کھٹاک سے دروازہ بند کر دیا۔ آذر باہر ٹھٹک کر رہ گیا۔

''کہاں سے ملی.....؟'' خالہ حبیبہ کاریڈور کے پرلے سرے پر کھڑی دیکھ رہی تھیں۔ آذر کے قریب آتے ہوئے جلدی سے بولیں۔

''اب تو اس کی پابندیاں ہٹانے کو نہیں کہو گے نا.....؟'' ساتھ ہی بڑھ کر جلدی سے اس کے دروازے کے باہر سے چٹخنی چڑھا دی۔

''اب تو ضرور کہوں گا.....'' آذر مسکرایا۔

''اور خود چلے جاؤ گے۔ مشکل میرے لیے ہوگی۔''

''آپ کے لیے آسانیاں ہی کر کے جاؤں گا خالہ..... انشاءاللہ.....!'' آذر نے بڑھ کر چٹخنی کھول دی جو حبیبہ نے لگائی تھی۔

’’تم نے بتایا نہیں کہاں سے ملی ہے؟‘‘

’’باہر باغیچے میں تھی۔ پھولوں کو پانی دے رہی تھی۔‘‘ آذر کی آواز میں خوشی کی لرزش تھی۔

’’اور یہی خالہ! اس کے روبصحت ہونے کی دلیل ہے۔ آج پھولوں میں دلچسپی لے رہی ہے۔ کل آپ میں اور ہم میں بھی لینے لگے گی۔‘‘

’’مگر اب تو اس نے دروازہ بند کرلیا ہے۔‘‘

’’کوئی بات نہیں۔ کل پرسوں تک ایسا نہیں کرے گی۔ بلکہ خدا کے فضل وکرم سے دروازہ بند ہوا کرے گا تو ہمارے لیے کھول دیا کرے گی۔‘‘

’’اللہ تمہاری زبان مبارک کرے۔ میں تو رات دن اس کے لیے دعائیں مانگ رہی ہوں۔‘‘ حبیبہ کی آنکھوں میں پھر آنسو آ گئے۔

’’خدایا! تو مجھے معاف کردے۔ مجھ گنہگار.....‘‘

’’خالہ.....!‘‘ حبیبہ پھر اپنے گناہوں‘ زیادتیوں اور پچھتاووں اور شرمندگیوں کا ذکر چھیڑنے لگی تھیں‘ آذر نے موضوع بدل دینا ہی بہتر سمجھا۔

’’پرویز کہاں ہے.....؟‘‘

’’جہاں ہوتا ہے.....!‘‘

’’کیا مطلب.....‘‘

اپنے آوارہ دوستوں کے ساتھ بیٹھا کہیں تاش واش کھیل رہا ہوگا۔‘‘

’’اتنا وقت اس گھر میں گزارتا ہوں مگر اس سے ایک بار بھی ملاقات نہیں ہوئی۔‘‘

’’رات کو دو بجے لوٹتا ہے۔ صبح سویرے پھر نکل جاتا ہے۔ اور کبھی تو پوری رات ہی غائب رہتا ہے۔ سب میرے گناہوں کی سزا۔‘‘ اب کی بار حبیبہ نے خود ہی بات بدل دی۔

’’اچھا بتاؤ..... چائے پیو گے.....؟‘‘

’’جی ہاں..... ضرور.....‘‘

’’تو آؤ پھر.....‘‘

''باہر باغیچے میں لے آئیے گا۔''

''کیوں.....؟ اندر میرے پاس بیٹھونا۔''

''امید جو کام ادھورا چھوڑ گئی ہے وہ مکمل کرلوں۔''

''اچھی بات۔ میں چائے وہیں لے آؤں گی۔'' اب خالہ حبیبہ اس کے کاموں میں دخل نہیں دیتی تھیں۔ اس پر پورا یقین تھا کہ جو کچھ وہ کر رہا ہے ان کی بہتری کے لیے ہی تھا۔

وہ چائے بنانے چلی گئیں اور آذر جا کر پھولوں کو پانی دینے لگا۔ ساتھ ساتھ پانی دے رہا تھا اور ساتھ ساتھ دزدیدہ نگاہوں سے امید کی کھڑکی کی طرف بھی دیکھ رہا تھا۔ گھٹنوں پر کہنی اور ہاتھ پر ٹھوڑی ٹکائے بیٹھی وہ اسے ہی تک رہی تھی۔

''آذر بیٹے! چائے پی لو۔''

برآمدے میں خالہ حبیبہ چائے لیے کھڑی تھیں۔ فوارہ وہیں رکھ کر وہ ان کے پاس ہی آ گیا۔ چائے کی پیالی خالہ کے ہاتھ سے لے کر برآمدہ کے پرلے سرے سے اک کرسی عین امید کی کھڑکی کے سامنے گھسیٹتے ہوئے وہ اس پر بیٹھ گیا۔ بالکل اس کی نگاہوں کے سامنے۔

''پھول بھی خدا کی قدرت کا کتنا خوبصورت نمونہ ہیں۔ ہیں نا خالہ.....؟''

چائے کی ایک چسکی لیتے ہوئے وہ حبیبہ سے مخاطب ہوا۔

''ہاں.....''

وہ اس کا مطلب سمجھ نہ سکیں مگر ایسے ہی گردن ہلا دی۔

''اور خالہ انسان بھی پھولوں ایسے ہی ہوتے ہیں اور ہر انسان کو اک پھول جیسی ہی زندگی گزارنا چاہیے۔''

خالہ حبیبہ حیرت سے اسے دیکھنے لگیں۔ آذر کیسی باتیں ان کے ساتھ کر رہا تھا۔ کہاں ان کا بڑھاپا اور کہاں پھولوں کی جوانی' مہک اور خوبصورتی.....!!! اب ان کے دل میں نہ ان کی خوشبو سونگھنے کی حس' تمنا اور خواہش تھی اور نہ ان کی خوبصورتی سے متاثر ہونے کا جذبہ.....! ہر قسم کی طلب' آرزو اور جذبے بڑھتی عمر کے ساتھ ہی دم توڑ چکے تھے۔

''خوبصورت' معطر اور پاکیزہ..... اپنے لیے وہ کچھ بھی نہیں لیکن چمن کے لیے رونق'

بہار، خوشبو..... یہی مقصد اک انسان کو اپنی زندگی کا بنا لینا چاہیے۔ دنیا کے لیے رونق بنے' دوسرے انسانوں سے اچھا سلوک کر کے' اچھے کام کر کے خوشبو کی طرح مہکے اور اپنے اچھے اخلاق سے بہار بنے.....''

جانے وہ کیا کچھ کہہ رہا تھا۔ خالہ نے سوچا' زیادہ پڑھ کر دماغ بھی کچھ ٹھکانے نہیں رہتا۔ دو دن پہلے بھی آذر کچھ اسی قسم کی باتیں کر رہا تھا۔

ساتھ ساتھ باغیچے کے مرجھائے' سوکھے' بکھرے پتے اکٹھے کر رہا تھا' اور ساتھ ساتھ زندگی کی ترتیب کے متعلق کوئی لیکچر دے رہا تھا۔ ان کی زندگی تو زیادہ گزر چکی تھی اور تھوڑی باقی رہ گئی تھی۔ اب نہ جانے یہ آذر انہیں کیا سمجھانا چاہتا تھا؟

جونہی آذر نے پیالی میں سے چائے کا آخری گھونٹ بھرا۔ خالہ جلدی سے اس کے ہاتھ سے پیالی لے کر اندر رکھنے کے بہانے وہاں سے کھسک گئیں۔ خالہ کے انداز سے آذر سمجھ گیا تھا۔ بے اختیار ہنسی آ گئی۔

''آپ نے خالہ کبھی جوانی میں ایسی باتوں میں دلچسپی نہ لی۔ پھولوں والی عمر میں آپ نے کبھی پھولوں کو نہ تکا۔ جب انسان کی عادات بننا' سنورنا اور نکھرنا چاہئیں' اس وقت آپ نے نہ بنائیں' سنواریں' نکھاریں تو میں آج کیوں آپ کو ایسے اسباق دوں گا یا نصیحتیں کروں گا۔ اب تو آپ کا ہر قدم اگلی دنیا کی طرف اٹھ رہا ہے۔''

وہ اپنے آپ ہی ہنسے گیا۔

''میں جس کے لیے یہ سب کچھ کہہ رہا ہوں وہ یقیناً سن رہی ہو گی۔ اک اک لفظ پر غور بھی کر رہی ہو گی۔ یقیناً خالہ..... یقیناً.....''

آذر بڑی دیر وہاں بیٹھا رہا۔ کبھی کبھی تھوڑی سی گردن گھما کر اپنے کندھے یا پشت پر کھجلی کرنے کے بہانے چور آنکھوں سے امید کی کھڑکی کی طرف بھی دیکھ لیتا۔ وہ وہاں موجود تھی اور ایک ٹک اس کی طرف تکے جا رہی تھی۔ ورنہ پچھلے دو تین دن کا آذر کا تجربہ بالکل مختلف تھا۔

پہلے دن وہ اسے باہر بالکل اپنے سامنے دیکھ کر کھڑکی میں سے ہٹ گئی تھی۔ دو گھنٹے اس نے جانے کہاں گزارے تھے۔ آذر اپنے کام میں لگا رہا تھا۔ اس نے معلوم کرنے کی

کوشش بھی نہیں کی تھی۔

کچھ وقت گزرنے کے بعد پھر کھڑکی میں آئی تھی۔ وہ تب بھی وہاں موجود تھا۔ وہ پھر وہاں سے ہٹ گئی تھی۔ آدھ گھنٹے بعد پندرہ منٹ بعد اس نے پھر کھڑکی کے دو چکر لگائے تھے۔ پھر غائب ہوگئی تھی اور بہت دیر وہ پھر کھڑکی میں نہیں آئی تھی تو آذر نے چپکے سے جا کر اس کے کمرے میں دیکھا تھا۔

اپنے پلنگ پر چپ چاپ سر جھکائے بیٹھی خالی ہاتھوں کو گھورے جا رہی تھی۔ ہاتھ خالی تھے جانے ذہن بھی خالی تھا یا اس میں کوئی سوچ تھی۔

ویسے آذر کا یقین کی حد تک خیال تھا کہ اس کا دماغ نہ صرف یہ کہ مصروف تھا بلکہ اس میں کوئی ہلچل سی ضرور مچی ہوئی تھی۔ وہ مطمئن ہو کر وہاں سے ہٹ گیا تھا۔

اگلے دن صبح ہوتے ہی وہ پھر ان کے گھر آ گیا تھا۔ کل باغیچے کی صفائی کی تھی۔ آج کیاریاں بنا رہا تھا۔ رنگ برنگے پھولوں کے گملے ایک ترتیب سے رکھ رہا تھا۔ ان گملوں میں وہی پھول اور بیلیں تھیں جو امید کو پسند تھے اور جو پہلے بھی اس باغیچے کی بہار بنے ہوتے تھے۔

اور..... کام سے زیادہ آج پھر اس کی نگاہیں امید کی کھڑکی کی طرف تھیں۔ وہ بڑی تیزی سے کمرے کے چکر کاٹ رہی تھی۔ چہرے پر عجیب قسم کا اضطراب سا تھا۔

دو تین چکر لگانے کے بعد معمول کے مطابق کھڑکی سے باہر دیکھنے کے لیے آ کر رکتی' آذر کو سامنے ہی مصروف دیکھ کر ہٹ جاتی۔ پھر ایک دو چکروں کے بعد پھر آتی۔ پھر ہٹ جاتی۔ کبھی کبھی چند لمحوں کے لیے رک بھی جاتی۔

اس وقت آذر کے ہاتھ اور تیزی سے کام کرنے لگ جاتے۔ اور جھکی جھکی دزدیدہ نگاہیں بغور اس کے مضطرب چہرے کا معائنہ کرنے لگ جاتیں۔ کبھی کبھی دانستہ مگر بالکل غیر دانستہ انداز میں واضح طور پر بھی کھڑکی کی طرف دیکھنے لگ جاتا۔ امید کی نظر سے نظر ملتی تو جلدی سے اک تبسم کے ساتھ کوئی نہ کوئی فقرہ بول دیتا۔

''باغیچے کا تو ستیاناس ہو گیا۔ پہلے کتنا خوبصورت ہوا کرتا تھا۔''

پھر ایک بار بظاہر اسی اتفاقیہ نظر ملنے والے حادثے کے ساتھ بولا تھا۔

''کام بہت ہے۔ اکیلا ہی لگا ہوا ہوں۔ کوئی ہاتھ بٹانے والا پاس نہیں ہے۔''

امید نے جلدی سے نگاہ پھیر لی تھی۔ لیکن اس بار کھڑی وہیں رہی تھی۔ چہرے سے صاف ظاہر ہو رہا تھا جیسے کچھ سوچ رہی تھی۔ کیا سوچ رہی تھی.....؟ کوئی فعل کرتی تو تبھی معلوم ہوتا نا۔ آذر پھر مصروف ہو گیا تھا۔

اتنے عرصے میں اس نے دو تین بار خالہ سے چائے بنوا کر پی اور اسی طرح جس طرح آج کھڑکی کے عین سامنے اور بالکل قریب کرسی کھینچ لی تھی۔ پھر اس پر بیٹھ کر ساتھ ساتھ خالہ سے باتیں بھی کرتا رہا تھا۔ جوان سے کم اور امید سے زیادہ تھیں۔

باغیچے ہی کے متعلق۔ پھولوں ہی کے متعلق۔ خاندان کے کسی فرد کا نام نہیں لیا۔ کسی کا ذکر نہیں چھیڑا۔ کسی کی بات نہیں کی۔ وہ مضطرب رہی۔ وہ بے چین رہی۔ چیزیں اٹھا اٹھا' خواہ مخواہ ہی ادھر ادھر پٹخ پٹخ کر رکھتی تھی۔

وہ جمود جو اس کے دماغ اور دل پر طاری تھا وہ ٹوٹ رہا تھا شاید.....زبان پر تو اب بھی خاموشیوں کے قفل تھے مگر حرکات سے اندازہ ہوتا تھا کہ وہ کسی ذہنی کشمکش میں مبتلا تھی۔ شعور اور لاشعور میں کوئی جنگ چھڑی تھی۔ اپنے خول سے باہر آنا چاہتی بھی تھی اور نہیں بھی۔

تیسرا دن پہلے دو سے بھی مختلف آیا۔ آذر وہاں پہنچا تو وہ کھڑکی میں ہی موجود تھی اور ان تازہ کھلے پھولوں کو دیکھ رہی تھی۔ آذر کے قدموں کی آہٹ سنی بھی مگر کھڑکی سے نہیں ہٹی۔ ویسے آذر کی طرف بھی نہیں دیکھا۔ بس پھولوں ہی کو دیکھتی رہی۔

''خوبصورت ہیں نا.....؟''

آذر کھڑکی کے قریب آن کھڑا ہوا۔

''ہوں.....؟'' وہ چونکی۔ بند ہونٹوں سے ہلکی سی صدا نکلی۔ بے آواز سی صدا۔ اور پھر جلدی سے پرے ہٹ گئی۔

''کل مجھے اسلام آباد جانا ہے۔''

وہ اپنے آپ ہی سے اتنی بلند آواز میں بڑبڑایا جیسے کمرے کے دوسرے سرے پر بھی امید ہو تو بآسانی سن لے۔

''معلوم نہیں وہاں کتنے دن لگ جائیں۔ میرے خوبصورت پھولو! میرے آنے تک مرجھانا نہیں۔ میں نے تم پر بڑی محنت کی ہے۔ پانی نہ بھی ملے تب بھی زندہ و پائندہ رہنا۔''

''کس سے باتیں کر رہے ہو آذر.....؟'' خالہ حبیبہ اندر سے نکل آئیں۔

''اپنے پھولوں سے خالہ! اور کس سے کروں گا۔''

''مجھ سے کر لو بیٹے.....!'' خالہ پیار سے بولیں۔

''آپ سے.....؟''

وہ مسکرایا۔ ''پھر آئیے۔ میرے پاس بیٹھ جائیے لیکن.....''

وہ چپ سا ہو گیا۔

''لیکن کیا.....؟''

خالہ پوچھنے لگیں۔

''بہت ساری باتیں ایسی ہوتی ہیں خالہ! جو صرف کسی اپنے ہم عمر کے ساتھ ہی کی جا سکتی ہیں اور ایسا کوئی آپ کے گھر میں ہے ہی نہیں۔'' ساتھ ہی اس نے کھڑکی کی طرف دیکھا۔

''ہاں۔ یہ تو درست ہے۔'' حبیبہ کہنے لگیں۔ ''تھوڑی دیر کے لیے مجھے ہی اپنا ہم عمر سمجھ لو۔''

''صرف سمجھنے سے ہی بات نہیں بنتی نا۔''

''کیوں.....؟''

''آگے سے جواب ویسا نہیں ملے گا۔''

''اور پھول تو جیسے تمہاری مرضی کے مطابق' جواب دے دیں گے؟'' وہ جواب دے کر واپس اندر چلی گئیں۔

''جواب کی ضرورت ہی نہیں خالہ.....؟'' آذر بڑبڑایا۔ پھر اک نگاہ کھڑکی پر ڈالی۔ امید کھڑکی کی طرف پشت کیے کھڑی تھی۔ نظریں ادھر بے شک نہیں تھیں مگر کان تو یقیناً انہیں کی باتوں پر لگے تھے۔ ورنہ یوں۔ اتنا قریب کھڑے ہونے کا جواز کوئی نہ تھا۔

''بعض انسان بڑے خود غرض ہوتے ہیں۔ صرف اپنی ذات کو نگاہ میں رکھتے ہیں۔

صرف اپنے جذبات کا انہیں احساس ہوتا ہے۔''

آذر کے اس بے باک فقرے نے پورا اثر دکھایا۔ اس کی توقع سے کہیں زیادہ زور سے چونک کر، سٹپٹا کر، وہ ایک دم مڑی۔ آذر نے دیکھا۔ اس کی پیشانی پر سلوٹیں تھیں۔ اور آنکھوں میں بے بسی، بے چارگی، غصے اور خفگی کی ملی جلی سی کیفیت اور پھر جلدی سے پرے ہٹ گئی تھی۔

اور اب آج..... وہ پھولوں کو پانی دے رہی تھی۔ خول ترخ اٹھا تھا۔ آذر نے اسلام آباد جانے کا جو پیغام پھولوں کو دیا تھا وہ اس نے سنا تھا۔ گویا وہ اس کی باتیں پوری توجہ سے سنتی تھی۔

آذر کو اب پختہ یقین ہو چکا تھا۔ دو چار دن میں ہی سننے کے ساتھ ساتھ وہ اب بول بھی پڑے گی۔ کیا بولے گی؟ ذہنی توازن درست ہوگا.....؟ اعمال و افعال تو اس کے درست ہی تھے۔

آذر نے پھولوں سے کہا تھا کہ انہیں اس کی واپسی تک مرجھانا نہیں چاہیے۔ اور اسے علم تھا کہ پانی دیتے رہنے سے وہ مرجھائیں گے نہیں۔ اس نے صحیح عمل کیا تھا۔ انہیں پانی دے رہی تھی۔

بہت بڑی کامیابی تھی یہ اس کے لیے۔ اور اسی کامیابی کی خوشی، ترنگ اور نشے میں وہ جھومتا جھامتا گھر کو چل پڑا۔

''آپا! کہاں ہو.....؟''

''آئی منا.....!''

''ہر وقت تمہیں ہی صدائیں دیتا رہتا ہے۔'' پاس بیٹھی امی نے ناک بھوں چڑھائی۔ جب بھی پکارتا تھا اسے ہی پکارتا تھا۔ امی کے سینے میں حسد کا جذبہ مچل اٹھا۔

''کوئی ضرورت ہو گی امی.....!'' ثروت نے ان کے انداز کی طرف توجہ ہی نہیں دی۔ بس سرسری سا جواب دے دیا۔

''میں بھی تو گھر میں ہوتی ہوں۔''

''تو امی! میں بھی تو اس کی بہن ہوں۔ کوئی بات نہیں۔''

''میں سگی ماں ہوں۔ اسے جنم دینے والی۔ مگر اس بے درد نے یہ کبھی جانا ہی نہیں۔''

''آپا.....!''

''منا آئی.....!'' اور ثروت امی کی باتوں کو محسوس نہ کرتے ہوئے آذر کو لبیک کہتی اس کے کمرے میں جا پہنچی۔

''آج بینک کا وقت نکل چکا ہے چیک کیش نہیں ہو سکے گا۔'' آذر نے کہا۔

''پھر.....؟''

''تمہارے پاس ایک ہزار روپیہ ہو گا۔''

''تمہارے بھیا سے پوچھتی ہوں۔''

''اور اگر ان کے پاس بھی نہ ہوا.....؟''

''تو امی سے پوچھوں گی۔ دو دو چار چار سو ہی سب سے نکل آئیں۔''

''یعنی کہ صندوقچی لے کر چندہ جمع کرنے نکلو گی۔'' آذر ہنسا۔

''اپنے منا کے لیے یہ بھی کرنا پڑا تو دریغ نہیں کروں گی۔'' ثروت سنجیدہ ہوگئی۔

''لیکن ایک دم تمہیں ضرورت کیا آن پڑی ہے.....''

''رات بارہ بجے والی پرواز سے پشاور جا رہا ہوں۔''

''ابھی کل ہی تو وہاں سے ہو کر آئے ہو۔ اور آج پھر۔''

''جی ہاں۔ کل پھر مجھے وہاں لیکچر دینا ہے۔''

''اور کل کیا تھا.....؟''

''کل بھی لیکچر تھا۔''

''ایک کل لیکچر تھا اور ایک آنے والے کل لیکچر ہوگا۔ صرف ایک دن درمیان میں خالی تھا اور تم واپس آ گئے.....؟''

''کل والے لیکچر کے بعد پرسوں کا دن خالی چھوڑ کر اترسوں پھر لیکچر ہے لیکن میں پھر واپس آ جاؤں گا۔ اور پرسوں پھر جاؤں گا۔'' آذر زور سے ہنسا۔ ''اور ایسے کئی چکر لگیں گے۔''

''حکومت کے خرچ پر روز آتے ہو روز جاتے ہو۔''

''نہیں..... اپنی جیب کھلتی ہے۔''

''کیا.....؟'' ثروت حیرت کے مارے چلا اٹھی۔ ''آنے جانے کا خرچہ تمہیں حکومت سے نہیں ملتا.....؟''

''میں اپنی مرضی سے آتا جاتا ہوں آپا..... حکومت کی طرف سے تو پندرہ دن کا رہائش وغیرہ کا خرچہ مل جائے گا اور ایک بار جانے اور پھر واپسی کا کرایہ..... اور بس.....!''

''اوہ.....!'' ثروت پریشان سی ہوگئی۔ ''تو تم طیارے کے روز روز کے کرایوں پر اتنا خرچ کر رہے ہو.....؟ مگر منا! یہ تو سراسر فضول خرچی ہے۔ تم تو اپنی ساری جمع پونجی ان کرایوں پر ہی برباد کر دو گے۔''

''اللہ رازق ہے آپا.....! وہ اور دے دے گا۔''

''مگر منا.....! اس قدر فضول خرچی کی اجازت تو پروردگار بھی نہیں دیتا۔''

''مجھے یقیناً دے دے گا۔ وہ میرا یار دوست ہے۔''

''دیکھ منا! اپنی آپا سے زبان نہیں لڑا۔ کان کھینچوں گی۔''

''لڑاؤں گا زبان اور کھینچو گی کان۔'' آذر شوخی سے بولا۔ ''کیوں؟ ان بیچارے کانوں کا کیا قصور.....؟''

پھر ثروت کے آگے وہ بڑے پیار سے اور دلار سے جھکتے ہوئے بولا۔

''اور اگر میری آپا کو کان کھینچنے کا بڑا شوق ہے تو یہ بے قصور بھی اپنی کھال تک کھنچوانے کو تیار ہیں۔''

''یعنی کہ کرے گا تو پھر بھی وہی جو تیرے من میں سما گئی ہے.....؟''

''من میں سمانے والی بات نہیں ہے آپا! فرض کی بات ہے۔''

''ہر دوسرے دن تقریباً ہزار روپیہ کرائے پر خرچ کر دینا کہاں کا فرض ہے۔''

''امید کے لیے آپا!''

''امید کے لیے.....؟'' وہ پھر حیران سی ہوگئی۔

''ہاں.....ویسے مجھے پندرہ دن ایک جگہ قیام کرنا ہوتا ہے مگر میں اتنے دن اکٹھے لاہور سے غیر حاضر نہیں رہ سکتا۔ امید کے علاج میں وقفہ آ گیا تو مناسب نہیں ہوگا۔ اس لیے یہ سب کر رہا ہوں۔''

''اوہ.....! اتنا خرچ.....؟''

''آپا! اس کی زندگی، اس کے مستقبل سے یہ روپیہ قیمتی تو نہیں۔''

ثروت چپ سی ہوگئی۔

''اب تو اسے فضول خرچی نہیں کہو گی نا.....؟''

''میرا منا ہے تو منا سا لیکن ساری دنیا سے عظیم ہے۔ خدا تمہیں تمہارے عزائم میں کامیاب کرے منا.....!'' ثروت نے دل کی گہرائیوں سے اسے دعا دی۔

''آمین!''

''بس ایک ہزار ہی چاہیے نا.....؟'' ثروت نے چلتے چلتے پھر پوچھا۔

''ہاں۔ کام چل جائے گا۔ اور ذرا جلدی آپا۔ ایسا نہ ہو پھر سیٹ ہی نہ ملے اور وہاں جواب دہی کرنا پڑ جائے۔''

''بس ابھی لائی دو منٹ میں۔''

ثروت تیزی سے کمرے سے نکلی چلی گئی۔ آذر لباس تبدیل کر کے آئینے کے سامنے کھڑا بال درست کر رہا تھا کہ وہ واپس بھی آ گئی۔

''لو بھئی تمہارا کام بن گیا۔''

''کس کس نے چندہ دیا؟''

''چندے کی ضرورت ہی نہیں پڑی۔''

''کیوں.....؟''

''کسی کی امانت پڑی تھی وہی اٹھا لائی ہوں۔''

''آپ مجھ پر اتنا اعتبار کرتی ہیں.....؟''

''بہت..... منا! بہت.....''

''لیکن آپا! زندگی پر کبھی اعتبار نہیں کرنا چاہیے۔ کسی کی امانت میں ایسے بھی خیانت ہو سکتی ہے کہ میرے طیارے کو کوئی حادثہ پیش.....''

''منا.....!'' ثروت ایک دم ہی چلا پڑی۔ ''نہ منا! ایسی بات مت کہو۔ اب میں اس کی متحمل نہیں ہو سکتی۔ مجھے پورا یقین ہے اس چلے جانے والے منا کا تمہاری صورت میں مجھے بڑا اچھا نعم البدل مل گیا ہے مگر تم کھو گئے خدانخواستہ..... تو..... نہیں منا نہیں.....''

اور ثروت پورے خلوص اور بڑی باقاعدگی کے ساتھ رونے لگی۔

''ارے! ارے! آپا! اتنے بہادر اور بڑے دل والے بھائی کی ایسی بہن؟ چھی چھی۔ اتنے چھوٹے دل کی مالک ہے.....؟''

ثروت کے آنسو پھر بھی نہیں تھمے تو آذر اسے منانے لگا۔

''میں تو تمہیں امانت کے اصول بتا رہا تھا آپا! شرع شریعت سے آگاہ کر رہا تھا۔''

''بڑا اچھا طریقہ تھا نا۔'' وہ تیزی سے بولی۔ ''اور مجھے سب اصولوں کا علم ہے۔''

''علم ہوتا تو اس وقت کسی دوسرے کی امانت میرے ہاتھ میں نہ ہوتی۔''

آذر شوخی سے بولا۔

''تو پھر کیا کرو گے.....؟ دے دو واپس اور خود جواب دہی کرتے پھرنا۔''

''وہ تو اب میں بھی نہیں ہونے دیتا۔''

آذر نے چیک بک نکال کر پانچ ہزار روپے کا چیک کاٹا اور ثروت کے ہاتھ میں تھما دیا۔

''یہ کیا.....؟''

''کل بھیا سے کیش کروا لیجیے گا۔ ایک ہزار امانت کی واپسی اور باقی چار ہزار ایک اور امانت رکھیے گا۔ واپس آ کر وصول کر لوں گا۔''

''اتنے بہت سارے تمہیں کیا کرنا ہیں؟''

''عیاشی.....آپا.....عیاشی.....''

''عیاشی.....؟ منا تم عیاشی کرو گے.....؟'' ثروت نے تعجب سے اسے دیکھا۔

''ہاں۔ دل کی عیاشی۔ جذبوں کی عیاشی۔''

''کیا مطلب.....؟''

''ڈھیر ساری شاپنگ۔''

''اوہ.....!'' ثروت مسکرا دی۔ ''تم نے تو مجھے ڈرا ہی دیا تھا۔'' پھر پوچھنے لگی۔

''کس کے لیے شاپنگ والی عیاشی کر رہے ہو؟''

''اپنی بہن کے لیے۔ بھانجے کے لیے اور اپنی اک مریضہ کے لیے۔''

''بہن اور بھانجا تو سمجھ گئی ہوں۔'' ثروت مسکرائی۔ ''مریضہ کون سی؟''

''وہ بھی سمجھ جائیے۔ آج کل ایک ہی ہے۔''

''امید.....؟''

''ہاں.....''

''لیکن اس کے لیے کیا شاپنگ کرو گے؟''

''اس کے کمرے کی ہر چیز بدل دوں گا۔ میرا مطلب ہے فرنیچر وغیرہ۔ اور اس کے لیے دو چار اچھے اچھے ملبوسات بنوانا ہیں۔ ان کے گھر تو پرویز کی آوارگیوں اور عیاشیوں نے کچھ رہنے ہی نہیں دیا۔ خالہ حبیبہ کا گزارہ بڑی مشکل سے ہو رہا ہے۔''

''امید کے کمرے کا سب کچھ بدلنے سے کیا فرق پڑے گا.....؟'' ثروت نے دلچسپی سے پوچھا۔

''دیکھنا کیا ہوتا ہے بس پندرہ دن اور چاہئیں۔''

''پھر امید ٹھیک ہو جائے گی.....؟''

''بالکل.....سو فیصد.....پچاس فیصد تو اب ہی درست ہو گئی ہے آپا.....؟''

''ابھی کل ہی خالہ حبیبہ آئی ہوئی تھیں۔ وہ تو کہتی ہیں امید اسی طرح ہے۔''

''ان کی بات چھوڑو آپا! آج تک کوئی عقل کی بات انہوں نے کی بھی ہے؟''

''نہیں منا! ایسے نہیں کہتے۔ بہر حال وہ بڑی ہیں۔''

''دوسرے معنوں میں مجھے سچ نہ بولنے کی تلقین کر رہی ہو آپا! اسی بات کی جو میں نے ساری زندگی نہیں کی۔''

''تبھی بدنام ہو کر رہ گئے ہونا۔ بڑا دل دکھتا ہے۔''

''کس بات سے دل دکھتا ہے؟'' آذر نے حیرت سے ثروت کو دیکھا۔

''جب تمہیں کوئی برا کہتا ہے۔''

''تو اچھا بن جاؤں سب کی نگاہوں میں.....؟''

''ہاں.....''

''پھر میں جھوٹ بولا کروں گا۔ دوسرے کسی انسان سے ہمدردی نہیں کیا کروں گا۔ کسی کے جذبات و احساسات کی پروا نہیں کیا کروں گا۔ بے حد خود غرض اور مکار بن جاؤں گا۔ پھر اسی صورت میں ایک اچھا اور کامیاب انسان کہلاؤں گا۔ مگر یہ یاد رکھنا پروردگار مجھے دوزخ میں جب

جھونکے گا تو پھر بھی تم واویلا نہیں مچاؤ گی۔ مجھے جلتے رہنے دو گی! اس کی آگ میں.....اچھا.....؟"

"نہیں نہیں منا.....! خدا نہ کرے تم دوزخ میں جاؤ۔"

"یہ بھی نہیں۔ وہ بھی نہیں۔ میری آپا! تم چاہتی کیا ہو آخر.....؟"

"میں.....؟" "میں کیا چاہتی ہوں.....؟ پتہ نہیں.....کچھ معلوم نہیں....."

اور ثروت الجھی الجھی سی کمرے سے باہر نکل گئی۔

"ارے! مجھے تو سیٹ بک کرانے جانا تھا۔ اس آپا کی بچی نے تو باتوں میں لگا کر دیر کرادی۔"

وہ بھی بڑبڑاتا ہوا کمرے سے نکل بھاگا۔

پشاور کے بعد کراچی کا دورہ تھا۔ صرف دو دن کے لیے گیا تھا لیکن اسے وہاں چار دن لگ گئے۔ ثروت اور دوسرے گھر والوں سے تو فون پر بھی ملاقات ہو جاتی تھی مگر امید کے حال کا کچھ علم نہیں تھا۔ امی اور آپا وغیرہ میں سے بھی مصروفیت کی وجہ سے کوئی ادھر نہیں جا سکا تھا اور نہ ہی ادھر سے خالہ حبیبہ آئی تھیں۔

ہر فون کال پر وہ بڑی باقاعدگی سے ان کے متعلق پوچھتا بھی رہا مگر پھر بھی بے خبر رہا۔ بے حد پریشان تھا۔ ویسے جب آیا تھا تو اس وقت تک تو امید کی حالت بہت سنبھل چکی تھی۔

گو ابھی تک وہ اپنی ذات کے خول سے باہر نہیں نکلی تھی مگر اپنی خاموشیوں ہی میں دوسروں کے وجود کی اہمیت کو محسوس کرنے لگی تھی۔ اب آذر باغیچے میں ہوتا تو وہ چپ چاپ آ کر برآمدے میں بیٹھ جاتی۔ پھر وہ اس کے کمرے میں آ جاتا تو ناراضگی یا خفگی کا اظہار اس کی کسی حرکت سے نہ ہوتا بلکہ کبھی کبھی اسے نگاہ بھر کر دیکھ بھی لیتی۔

آذر نے اس کے کمرے کے فرنیچر کو اس کی ترتیب کو بالکل بدل دیا تھا۔ پہلے جہاں اس کا پلنگ بچھا تھا وہاں سے ہٹا کر دوسری دیوار کے ساتھ لگا دیا تھا اور اس کی جگہ وہ خوبصورت صوفہ سیٹ رکھوا دیا تھا جو اس نے خاص طور پر اس کے کمرے کے لیے خریدا تھا۔

درمیان میں چھوٹا سا خوش رنگ پھولوں والا قالین ڈالا اور کھڑکی میں اور اس کے دروازوں میں نئے ریشمی پردے آویزاں کر دیئے۔ کچھ رنگوں کا امتزاج اور انتخاب بڑا اچھا تھا کچھ نیا فرنیچر۔ امید کا کمرہ بے حد خوبصورت لگنے لگا۔ کسی نئی نویلی دلہن کی طرح!

جب تک آذر یہ سب کچھ کرتا رہا تھا' وہ اک کونے میں کھڑی چپ چاپ دیکھتی رہی تھی۔ تھوڑا سا خفگی کا اظہار کرنے کے لیے کمرے سے واک آؤٹ بھی کیا مگر آذر چپ رہا۔ کوئی پرواہی نہیں کی اور وہ چند منٹ بعد ہی واپس آ کر پھر اسی کونے میں پیوست ہوگئی تھی۔

آذر نے چور آنکھوں سے اسے دیکھا۔ اس کی اضطرابی کیفیت محسوس بھی کی مگر توجہ نہیں دی۔ اپنے کام میں لگا رہا۔ سب کچھ ٹھیک ٹھاک کر کے آخر میں کھڑکی کے سامنے دانستہ اس نے وہی کرسی ڈال دی جس پر وہ گھنٹوں بیٹھی باہر دیکھا کرتی تھی۔

اس کرسی کا پالش خراب ہو چکا تھا۔ اس کا بید کہیں کہیں سے اکھڑ رہا تھا۔ اس لیے پورے کمرے کی سجاوٹ اور آرائش میں وہ اک بے حد بدنما سا دھبہ محسوس کر رہی تھی۔ آذر نے دیکھا وہ اس کرسی کو بڑے غور سے دیکھ رہی تھی۔

''بیٹھ جاؤ یہاں اور دیکھ لو میں نے تمہاری جگہ اسی طرح رہنے دی ہے۔''

آذر اب اسے براہِ راست مخاطب کر لیا کرتا تھا۔ گو اس نے جواب کبھی نہیں دیا تھا لیکن اب پیشتر کی طرح رخ بھی نہیں پھیر لیا کرتی تھی بلکہ چپ چاپ اسے تکتی ہی رہتی تھی۔

''اور یہ میں نے اپنے لیے لگایا ہے۔'' آذر خود بڑھ کر اس نئے اور خوبصورت صوفے پر بیٹھ گیا۔ وہ اسی طرح کونے میں کھڑی تھی اور اسے دیکھ رہی تھی۔

''تمہیں ملنے تو آیا ہی کروں گا۔ اور مجھے گندی جگہ پسند نہیں ہے اس لیے یہاں بیٹھا کروں گا۔''

آذر کے اس فقرے پر امید نے چونک کر اک بھرپور نگاہ سے صوفے کو دیکھا۔ پھر اپنی اسی کرسی پر نظر ڈالی جو آذر نے اس کے بیٹھنے کے لیے رکھی تھی۔ چند لمحے کھڑی کچھ سوچتی رہی اور بار بار صوفے اور کرسی کو دیکھتی رہی۔

نجانے دل میں کیا سمائی۔ بڑھ کر اس کرسی کو اٹھایا اور کمرے سے نکل کر کاریڈور میں اسے پٹخ دیا۔ پھر دھپ دھپ پاؤں مارتے ہوئے واپس آ کر خود اسی کونے میں کھڑی ہوگئی۔ کمرے کی بدنمائی اس نے دور کر دی تھی۔

اس کی اس حرکت نے آذر کو جیسے دونوں جہان کی خوشیاں سونپ دیں لیکن اپنے

جذبات کا اس نے اظہار بالکل نہ ہونے دیا۔ مسرتوں کو چھپاتے ہوئے چہرے پر پوری طرح سنجیدگی طاری کر کے بولا۔

''کرسی تم نے باہر پھینک دی ہے اب خود کہاں بیٹھو گی.....؟'' پھر وہ اک ہلکے سے تبسم کے ساتھ کہنے لگا۔ ''تمہیں میں نے بتا دیا ہے یہ صوفہ صرف صاف ستھرے لوگوں کے لیے ہے۔ مجھے ایسے......''

آذر کی اس بات پر وہ پھر چونکی اور اپنے سراپا کی طرف دیکھنے لگی۔ بہت میلے کچیلے اس کے کپڑے تھے اور خاصا گدلا سا وجود۔ جلدی سے نظریں ہٹا کر پھر آذر کی طرف دیکھا۔

ہلکے موتیا رنگ کی شلوار اور قمیص میں وہ خود بھی بڑا اجلا اجلا اور اچھا لگ رہا تھا اور صوفہ بھی نیا تھا۔ جانے دماغ میں کیا آئی۔ چپ چاپ بڑھ کر وہیں فرش پر بیٹھ گئی جہاں سے کرسی اٹھا کر باہر پھینک آئی تھی۔

مطلب یہ کہ یہ اس نے تسلیم کر لیا تھا کہ اس کا لباس میلا کچیلا تھا۔ اس کا وجود گدلا تھا اس لیے وہ صوفے کے بجائے ننگے فرش پر بیٹھنے کے قابل تھی۔

اس لمحے آذر کا دل بے حد دکھا۔ یہ وہی امید تھی جو اتنی صاف ستھری اور اجلی رہا کرتی تھی کہ سارے خاندان میں اس کی مثال دی جاتی تھی اور آج.....آج وہ جیتے جی مٹی میں ملی ہوئی تھی۔

آذر اسی وقت اٹھ کر گھر چلا گیا۔ اس سے زیادہ کسی انسان کی بربادی اور کیا ہو سکتی تھی۔ ابھی گھر جانے کا ارادہ نہیں تھا لیکن امید کا درد کچھ اس طرح دل میں اترا تھا کہ وہ مزید اک لمحہ بھی وہاں رک نہ سکا تھا۔

گھر آتے ہی اسے کراچی یونیورسٹی میں ہونے والی کانفرنس کی اطلاع ملی۔ جس طیارے کے ذریعے جانا تھا اس کی پرواز میں صرف ایک گھنٹہ تھا۔ جلدی سے تیار ہو کر سدھار گیا۔

اور اب..... یہاں اتنے دن صرف ہو گئے تھے۔ اسے امید کی بڑی فکر تھی۔ اس عالم میں جب کہ وہ اپنے خول سے نکل رہی تھی اور اس دنیا میں آنے کی کوشش کر رہی تھی تو اسے زیادہ وقت کے لیے تنہا نہیں چھوڑنا چاہیے تھا۔ لوہا گرم تھا' چوٹیں پڑتی رہنا چاہیے تھیں۔

آذر کا اک اک لمحہ بڑی بے چینی میں گزر رہا تھا۔ ایک دن بھی اگر اسے بیچ میں فارغ مل جاتا تو سات سو یا ہزار کے خرچ کی پروا کیے بغیر وہ لاہور کا چکر لگا آتا۔ مگر یہاں تو صبح وشام مصروفیت تھی۔ کام ایسا تھا چھٹی بھی نہیں کر سکتا تھا۔ اک اک لمحہ بڑی بے بسی اور مجبوری میں کاٹا۔

پانچویں دن بصد مشکل فارغ ہوا۔ رات کو الوداعی ڈنر تھا۔ مگر وہ اس کے لیے بھی نہیں رکا۔ اسی وقت کی پرواز سے سیٹ بک کرالی۔ رات کے آٹھ بج رہے تھے جب طیارہ لاہور پہنچا۔ آذر ایئر پورٹ سے سیدھا امید کے گھر ہی چلا گیا۔ اپنے گھر پہلے جاتا تو رات زیادہ ہو جانا تھی اور وہ امید کی جلد از جلد خیر خبر دریافت کرنا چاہتا تھا۔

''خالہ.....! خالہ.....!!'' برآمدے میں قدم رکھتے ہی اس نے حبیبہ کو پکارا۔ ساتھ ہی دھڑ ادھڑ دروازہ بھی پیٹ دیا۔

اور.....قدموں کی چاپ کے بعد دروازہ کھلا تو اس کی حیرت کی انتہا نہ رہی جب اس نے دیکھا وہ خالہ نہیں تھی بلکہ امید تھی۔ جو دروازہ کھول کر چپ چاپ اس کے سامنے کھڑی تھی۔

برآمدے اور کاریڈور میں بہت مدھم روشنی تھی' اس کے چہرے کے تاثرات کو تو نہ دیکھ سکا' البتہ اس کا آجانا ہی آذر کے لیے کسی معجزے سے کم نہ تھا۔

''خالہ کہاں ہیں.....؟'' اپنی بے پایاں خوشی کو چھپاتے ہوئے اس نے اس سے حبیبہ کا پوچھا۔ وہ چپ چاپ کھڑی اسے تکتی رہی۔

''توبہ! یہ تمہارا گونگا پن میرے لیے بہت تکلیف دہ ہے۔''

وہ دانستہ جھنجھلایا۔

''کس کام کی ہو تم.....؟ اب مجھے خود ہی جا کر معلوم کرنا پڑے گا۔''

وہ حبیبہ کے کمرے میں چلا گیا۔ مگر وہ وہاں نہیں تھی۔ مڑ کر باہر نکلنے لگا تو دیکھا امید دروازے میں کھڑی تھی۔ اس کے پیچھے ہی پیچھے جو چلی آئی تھی۔ آذر کو واپس نکلتے دیکھتے ہی جلدی سے پرے ہٹ کر راستہ دے دیا۔

''خالہ.....''

''کون.....؟'' باورچی خانے سے حبیبہ کی آواز آئی۔

''میں آیا ہوں خالہ.....آذر.....''

''آذر آیا ہے۔بسم اللہ.....بسم اللہ.....'' خالہ دوپٹے سے ہی ہاتھ پونچھتے ہوئے باہر نکل آئیں۔''آٹا گوندھ رہی تھی۔آتے ہوئے دیر لگ گئی۔''

حبیبہ کو آتے دیکھا تو امید چپکے سے اپنے کمرے میں چلی آئی۔

''دروازہ کس نے کھولا.....؟'' حبیبہ ادھر ادھر دیکھنے لگیں۔

''امید نے.....

''امید نے.....؟''

''آپ کو یقین نہیں آیا نا.....؟''

''آ گیا ہے.....'' خالہ حبیبہ بولیں۔''لیکن یہ بعد میں بتاؤں گی کہ کیسے یقین آیا۔پہلے تم بتاؤ یکا یک ہی غائب کیوں ہو گئے تھے؟ کہاں رہے اتنے دن.....؟''

''کراچی چلا گیا تھا۔آپ تو سب ٹھیک رہے نا۔اپنا حال چال سنایئے۔''

''اپنا سے کیا مراد.....؟'' خالہ حبیبہ مسکرائیں۔''میرا یا امید کا.....؟''

''دونوں ہی کا پوچھ رہا ہوں۔'' خالہ کی مسکراہٹ کے ساتھ ساتھ ان کے لب بھی متبسم ہو گئے۔''ایک میری خالہ ہے۔ایک میری مریضہ ہے۔دونوں کے ساتھ ہی میرا بڑا گہرا تعلق ہے۔''

''تمہاری خالہ تو بس اسی دن ٹھیک ہو گی جس دن تمہاری مریضہ ٹھیک ہو جائے گی۔''

''کیوں.....؟ کیا کوئی پریشانی ہے.....؟'' آذر نے متفکر سا ہوتے ہوئے انہیں دیکھا۔

''پریشانی تو نہیں بلکہ حیرت۔''

''حیرت کس بات کی.....؟''

''تم نے امید کو دیکھا نہیں.....؟''

''دیکھا ہے۔کیا ہوا اسے.....؟''

''تمہیں کچھ معلوم نہیں ہو سکا.....؟''

''میں سمجھا نہیں خالہ! آپ کہنا کیا چاہتی ہیں.....؟''

''کیسے صاف ستھرے لباس میں تھی۔''

''سچ.....؟ اندھیرے میں میں نے غور ہی نہیں کیا۔''

''اس لیے تو میں کہہ رہی تھی کہ اس کی دروازہ کھولنے والی حرکت پر مجھے ذرا حیرت نہیں ہوئی۔'' خالہ اسے تفصیل سے بتانے لگیں۔

''اب تو روز ہی ہمارے کہنے کے بغیر ہی کپڑے بھی بدل لیتی ہے۔ خود بخود ہی۔ ورنہ پہلے تو آٹھ آٹھ دس دس دن بعد مائی بڑی مشکل سے بدلوایا کرتی تھی۔ ارے!''

حبیبہ باتیں کرتے ہوئے یکا یک چونکیں۔

''راہداری میں ہی کھڑے ہو۔ میں بھی کیسی پاگل ہوں۔ اتنی دور سے آئے ہو۔ تھکے ہوئے ہو گے بٹھایا بھی نہیں۔''

''کوئی بات نہیں خالہ۔ طیارے پر آیا ہوں' پیدل نہیں آیا۔''

اس بات پر خالہ اور بھانجا دونوں ہی ہنس پڑے۔

''چلئے امید کے کمرے میں ہی چل کر بیٹھتے ہیں۔''

ہاتھ میں پکڑا اٹیچی کیس وہیں کاریڈور میں ہی رکھ کر وہ امید کے کمرے میں چلا آیا۔ کاریڈور کی نسبت وہاں روشنی زیادہ تھی۔ اندر داخل ہوتے ہی پہلی نگاہ سامنے صوفے پر پڑی۔ امید بڑے صاف ستھرے لباس میں انتہائی اطمینان سے وہاں براجمان تھی۔

''شاباش۔ گڈ گرل۔'' وہ بلند آواز میں بڑبڑایا۔ ''لیکن۔''

اور لیکن کے بعد وہ دانستہ خاموش ہو گیا۔ امید نے چونک کر اور قدرے بے چینی سے اس کی طرف دیکھا۔ جیسے وہ لیکن کے بعد والا فقرہ بھی سننا چاہتی تھی۔

''خوبصورت فرنیچر سے آراستہ اک خوبصورت کمرے میں خوبصورت لوگ ہی رہنے کے حقدار ہوا کرتے ہیں۔''

اس کی بات سنتے ہی امید نے گھبرا کر پھر اپنے وجود کی طرف دیکھا۔ لیکن آج تو اس کا لباس صاف ستھرا تھا۔ وہ کچھ پریشان سی ہو کر آذر کی طرف دیکھنے لگی۔ وہ اس کی نگاہ کا مطلب سمجھ

گیا تھا۔ اسے بغیر کچھ بتائے کمرے سے باہر نکل گیا۔ خالہ حبیبہ چائے لیے آ رہی تھیں۔

''خالہ! گھر میں کوئی آئینہ ہوگا؟''

''کیا کرنا ہے.....؟''

''ضرورت ہے.....''

''کس قسم کی ضرورت.....؟''

''یہ آپ کیوں پوچھ رہی ہیں.....؟''

''ایک تو پرویز کے کمرے کی الماری میں لگا ہوا ہے اور ایک میرے کمرے میں ڈریسنگ ٹیبل ہے ناہید والی۔''

''اس کے علاوہ اور کوئی نہیں ہے.....؟ میرا مطلب ہے چھوٹے سائز کا۔''

''ہاں یاد آیا۔ پرویز کے غسل خانے میں ایک ہے۔ تمہارے خالو کبھی کبھی برآمدے میں بیٹھ کر شیو کیا کرتے تھے۔''

''وہ ٹھیک رہے گا۔'' وہ تیز تیز قدموں سے پرویز کے کمرے میں چلا گیا۔

حبیبہ نے امید کے کمرے میں چائے لے جا کر رکھی ہی تھی کہ آذر وہ آئینہ لے کر واپس بھی آ گیا۔ امید کمرے کے وسط میں کھڑی متوحش نگاہوں سے ان دونوں کو دیکھ رہی تھی۔

''یہ دیکھو۔ اپنے چہرے کی اور اپنے بالوں کی حالت۔'' آذر نے آئینہ اس کے سامنے کر دیا۔

''بہت غلیظ ہو رہے ہیں نا؟ ایسی غلاظت بھی دوسرے لوگ پسند نہیں کرتے۔''

آذر آئینہ پکڑے اس کے سامنے کھڑا رہا اور امید بڑی سنجیدگی سے اور بڑے غور سے اس میں سے اپنے آپ کو دیکھتی رہی۔

''اب ذرا اک نظر میری طرف بھی دیکھو۔ کیسے سلجھے ہوئے بال ہیں اور صاف شفاف چہرہ۔ سبھی مجھے پیار کرتے ہیں۔ سبھی مجھے اچھا سمجھتے ہیں۔''

شاید آذر کی اس بات پر اسے غصہ آ گیا۔ زور سے ہاتھ مار کر آئینے کو پرے ہٹایا تو وہ اس کے ہاتھ سے چھوٹ کر پلنگ پر جا پڑا۔ شکر کیا پلنگ پر ہی گرا تھا ورنہ نیچے گرتا تو کرچی کرچی ہو

جاتا لیکن امید نے کوئی پروا نہیں کی۔ پاؤں پٹختے ہوئے کمرے سے نکل گئی۔

''تم نے اسے ناراض کر دیا۔''

خالہ حبیبہ بڑی دلچسپی سے سب کچھ دیکھ رہی تھیں۔ قدرے تردد کے ساتھ بولیں۔

''میں تو کہتا ہوں ناراض ہی ہو۔ غصہ ہی کرے۔ کسی جذبے کا اظہار تو کرے۔ اس کی خاموشیاں تو ٹوٹیں۔''

آذر صوفے پر بیٹھ کر چائے پینے لگا۔ پھر یکا یک کوئی خیال آیا۔

''یہ امید چائے نہیں پیتی؟''

''کچھ بھی شوق سے نہیں کھاتی پیتی۔ کھانے کا بھی وقت ہوتا ہے تو زبردستی کھلایا جاتا ہے۔ ورنہ وہ بے نیاز ہے سب سے۔''

''اوہ.....!''

آذر چپ سا ہو گیا۔

''خالہ! آپ کے کمرے میں جو ڈریسنگ ٹیبل ہے وہ یہاں رکھوا سکتی ہیں؟''

کئی منٹ کچھ سوچتے رہنے کے بعد پھر بولا۔

''کیوں نہیں۔ مجھ بڑھیا کو کونسی اس کی ضرورت ہوتی ہے۔ ایسے ہی پڑی ہوئی ہے۔''

''تو پھر کل ہی یہاں اس کونے میں رکھ دیں گے۔''

''ضرور.....''

خالہ حبیبہ نے اک ٹھنڈی آہ کھینچی۔ ''یہاں کی ہر چیز کی مالک ہے۔''

کاش! خالہ یہ سوچ آپ کے ذہن میں پہلے آئی ہوتی۔ آذر نے بڑے دکھ سے سوچا۔ اس کا حق اسے دے دیتیں۔ مادی چیزوں والا نہ سہی' محبت کا حق۔ اور اگر اس کا کوئی حق نہیں سمجھتی تھیں تو اس کی ماں جو کچھ دیتی تھی اس کی قیمت کے طور پر ہی تھوڑی سی محبت دے دیتیں۔ پھر یقیناً اس کی ایسی حالت نہ ہوتی۔

چائے کی پیالی کا آخری گھونٹ لے کر وہ اٹھ کھڑا ہوا۔

''اور وہ امید کہاں گئی.....؟''

یکا یک حبیبہ بھی گڑبڑا کر اٹھیں۔

''آ جائے گی ابھی۔ آپ فکر بالکل نہ کریں۔ اب خطرے کی کوئی بات نہیں۔''

خالہ کو تسلی دینے کے بعد سلام کر کے آذر باہر نکلا تو وہ اپنے کمرے کی طرف آ رہی تھی۔ بال تو اسی طرح الجھے بکھرے تھے مگر چہرہ اجلا اجلا سا لگ رہا تھا۔ جیسے دھو کر آئی تھی۔

آذر سرسری سی نگاہ سے اسے تکتے ہوئے پاس سے گزر گیا۔ اور ابھی کاریڈور کے آخری سرے تک بھی نہیں پہنچا تھا کہ امید کی کھانسی کی آواز نے اس کے قدم پکڑ لیے۔ جانے کیا بات تھی.....؟ وہ جلدی سے پلٹا۔ امید کھڑی کھانسے جا رہی تھی۔

''اوہ.....!'' وہ مسکرا پڑا۔

آذر کو اپنی جانب متوجہ کرنے کی لاشعوری کوشش میں اسے کھانسی کا دورہ پڑا تھا۔ آذر اس کے قریب آن کھڑا ہوا۔ کھانستے کھانستے اس نے نگاہ اٹھائی تو آذر پاس کھڑا تھا۔ اس کی کھانسی یکدم ہی رک گئی۔

''خالہ! ڈریسنگ ٹیبل پر برش یا کنگھا وغیرہ بھی رکھوا دیجیے گا۔ دیکھئے نا چہرہ تو اس نے دھو لیا ہے مگر بال کیسے رسیوں کی طرح ہو رہے ہیں۔''

امید نے چونک کر آذر کی طرف دیکھا اور پھر زور زور سے پاؤں پٹختے ہوئے جلدی سے اپنے کمرے میں گھس گئی۔ آذر کو محسوس ہو گیا کہ اس وقت امید کو اس کی بات پر بڑا غصہ آیا تھا۔

''تم نے مجھ سے کچھ کہا.....؟''

خالہ کمرے سے نکل آئیں۔

''میں کہہ رہا تھا کل امید کے کمرے میں ڈریسنگ ٹیبل رکھوانا نہیں بھولیے گا اور ساتھ کنگھا اور برش وغیرہ بھی۔''

''اسے کیا ہوش ان چیزوں کا۔''

''سب ہوش ہیں خالہ.....!''

آذر مسکرایا۔ ''آپ رکھوا کر تو دیکھئے۔''

''جیسے تم کہو۔''

''وہ ٹھیک ہو رہی ہے خالہ! بہت جلد انشاء اللہ.....!''

پھر اس نے حبیبہ کو احساس دلایا۔''آپ بھی ذرا اس پر توجہ صرف کیا کیجیے اور محبت سے پیش آیا کیجیے۔''

''ارے! یہ ہوش میں تو آئے۔ایسی محبت کروں گی بیٹے کہ کسی سگی ماں نے بھی اولاد سے نہ کی ہوگی۔پہلی سب کسریں نکال دوں گی۔بس اللہ میری پچھلی خطائیں بخش دے۔''

''اسی طرح بخشے گا خالہ.....!''

آذر اٹیچی کیس اٹھا کر جلدی سے انہیں خدا حافظ کہتے ہوئے نکلا چلا گیا۔

''واہ انسان! تو بھی کیسا انسان ہے۔جب خود کو دکھ ملتا ہے تب دوسروں کا درد جانتا ہے ورنہ تو کمال کا ہے۔''

انہیں خیالوں میں کھویا وہ گھر پہنچا تو سب سے پہلے ثروت نے اسے جو خوشخبری دی وہ طوبیٰ کے تین خطوط تھے۔

کراچی جانے سے پہلے پانچ چھ دن وہ بہت پریشان رہا تھا۔طوبیٰ نے اس کے تین چار خطوں کا جواب نہیں دیا تھا۔آذر نے جلدی جلدی خط کھولے۔بڑے بے قراری اور انتہائی بے صبری کے ساتھ انہیں پڑھا۔

وہ پچھلے دنوں بیمار تھی اس لیے اس کے خطوں کے جوابات نہیں دے سکی تھی اور اب صحت یاب ہوتے ہی وہ روزانہ اسے ایک خط لکھ رہی تھی۔کراچی سے آتے ہی اسے کیسی خوشیاں ملی تھیں۔انہیں میں سرشار وہ بستر پر جا دراز ہوا۔

وہ پانچ چھ دن غیر حاضر رہا تھا مگر یہاں باغیچے میں آ کر اسے اپنی غیر حاضری کا یقین ہی نہیں آیا۔ پھول اسی طرح شگفتہ اور تر و تازہ تھے اور جھوم رہے تھے۔ پتے ٹہنیاں ہوا کی نرم نرم لہروں کے ساتھ ہولے ہولے رقص کر رہی تھیں۔

گھاس کا مخملیں فرش بڑا صاف ستھرا تھا۔ کوئی اک بھی سوکھا پتہ ادھر ادھر بکھرا ہوا نہ تھا۔ گملوں کی اور کیاریوں کی مٹی نم تھی اور ان سے سوندھی سوندھی باس اٹھ رہی تھی۔ جیسے ابھی کوئی پانی دے کر گیا تھا۔

کیا خالہ نے باغیچے کو ہرا بھرا رکھنے کے لیے کسی مالی کا انتظام کر لیا تھا؟ ذہن میں یہ سوال لیے اندر کی طرف اس نے قدم بڑھائے ہی تھے کہ داہنی سمت والی پرلی کیاریوں کے پاس اسے امید نظر آ گئی۔۔

جھکی ہوئی اکا دکا بکھرے پتے اکٹھے کر رہی تھی۔ تو۔ اس باغیچے کو ہرا بھرا اور صاف ستھرا رکھنے والا مالی یہ تھا۔ اتنے دن اسی نے اس کی دیکھ بھال کی تھی۔ اسی نے یہاں کی صفائی وغیرہ کی تھی۔

آذر اندر خالہ حبیبہ کے پاس جانے کے بجائے اسی کی طرف بڑھا چلا گیا۔ قدموں کی آہٹ پر وہ جھکی جھکی سیدھی ہوئی تو اک لمحے کے لیے آذر کو جیسے یقین نہیں آیا کہ وہ امید ہی تھی۔ شاید ابھی ابھی غسل کر کے آئی تھی۔ بڑا صاف ستھرا لباس تھا۔ روشن روشن اور شفاف چہرہ تھا اور بھیگے بھیگے لمبے بال پشت پر پھیلے تھے۔

آذر اس کے بالکل قریب آن کھڑا ہوا۔ بڑی اچھی لگ رہی ہے۔ وہ اسے سر سے پاؤں تک بڑے غور اور انتہائی دلچسپی سے دیکھتے ہوئے بولا۔ ابھی رات ہی کو تو اس نے اسے اس کے الجھے بکھرے بالوں کی طرف توجہ دلائی تھی۔ اب تو وہ ہر بات کا بہت جلد اثر لیتی تھی اور آذر کے اشارے کنائے کو بھی سمجھنے لگی تھی۔ صبح ہی صبح اس کے آنے سے پہلے اس کی شکایت دور کر دی تھی۔ بڑی اچھی بات تھی۔

''یہاں کھلے ہوئے پھولوں میں جیسے اک سب سے زیادہ خوبصورت پھول کا اضافہ ہو گیا ہے۔''

آذر نے اس کی دل کھول کر تعریف کی تاکہ اس کی حوصلہ افزائی ہو اور وہ آئندہ سے اور بھی ٹھیک ٹھاک رہنے کی کوشش کرے۔ اس کی تعریف سے امید نے شرما کر مسکرا کر سر جھکا لیا۔

بڑی خوبصورت سی سرخی اس کے گالوں پر پھیل اٹھی تھی اور اس کے گالوں پر پھیلنے والی یہ سرخی جیسے آذر کو اس کے فرائض سے سرخرو کر گئی۔ وہ ان پھولوں ہی کی طرح خوشی سے جھوم اٹھا۔ امید نے اپنے ذہن کو لگائے ہوئے قفل کھول ڈالے تھے۔ اپنے جذبات و احساسات پر دھری پتھر کی سلیں آہستہ آہستہ سرکا رہی تھی۔ اس کی مسکراہٹ، اس کی شرماہٹ اور اس کے گالوں کی یہ سرخی، یہ ساری تبدیلیاں بڑی خوشگوار اور امید افزا تھیں۔

''آج میرا بہت ڈھیر سارا جی چاہ رہا ہے کسی سے باتیں کرنے کو۔''

آذر بلند آواز میں بڑبڑاتے ہوئے وہیں نرم نرم گھاس پر بیٹھ گیا اور اس نے دیکھا امید بھی عین اس کے سامنے بیٹھ گئی تھی جیسے اس کی باتیں سننے کو ہمہ تن گوش تھی۔

''لیکن بات کرنے کا مزہ تب ہے جب ہوں، ہاں میں ہی سہی، جواب بھی کوئی ملے۔ بس اسی لیے میں ان پھولوں پر انسانوں کو ترجیح دیتا ہوں ورنہ بات تو ان سے بھی کی جا سکتی ہے۔''

آذر کی بات سنتے ہی امید نے اپنے بھنچے ہوئے لب کھولے مگر بول نہ سکی۔ پھر اس کے چہرے پر اک بے چارگی سی پھیل گئی اور آنکھیں نم ہو گئیں۔ جیسے وہ بات کرنا چاہتی تھی مگر پچھلے اتنے عرصے کی خاموشیوں نے اس کی قوتِ گویائی سلب کر لی ہوئی تھی۔

''کوشش کرنے سے سب کچھ ہو سکتا ہے۔ بس قوتِ ارادی چاہیے۔'' آذر نے اس کی

رہنمائی کی۔" اور مجھے یقین ہے تم میں بہت قوتِ ارادی ہے۔"

امید نے پھر لب کھولے۔ کوئی بات کرنا چاہی مگر آں آں کے سوا اس کی زبان سے اور کچھ بھی نہیں نکل سکا۔ ایک بار پھر آنکھوں میں بے بسی کے آنسو لیے وہ آذر کو دیکھتی رہ گئی۔

"میں چھ سال اپنے وطن سے' اپنے عزیز وا قارب سے دور رہا ہوں۔ کسی سے خط و کتابت نہیں تھی۔ کچھ نہیں معلوم تھا۔ پیچھے کیا ہو رہا ہے اور کیا نہیں۔"

آذر دور خلاء میں نظریں جمائے بولنے لگا۔ جیسے اپنے آپ سے باتیں کر رہا تھا۔

"پھر جب یہاں آیا ہوں تو بہت بری بری خبریں سنیں۔ بہت بڑے بڑے صدمے لگے۔ صبر اور حوصلے سے سب برداشت کیے۔ ماں اور باپ جیسا کوئی رشتہ اور نہیں ہوتا لیکن مجھے خالو حبیب اسی طرح عزیز تھے۔ مجھے خالہ صبیحہ سے ایک خاص عقیدت تھی۔"

آذر نے دراصل اس کے دل کے تار چھیڑنے کے لیے یہ ذکر چھیڑا تھا۔ اس کے خفتہ دماغ کو بیدار کرنے کے لیے یہ موضوع شروع کیا تھا۔

"اپنے والدین سے بھی اونچا مقام میں نے انہیں دیا ہوا تھا اور وہ میری غیر موجودگی میں ہی اس دنیا سے رخصت ہو گئے۔ میں انہیں آخری بار مل بھی نہ سکا۔ دیکھ بھی نہ سکا۔ اور وہ۔ مجھے کس قدر عزیز تھے۔"

آذر نے دزدیدہ نگاہوں سے دیکھا۔ والدین کے ذکر سے امید کے رخساوں پر آنسو بہنے لگے تھے۔

"خالہ صبیحہ تو پھر بھی بیمار تھیں مگر خالو حبیب کو نجانے کیا ہوا۔ اچھے بھلے تھے۔ صحت مند تھے۔ وہ کیوں یکا یک ہم سے روٹھ گئے۔ کسی نے مجھے بتایا ہی نہیں..... پھر تمہاری یہ حالت کیسے ہوئی.....؟ کیوں ہوئی.....؟ آج تک میں بے خبر ہی ہوں....."

اور اب وہ امید کی آنکھوں میں آنکھیں ڈال کر اسے دیکھ رہا تھا۔

"میں جاننا چاہتا ہوں مگر کوئی بتاتا ہی نہیں۔ تم بھی نہیں۔ تم بھی خاموش ہو۔ کس سے خالو حبیب کے متعلق پوچھوں؟ کس سے خالہ صبیحہ کی بات کروں۔ کتنے اچھے تھے دونوں۔ کتنے عظیم تھے دونوں۔"

وہ دانستہ اس کے ماں اور باپ کے صدمے کا درد اس کے دل میں جگا رہا تھا اور ساتھ ہی ساتھ سوال پر سوال کیے جا رہا تھا تاکہ وہ بولنے پر مجبور ہو جائے۔ دل کے ہاتھوں' درد کے ہاتھوں' صدمے اور غم کے ہاتھوں۔

''مجھے تو کوئی اس خاندان کا اک فرد سمجھتا ہی نہیں۔ سب کچھ مجھ سے چھپاتے ہیں۔ پتہ نہیں کیوں.....؟ پتہ نہیں کیا وجہ ہے.....؟ کچھ تم ہی بتاؤ امید.....!''

آذر خاموش ہو کر استفہامیہ نگاہوں سے اس کے چہرے کو بغور دیکھنے لگا۔ وہ روئے جا رہی تھی۔ وہ سسکیاں لیے جا رہی تھی۔ ہچکیوں کے ہچکولوں سے اس کا پورا وجود لرز رہا تھا۔

''جانے میں نے لوگوں کا کیا بگاڑا ہے کیسے کیسے ظلم یا زیادتیاں کی ہیں کہ کوئی مجھ پر اعتبار ہی نہیں کرتا۔ تم بھی نہیں۔''

آذر کی اس بات پر امید نے چونکتے ہوئے اس کی طرف نگاہیں اٹھا کر بھیگی بھیگی پلکیں جھپکیں۔

''ہاں ہاں۔ تم بھی مجھ پر اعتبار نہیں کرتیں۔ ایک بار تمہیں میں نے بتانے کی کوشش کی تھی کہ تم اپنی سگی ماں کو بھی کوئی مقام دو۔ ان کے جذبوں کا بھی تھوڑا سا احترام کرو مگر تم نے میری بات سنی ہی نہیں تھی۔''

آذر نے اب اسے کچوکے لگانا شروع کر دیئے تھے۔ امید نے اک تڑپ کے ساتھ اسے دیکھا۔

''اور پھر تمہاری ماں مرگئی۔ اس نے تمہاری جدائی میں ہی تڑپ تڑپ کر جان دے دی اور شاید اس کی جان لینے والی تم ہی ہو۔ یہ ظلم تمہیں نے.....''

''ہاں ہاں۔ میں ظالم ہوں۔ میں ظالم ہوں۔''

امید یکا یک ہی اتنے زور سے چلائی کہ خالہ حبیبہ بھاگ کر باہر آ گئیں۔

''کیا ہوا.....؟ یہ کون تھا.....؟'' برآمدے کی سیڑھیاں اتر کر وہ ان دونوں کے قریب آ کھڑی ہوئیں۔ ''امید! یہ تم چلائی تھیں.....؟''

چہرے پر ہاتھ رکھے بیٹھی امید کو کندھوں سے تھام کر وہ جھنجھوڑنے لگیں۔ ''تم.....؟

تم.....؟‘‘اس نے چہرے پر سے ہاتھ ہٹا کر حبیبہ کو گھورا۔آنکھوں سے آنسوؤں کے ساتھ ساتھ عجیب سی وحشت ٹپک رہی تھی۔

’’ہاں۔وہ تمہیں ہو جس نے مجھ سے یہ ظلم کرایا۔تمہاری محبت میں میں نے سب کچھ تج دیا تھا۔تم چڑیل ہو۔تم ڈائن ہو۔‘‘

اس نے حبیبہ کی طرف ہاتھ بڑھائے جیسے اسے نوچ کھسوٹ ڈالے گی۔حبیبہ تیزی سے چند قدم پیچھے ہٹ گئیں اور آذر نے جلدی سے امید کے دونوں بڑھے ہوئے ہاتھ تھام لیے۔

’’مجھے چھوڑ دو۔مجھے چھوڑ دو۔‘‘

’’کیوں.....؟مجھے بتاؤ تو سہی تمہیں ہوا کیا ہے.....؟‘‘

’’اسی عورت نے مجھ سے میری سگی ماں کو قتل کرایا ہے۔یہ مجھے اس سے ملنے نہیں دیتی تھی۔میری جدائی میں وہ مر گئی۔میری ماں مری تو پھر میرا باپ بھی مر گیا۔تم مجھے سارا الزام دیتے ہونا۔تو آؤ آج میں تمہیں بتاؤں کہ اصل مجرم کون ہے؟‘‘

وہ آذر کی آنکھوں میں آنکھیں ڈالتے ہوئے اور حبیبہ کی طرف بازو لمبا کر کے انگلی سے اشارہ کرتے ہوئے بولی۔

’’میں نے اس عورت کے ساتھ بڑی محبت کی تھی۔میں نے اسے ہمیشہ اپنی سگی ماں سمجھا تھا مگر اس نے ہمیشہ اپنے دل میں میرے خلاف عناد ہی رکھا۔‘‘

آذر نے حبیبہ کو چپ چاپ وہاں سے کھسک جانے کا اشارہ کیا۔حبیبہ لرزتے ہوئے کانپتے ہوئے وہاں سے بھاگ گئیں۔

’’آذر!میں نے ناہید اور پرویز سے بھی بڑی محبت کی تھی۔میں نے اس عورت کی بہنوں اور بھائیوں کو اپنی سگی خالائیں اور ماموں جانا تھا۔اسی طرح ان سے محبت کی تھی۔ان کا احترام کرتی تھی۔مگر ان سب نے مجھے ہمیشہ غیر سمجھا۔اس کی سوتیلی ہی بیٹی جانا.....‘‘

سالوں سے ذہن میں پکنے والا لاوا وہ جیسے چند لمحات میں ہی اگل دینا چاہ رہی تھی۔

’’میں نے سب کے کام کیے۔میں نے سب سے پیار کیا۔پھر بڑی مامی اپنے بیٹے کے لیے میرا رتہ لے کر آئیں تو اس عورت نے اپنی بیٹی ان کے سامنے کر دی۔انہوں نے بھی میری کسی خدمت،

کسی محبت کو اہمیت نہیں دی۔ کوئی ذرا سا بھی، مروت کے طور پر بھی میرا خیال نہیں کیا۔ میں غیر تھی۔ مجھے پھینک گئیں اور ناہید کو گلے سے لگا لیا۔ اور پھر جب ان سب نے مجھے دھتکار دیا تو میں نے اپنی سگی ماں کی طرف رجوع کرنا چاہا۔ مگر وہ بھی مجھ سے منہ موڑ گئی۔ میرے ابو بھی اور میں..... اکیلی رہ گئی۔ اس پوری دنیا میں تن تنہا۔ میرا کوئی نہیں ہے۔ میرا کوئی نہیں ہے۔''

وہ زور زور سے رونے چلانے لگی۔

''میرا کوئی نہیں ہے۔ میرا کوئی نہیں ہے۔'' یہی کہتے کہتے بے جان سی ہو کر اس کی گردن ڈھلکنے لگی۔ آذر نے جلدی سے اسے تھام لیا۔

''امید..... امید ہوش کرو.....'' آذر نے اسے جھنجھوڑا۔

''یہ دیکھو ہم جو تمہارے ہیں۔ سب ہم۔''

مگر وہ بے ہوش ہو کر اس کے بازوؤں میں گر پڑی۔

اسے بہت تیز بخار تھا اور بخار میں وہ ہذیان بکتی رہی تھی۔ جو باتیں وہ ہوش میں نہیں کر سکی تھی، وہ بے ہوشی میں کرتی رہی تھی۔

آذر نے پوری رات اس کے سرہانے بیٹھ کر گزار دی۔ خالہ حبیبہ کو اس کے پاس نہیں آنے دیا۔ اپنے کیے پر وہ پچھتا رہی تھیں اور جب پہلے ہی ہر ہر بات میں وہ اپنی ندامت کا اظہار کیے جا رہی تھیں توبہ واستغفار کیے جا رہی تھیں تو انہیں امید کی باتیں سنا کر مزید شرمندہ کرنے کی ضرورت بھی کیا تھی۔

پچھتاووں کے علاوہ وہ بہت بھگت بھی چکی تھیں اور نہ جانے کب تک بھگتنے والی بھی تھیں۔ اپنی سگی اولاد کے ہاتھوں ہی انہیں قرار واقعی سزا مل چکی تھی تو دوہری دوہری سزائیں دینا کوئی انسانیت تو نہ تھی۔ اس کے دل میں خالہ حبیبہ کے لیے بھی ڈھیروں ڈھیر ہمدردی تھی۔

صبح کاذب کا وقت تھا جب امید کا بخار کچھ کم ہوا۔ آذر نے اطمینان کا سانس لیا۔ ہر دو گھنٹے بعد روتی چیختی چلاتی اور بلکتی امید کو جس مشکل سے وہ دوا پلاتا رہا تھا' کچھ وہی جانتا تھا۔ بڑا مشکل مرحلہ تھا جو اس نے طے کیا تھا۔

اور اب وہ بڑے سکون کے ساتھ سو رہی تھی۔ دماغ میں پکنے ابلنے والا سالوں کا لاوا ایک رات میں اس نے باتیں کر کے نکال دیا تھا۔ خاندان کے جس جس فرد کے خلاف اسے شکایت تھی، جس جس نے اس کے ساتھ زیادتیاں کی ہوئی تھیں' سب اس نے بک دی تھیں۔

آذر کو تو اب ہی' اس کی کھلنے والی زبان کی زبانی معلوم ہوا تھا کہ وہ سینے پر کیسے کیسے زخم

لیے جی رہی تھی۔ وہ تو بہت بڑے حوصلے اور ہمت کی مالک تھی جو صرف اتنا عرصہ مضطرب اور بے کل رہنے کے بعد آج پھر اس دنیا میں' اور اپنے ہوش و حواس میں لوٹ آئی تھی ورنہ اس کی جگہ کوئی اور ہوتا تو شاید سدا کے لیے پاگل ہو جاتا۔

آذر کے دل میں اس کے لیے ہمدردی اور خلوص کا اک طوفان سا امڈ رہا تھا۔ خود اس کے ساتھ گھر والوں کی طرف سے زیادتیاں ہوتی رہی تھیں تو وہ کیسے گھر سے بھاگ نکلا تھا اور اک وہ تھی سب کے درمیان رہ کر' مر مر کر بھی جیئے گئی۔

اس کے صبر وضبط اور ہمت وحوصلے کی داد دیتے ہوئے آذر نے اٹھ کر وضو کیا۔ نماز پڑھی۔ اس کی صحت کے لیے اور اس کے سکون اور خوشیوں کے لیے بہت ساری دعائیں مانگیں۔ پھر کتنی ہی دیر قرآنی آیات پڑھ پڑھ کر بڑی بوڑھیوں کی طرح اسے پھونکیں مارتا رہا۔ جیسے وہ کوئی ننھا سا بچہ تھی جو خواب میں ڈر گیا تھا اور اس نے اسے دم کر کے پھر سلا دیا تھا۔

بڑے پیار سے چہرے کے اردگرد بکھرے اس کے بالوں کو پرے ہٹاتے ہوئے آذر نے اس کی پیشانی پر ہاتھ رکھ دیا۔ حرارت ابھی تھی۔ لیکن پہلے کی نسبت کافی کم۔

گھر میں امی' آپا اور باقی سب کو علم ہی نہیں تھا کہ اس نے رات یہاں خالہ حبیبہ کے گھر گزاری تھی اور امید کی طبیعت ٹھیک نہ تھی۔ انہیں اطلاع کرانے کا وقت اور موقع نہیں ملا تھا۔ یقیناً سب پریشان ہوں گے۔ اور اب جب کہ وہ پرسکون سو رہی تھی بہتر تھا وہ گھر کا ایک چکر لگا آتا۔ ساتھ اپنا لباس بھی تبدیل کر لیتا اور اپنی غیر حاضری کے متعلق سب کو بتا بھی آتا۔

اپنی اس سوچ کو عملی جامہ پہنانے کے لیے بڑے ہولے ہولے اور دبے دبے سے قدم اٹھاتے ہوئے وہ اس کے کمرے سے باہر نکلا' بڑی احتیاط سے دروازہ بند کر کے مڑا ہی تھا کہ وہیں ٹھٹک کر رہ گیا۔ امید کے کمرے سے باہر راہداری میں خالہ حبیبہ ننگے فرش پر ہی گھٹنے بازوؤں میں دیئے بیٹھی اونگھ رہی تھیں۔

''خالہ! آپ یہاں کیا کر رہی ہیں.....؟'' ان کے کندھے پر ہاتھ رکھتے ہوئے آذر نے مدھم سی آواز میں پوچھا۔

''کچھ نہیں۔ کچھ نہیں۔'' وہ ایک دم ہڑبڑا کر کھڑی ہو گئیں۔

''آپ رات سوئی نہیں.....؟''

''وہ.....وہ.....'' خالہ ہکلائیں۔ ''وہ دراصل امید کی طبیعت ٹھیک نہیں تھی نا اس لیے مجھے چین نہیں آ رہا تھا۔'' پھر وہ رونے لگیں۔

''میں نہیں جانتی تھی کہ وہ ایک ایک بات محسوس کر کے سینے کے اندر چھپا لیا کرتی تھی۔ اس کے اندر اتنا بڑا آتش فشاں تھا۔''

''یہ آپ کیا کہہ رہی ہیں خالہ.....؟''

''میں نے سب کچھ سن لیا ہے آذر.....میں نے سب کچھ سن لیا ہے۔''

''وہ تو ایسے ہی بخار میں بک رہی تھی۔''

''نہیں آذر بیٹے! سب سچ تھا۔ اک اک بات اس نے درست کی ہے۔ میں نے ناہید نے' پرویز نے غرض سب نے اس کے ساتھ یہی کچھ کیا ہے۔'' وہ بولے چلی گئیں۔

''مجھے اپنے ہر گناہ کا اعتراف ہے۔ ایک بار میری بچی ٹھیک ہو جائے۔ میں اس کے آگے ہاتھ جوڑ کر خود اس سے معافی مانگوں گی۔ وہ مجھے معاف کرے گی تو تبھی میری نجات اس مولیٰ کے در سے بھی ہو سکے گی۔''

''خالہ! میں ذرا گھر جا رہا ہوں۔'' آذر موضوع بدلنے کے لیے عجلت سے بولا۔ اس سے خالہ کی یہ ندامت بھرے آنسو بھی دیکھے نہیں جا رہے تھے۔

''امی اور آپا فکر کر رہی ہوں گی۔ اور پھر لباس بھی تبدیل کر آؤں گا کیونکہ دوائی گر جانے کے باعث بو آ رہی ہے۔''

''اور وہ جاگ پڑی تو۔ میں کیسے اسے اپنا کالا منہ دکھا سکوں گی۔''

''نہیں خالہ! ایسے مت کہیے۔ آپ نے اس کی خدمت بھی تو بہت کی ہے۔''

''وہ دن تو اس کے پاگل پن میں کٹ گئے۔''

''میں اسے سب کچھ بتاؤں گا خالہ! وہ یقیناً آپ کو معاف کر دے گی۔ بڑے نرم دل کی مالک ہے۔'' آذر انہیں تسلیاں دینے لگا۔

''ویسے خالہ! آپ کے علاوہ اب اس کا اور ہے بھی کون؟ آپ اس کی اور وہ آپ کی۔

سب ٹھیک ہو جائے گا۔ انشاءاللہ! سب ٹھیک ہو جائے گا۔"

آذر نے انہیں بہت ساری تسلیاں دینے کے بعد آرام کرنے کی تلقین کی۔

"ابھی تین چار گھنٹے یہ سوئے گی۔ آپ بالکل فکر نہیں کریں اور خود بھی جا کر آرام اور اطمینان سے سو جائیے۔"

"لیکن آذر! بیٹے مجھے ڈر آ رہا ہے۔ پرویز بھی آج گھر نہیں آیا۔"

"امید والا مسئلہ حل ہو جائے تو اس کا بھی کچھ کرتا ہوں۔ خواہ مجھے اور چھٹیاں نہ لینا پڑیں۔"

"پرویز راہِ راست پر آ سکتا ہے؟"

"کیوں نہیں خالہ! ضرور آ سکتا ہے۔ بس آپ فکر نہیں کریں سب کچھ درست ہو جائے گا۔ انشاءاللہ۔"

"تم رحمت کا فرشتہ ہو بیٹے! سچ مچ رحمت کا فرشتہ۔" خالہ نے آذر کی پیشانی چوم لی۔

"خدا تمہیں سدا خوش رکھے۔ سدا آباد رکھے۔ تم جیسا ہمدرد انسان میں نے اور کوئی نہیں دیکھا۔"

آذر خالہ کی دعاؤں سے جھولی بھرے اور تعریفوں سے ہونٹوں پر مسکراہٹیں لیے گھر کو چل دیا۔

ہمیشہ کی طرح آذر اپنے کمرے کے پچھلے دروازے کی طرف اندر داخل ہوا۔ امی چھوٹے برآمدے میں بیٹھیں قرآن پاک کی تلاوت کر رہی تھیں اور سوائے ثروت کے باقی سب گھر والے سوئے ہوئے تھے ابھی۔

سارے گھر کا اک چکر لگانے کے بعد وہ دبے دبے پاؤں آ کر باورچی خانے کے دروازے میں کھڑا ہو گیا۔ ثروت پیشانی تک سفید دوپٹے سے سر ڈھانکے منہ ہی منہ میں کچھ پڑھتے ہوئے جلدی جلدی چولہا جلا رہی تھی۔

"ہاؤ....." اس کا رخ دوسری طرف تھا۔ آذر نے ڈرایا تو سچ مچ ڈر گئی۔ اتنے زور سے چیخ بلند کی کہ آذر کو خود ہی بڑھ کر اس کا منہ بند کرنا پڑا۔

''کیا ہو گیا آپا! یہ میں ہوں۔ تمہارا منا۔''

''ہائے!'' اک طویل سا سانس لینے کے بعد ثروت اسی پر ابل پڑی۔

''تو بڑا بے حیا ہے منا۔ ایک تو ساری رات جاگی ہوں اور اب اوپر سے آ کر ڈراتا ہے۔''

''تم کیوں ساری رات جاگی ہو؟ کیا بڑا بچہ روتا رہا ہے؟''

''بڑا بچہ کون سا؟'' ثروت اس کا مذاق سمجھ نہ سکی۔

''بات فوراً سمجھا کرو آپا! تمہارے شوہر نامدار یعنی کہ میرے بڑے بھائی صاحب۔''

'' کہتے تو ٹھیک ہو۔ بڑا بچہ۔'' ثروت مسکرا پڑی۔ ''واقعی تمہارے بھائی جان کو بھی تو بچوں ہی کی طرح سنبھالنا پڑتا ہے۔''

پھر یکایک کچھ سوچتے ہوئے ثروت نے اس کا کان پکڑ لیا۔

'' دیکھو ذرا۔ میرا دھیان ادھر لگا کر اپنا جرم چھپانا چاہتا ہے۔''

''کون سا جرم آپا.....؟''

''رات بھر گھر سے غائب رہنے والا۔ پہلے تم نے ایسی حرکت کبھی نہ کی تھی۔ کچھ نہ پوچھو۔ کیسے کیسے ہول دل میں آتے رہے۔''

''اوہ.....! یہ تو مجھے خیال ہی نہیں آیا کہ ہول بھی آ سکتے ہیں۔''

''بہو! اس بیدرد نے یہ تو کبھی جانا ہی نہیں۔'' امی باورچی خانے میں داخل ہوتے ہوئے بولیں۔ ''یہ تو یہی سمجھتا ہے جیسے ہمارے سینوں میں جذبوں کی کمی ہے۔''

''ارے میری پیاری امی جان! میں نے کب یہ سمجھا ہے کہ آپ کے پاس جذبوں کی کمی ہے۔ بہت ہیں جذبے آپ کے پاس۔ بس میری بدنصیبی یہ ہوئی ہے کہ میں آخر میں آیا ہوں۔ پہلے آنے والوں نے پیار' محبت' ہمدردیاں' یہ' وہ' سب کچھ سمیٹ لیا۔ اور میرے حصے.....''

'' دیکھو بہو۔ کیا کہہ رہا ہے۔''

''امی! منا کی مذاق کرنے کی عادت ہے۔'' ثروت نے بات یہیں ختم کر دینا چاہی۔

''کیا عادت ہے آپا.....؟ لگی لپٹی ہم نہیں جانتے۔ آ ذرا تو سچ کہے گا۔ ساری زندگی

ترستا رہا ہوں مگر امی کے پاس میرے لیے کبھی فرصت ہی نہیں تھی۔ تبھی تو جہاں سے کچھ ملا' تھوڑا سا ہی' وہیں ستاروں کا شہر سجالیا۔ اب اپنی آپا سے.....''

''دیکھ منا! میری بات نہ کرنا۔ نہ میں نے کوئی دعویٰ کیا ہے اور نہ میرے پاس کچھ ہے۔ میں تمہارے والی قطار میں کھڑی ہوں۔ لینے والوں میں۔ میں دے کچھ نہیں سکتی۔''

''یہی تو شانِ درویشی ہے آپا! میری جھولی بھی بھر دی اور۔ ارے ارے! وہ دودھ ابل گیا۔'' آذر نے دانستہ بات ادھوری چھوڑ دی۔ امی کو غصہ چڑھے جا رہا تھا۔

''تم نے بتایا نہیں۔ کہاں تھے تم.....؟'' ثروت نے پوری طرح موضوع بدل دیا۔

''خالہ حبیبہ کے ہاں۔''

''حبیبہ کے ہاں.....؟'' امی کا غصہ یکا یک کافور ہو گیا اور اس کی جگہ گھبراہٹ نے لے لی۔ ''خیر تو تھی.....؟ حبیبہ کیسی ہے.....؟''

''خالہ تو ٹھیک ہیں۔ امید کی طبیعت ٹھیک نہیں تھی۔''

''کیا ہوا اسے.....؟''

''بخار.....'' اور پھر آذر نے بڑی تفصیل سے اس کی ساری کیفیت بیان کر دی۔

''اللہ تیرا شکر ہے۔ وہ بولی تو۔'' پھر امی اس کی صفات' اس کی خوبیاں بیان کرنے لگیں۔

''آپا.....!'' ثروت کی طرف دیکھتے ہوئے آذر کہنے لگا۔ ''اب سب اس کی تعریفیں کرتے ہیں مگر پہلے ان سب نے ہی مل ملا کر اسے اس حال تک پہنچایا تھا۔''

''ہماری بھی تو جان مشکل میں تھی۔ اس کی طرف داری کرتے تو بہن برا مانتی تھی' اس کی ناراضگی تو نہیں مول لے لینا تھی نا۔''

''بس آپا! یہی اختلاف ساری زندگی میرا ان کے ساتھ رہا۔ سچائی اور انصاف کی راہ پر نہیں چلنا۔ دنیاداری کی الجھنوں اور دلدل میں پھنسنا ہے۔ بہن کی جھوٹی طرفداری کرتے کرتے امید کی زندگی تباہ کر دی۔''

امی چپکے سے کان لپیٹ کر باورچی خانے سے نکل گئیں۔ جب محسوس کرتیں کہ وہ واقعی

قصوروار تھیں اور آذر درست کہہ رہا تھا تو ایسے ہی کیا کرتی تھیں۔ پھر آگے بات ہی نہیں سنتی تھیں۔

آذر مسکرا کر ثروت کی طرف متوجہ ہو گیا۔

''آپا! کچھ کھانے پینے کو مل جائے گا.....؟''

''ہاں ہاں۔ابھی ناشتہ تیار کرتی ہوں۔''

''اور یہ چائے.....؟'' باتوں کے دوران ثروت نے اک چائے کی پیالی بنا کر رکھی تھی۔وہ اٹھا کر آذر نے ہونٹوں کے ساتھ لگالی۔

''تمہارے بھائی جان کے لیے تھی۔''

''ارے ارے۔ پھر تو یہ مالِ غیر ہوا۔'' آذر نے جلدی سے ہنس کر واپس رکھ دی۔

''اور مالِ غیر کی طرف نگاہ اٹھانا بھی گناہ ہے۔''

''پاگل.....!'' ثروت نے بڑے پیار سے اس کی طرف دیکھا۔

''مالِ غیر کیوں.....؟ تمہاری آپا نے بنائی ہے۔تمہارا حق ہے۔ ویسے بھی تم اس گھر میں کچھ کم خرچ تو نہیں کرتے۔''

''لیکن بنائی تو آپ نے بھائی جان کے لیے تھی۔''

''ان کے لیے ایک منٹ میں اور بن جاتی ہے۔تم یہ پیو۔''

''کل دوپہر کا کھانا کھایا ہوا ہے.....؟''

''لیکن کیوں.....؟ خالہ حبیبہ نے تمہیں کھانے کا پوچھا ہی نہیں.....؟''

''انہیں اپنا ہوش کب تھا.....؟ میرا خیال ہے خود انہوں نے بھی کچھ نہیں کھایا ہو گا..... امید کی حالت ایسی نہ تھی کہ کسی کو بھی کھانا پینا سوجھتا۔''

''اوہ.....! تو پھر میں ابھی ناشتہ تیار کیے دیتی ہوں۔ابھی ابھی۔ دوسرے سب کام چھوڑ کر۔''

''ہاں بنا دو۔ لیکن اپنے مجازی خدا کو پہلے چائے کی ایک پیالی دے آؤ۔ مجھے علم ہے جب تک چائے کا گھونٹ منہ میں نہیں جائے گا ان کی نیند نہیں ٹوٹے گی۔اور اتنی دیر میں مَیں بھی غسل کر کے لباس وغیرہ تبدیل کر آؤں۔''

''آج تمہارا کوئی لیکچر نہیں ہے.....؟''

''شکر ہے نہیں۔ شام کو ایک میٹنگ ہے۔ اور مجھے امید ہے شام تک امید بڑی حد تک سنبھل چکی ہوگی۔ میں آسانی سے اسے دو گھنٹے کے لیے چھوڑ کر جا سکوں گا۔''

وہ تیزی سے باورچی خانے سے باہر نکل گیا۔ پانچ دس منٹ میں شیو کی' نہایا' لباس وغیرہ تبدیل کر کے باورچی خانے میں واپس آیا تو ثروت نے اس کے لیے ناشتہ تیار کیا ہوا تھا۔

''ارے! یہ اتنا وسیع وعریض ناشتہ.....؟'' آذر زور سے ہنس پڑا۔

''آپا! تمہارا منا' منا ہے' کوئی جن تو نہیں ہے۔''

''فاقہ زدہ ہو۔ کیا پتہ یہ ناشتہ بھی کم پڑ جائے۔''

''فاقہ زدہ بے شک ہوں لیکن قسم خدا کی جن نہیں ہوں۔ اور یہ ناشتہ اک پورے جن سے بھی زیادہ ہی ہوگا۔''

''تم شروع تو کرو۔ جتنا کھایا جائے گا کھا لینا۔ باتیں ہی بنانا شروع ہو گیا ہے۔''

ثروت کی ڈانٹ پر وہ جلدی جلدی ناشتہ کرنے لگا۔

''اچھی طرح پیٹ بھر کر کھانا۔ کیا پتہ آج دوپہر کو پھر تمہیں کھانا نہ ملے۔''

''نہیں نہیں۔ خالہ حبیبہ کو بھی تو کچھ کھانا پینا چاہیے۔ انہیں کی خاطر سہی ضرور کھانا بنواؤں گا۔ پہلے ہی غموں' پچھاووں اور ندامتوں نے انہیں مردہ بنایا ہوا ہے۔''

''ان کے لیے میں نے کچھ ہاٹ کیس میں رکھ دیا ہے۔ جاتے ہوئے یہ ساتھ لے جانا۔''

''واہ آپا! زندہ باد۔ تم تو بڑی عقلمند ثابت ہوئیں۔ بس۔ ایسے ہی گھر اور گھر والوں کی ہمیشہ مجھے خواہش رہی تھی۔ مگر دیکھو خواہش پوری ہوئی تو کب.....؟ جب یہ میرا گھر نہیں رہا۔''

''کیوں منا.....؟ کیوں نہیں یہ تمہارا گھر.....؟'' ثروت اک تڑپ کے ساتھ بولی۔

''گھر وہ ہوتا ہے جہاں گھر والی ہوتی ہے۔'' بڑے پیارے انداز میں شرماتے ہوئے آذر بولا۔ ''اور میری گھر والی بیروت میں ہے آپا.....!''

''اوہ.....!'' ثروت اس کی اس ادا سے محظوظ ہوتے ہوئے مسکرا پڑی۔

''اداس ہواس کے بغیر.....؟''

''ہاں.....بہت.....جی چاہتا ہے.....جی چاہتا ہے.....''جذبات میں ڈوب کر وہ نہ جانے کیا کہنے لگا تھا کہ یکا یک چونک کر' سٹپٹا کر چپ ہو گیا۔

''کیا جی چاہتا ہے.....؟''ثروت نے پیار سے پوچھا۔

''دیکھو آپا! تمہارا منا اتنا بے حیا نہیں ہے کہ بڑی بہن کے سامنے۔'' وہ پھر چپ ہو گیا۔

''کیا کوئی بے حیائی کی بات کرنے لگے تھے.....؟''ثروت ہنس پڑی۔

''بہت زیادہ بے حیائی کی بھی نہیں.....''

''کیا مطلب.....؟''

''مجھ ایسی عمر کا کوئی لڑکا جب اپنے جذبوں کی' اپنی محبت یا عشق کی بات کرتا ہے تو اس پر بے حیا ہونے کا لیبل لگ جاتا ہے۔ اس لیے چپ ہو گیا تھا۔''

''نہیں منا نہیں۔تم اپنی آپا سے ہر بات کر سکتے ہو۔''

''کر سکتا ہوں.....؟''

''کیوں نہیں.....''

''اگر تمہیں بتاؤں گا وہ مجھے کتنی عزیز ہے' مجھے اس سے کتنی محبت ہے' میں اسے کس کس طرح یاد کرتا ہوں تو تم مجھے بے شرم نہیں کہوں گی نا.....؟''

''میرا پگلا سا منا! مجھے نہیں بتاؤں گے تو اور کسے بتاؤ گے؟ اور پھر یہ تجھے کیا علم نہیں ہے کہ وہ میری اکلوتی بھابی ہے۔ میرا ایک ہی ایک منا اور وہ میرے منے کی محبت۔ میرا جی چاہتا ہے میں اس کی باتیں سنوں میں اسے ملوں۔ میں اسے دیکھوں.....اور.....''

''اور کیا.....؟''آذر ثروت کے خلوص اور پیار سے بے حد متاثر تھا۔

''میرے دل میں تو یہ بھی ارمان ہے کہ اپنے منا کے سر پر سہرا بھی اپنے ہاتھوں سے باندھوں۔ مگر.....مگر.....''ثروت کی آنکھوں میں آنسو آ گئے۔ پھر مسکرائی۔

''تم نے اتنی دور دل لگایا ہے کہ میرا یہ ارمان پورا ہوتا نظر نہیں آتا۔''

''نہیں آپا.....!'' آذر یکدم سنجیدہ ہو گیا۔ ''تمہارے سر پر ہاتھ رکھ کر قسم کھاتا ہوں کہ اپنا سہرا تمہیں سے بندھواؤں گا۔''

''سہرا بندھوانے کے لیے مجھے لبنان لے کر جاؤ گے؟'' آنکھیں بھیگی تھیں اور لبوں پر بڑی خوبصورت سی ہنسی۔

''نہیں۔'' آذر اس کے آنسوؤں اور مسکراہٹوں کا ملاپ دیکھ رہا تھا۔ اسے یہاں لے کر آؤں گا۔ تمہارے حضور آپا!''

''کیا.....؟'' ثروت متحیر سی ہو گئی۔

''اسے یہاں لے کر آؤں گا۔ تم سے سہرا بندھوانے کی خاطر۔'' وہ بے حد سنجیدہ تھا۔

''میں شادی یہاں تمہارے پاس آ کر کروں گا۔ نہ صرف سہرا بلکہ دوسری ساری رسومات بھی ہوں گی۔ میری آپا سب کچھ کرے گی۔ جیسے اپنے اس منا کا کرتی۔ اسی طرح مہندی رچے گی۔ بارات چڑھے گی۔ پھر ڈولی اترے گی۔ اور وہ سب میری آپا کرے گی۔''

''منا..... میرا منا..... تو سدا جیے..... تو سدا خوش رہے..... دوسروں کو خوشیاں دینے والے تیری خوشیاں سلامت رہیں..... امی..... امی.....'' آذر کو بہت ساری دعائیں دینے کے بعد ثروت باورچی خانے سے نکل کر پاگلوں کی طرح بھاگی۔

''امی..... منا کہتا ہے شادی یہیں ہمارے پاس ہی کرے گا۔ ہم اس کی بری بنائیں گے۔ ہم مہندی رچائیں گے۔ ہم اس کی بارات چڑھائیں گے۔ ہم منا کی دلہن کی ڈولی لے کر آئیں گے۔''

آذر کے کانوں میں ثروت کی خوشی میں بھرائی آواز گونجتی رہی اور وہ مسکراتے ہوئے ناشتہ کرتا رہا۔

پچھلے چار سال میں اس نے بہت کمایا تھا مگر اس کے اخراجات بہت کم تھے۔ نہ وہ سگریٹ پیتا تھا نہ شراب نوشی کی اسے لت تھی۔ نہ جوا کھیلتا تھا' نہ ریس پر رقمیں اجاڑتا تھا۔ نہ آوارہ تھا اور نہ عیاش تھا وہ۔

سادہ خوراک' سادہ لباس' سادہ رہائش تھی اس کی۔ پھر خرچ کہاں کرتا۔ سب کچھ جمع ہی ہوتا رہا۔ طوبیٰ سے ملاقات ہوئی تو وہ بھی عام لڑکیوں سے بالکل مختلف اور جدا تھی۔ اسے بھی نہ قیمتی سے قیمتی ملبوسات کا شوق تھا اور نہ زیورات کا۔ نہ خودنمائی کا اور نہ خودستائی کا۔

دونوں ایک دوسرے کے ساتھ مل کر سیر و تفریح کرتے تھے۔ تب بھی کوئی وافر خرچ نہیں کیا۔ نہ طوبیٰ نے آذر سے کسی تحائف کی طلب یا خواہش کی نہ آذر کو اس سے کسی قسم کا مطلب تھا۔ بس اپنے اپنے سادہ اور پرخلوص جذبوں کے ساتھ ہی ایک دوسرے سے ملتے رہے۔ بالکل معصوم بچوں کی طرح۔ بغیر کسی قسم کے لوبھ یا لالچ کے!

یوں اس کے پاس اک خاصی بڑی رقم تھی۔ پاکستان آیا تو خالی ہاتھ تھا مگر یہاں آ کر دل سے مجبور سا ہو گیا۔ سب کے لیے بہت سارے تحائف خریدے۔ بہنوں کے لیے' بھائیوں کے لیے۔ امی اور ابا کے لیے۔ بھابیوں کے لیے۔ سبھی بہت خوش ہوئے۔

جب بھی ان پر خرچ کرتا' سوائے ثروت کے' سبھی واری صدقے ہونے لگتے۔ اک ثروت تھی جو اسے منع کرتی تھی۔ فضول خرچیوں سے روکتی تھی۔

''منا! سوچ سمجھ کر خرچ کیا کرو۔ اس عمر میں تم نے جو کچھ جمع کر لیا وہ کر لیا۔ اسے

سنبھال کر رکھو۔ شادی کے بعد بال بچوں کے جب اخراجات شروع ہو جائیں تو پھر کچھ پس انداز نہیں ہو سکتا۔''

ثروت کی نصیحتیں سنتا۔ مسکرا کر خاموش ہو جاتا۔ اب کیسے اسے سمجھاتا کہ یہ اسے کرنا ہی پڑتا تھا۔ ثروت کو اس نے بہن کہا تھا۔ اور امید پر ہمدردی کے جذبے اور خالو حبیب کی بیٹی کے ناطے سے وہ خرچ کرتا تھا۔ اور ان دو ہستیوں پر خرچ کرنے کے لیے اسے باقی سب پر خرچ کرنا پڑتا تھا۔ ورنہ سب بہت برا مانتے تھے۔ ایک دم ہی سب کے چہرے سوج پھول جاتے تھے۔

سب کی خواہش یہی تھی کہ وہ ان کے تابع رہے۔ وہ جو چاہیں آذر وہی کرے۔ کسی بھی معاملے میں یہ پسند نہیں کرتے تھے کہ وہ اپنے دل' اور اپنے جذبوں کی ڈور تھام کر چلے۔

ساری زندگی اپنا اک فرض بھی کسی نے ادا نہیں کیا۔ مگر اب اس کے ساتھ سبھی نے بہت بڑی بڑی توقعات وابستہ کر لی تھیں۔ آذر ماہر نفسیات تھا۔ ماتھے کی شکنوں سے' آنکھوں کی چمک اور لبوں کی بے آواز جنبش سے ہر ایک کے دل کا راز جان لیا کرتا تھا۔

سبھی خود غرض تھے۔ کسی کے دل میں دوسرے کے لیے رحم و ہمدردی نہ تھی۔ بس اپنے ہی احساسات' جذبات اور خواہشات کی تکمیل کے پیچھے بھاگ دوڑ رہے تھے۔

یہی سب کچھ سوچتے ہوئے اس نے بہت ڈھیر ساری شاپنگ کر ڈالی تھی۔ اسے ہنسی آ گئی۔ کوئی کتنی بھی لگامیں ڈالنے کی کوشش کرے مگر وہ بچپن سے ہی منہ زور گھوڑے کی طرح اپنے بنائے راستے پر چلا تھا۔

اپنے بیروت کے بینک سے رقمیں نکلوائے جا رہا تھا اور شاہ دلی سے خرچ کیے جا رہا تھا۔ ایک گھنٹے میں اس نے تقریباً دو تین ہزار کی شاپنگ کر ڈالی تھی۔ دو ساڑھیاں خریدیں' بہت قیمتی زنانہ سوٹوں کا کپڑا بمع دوپٹوں کے لیا۔ ایک زنانہ کلائی کی گھڑی۔ دو بڑی خوبصورت سفید اور سرخ موتیوں والے بندوں کی جوڑیاں۔ سویٹر' شال۔ بے حد خوش تھا اس خریداری سے۔

اور پھر..... ان سب چیزوں کے ساتھ خالہ کے گھر ٹیکسی سے اترا تو برآمدے میں ہی حبیبہ مل گئیں۔ اتنے ڈھیر سارے ڈبے اسے اٹھائے دیکھ کر حیران سی رہ گئیں۔

''یہ سب.....؟ یہ سب کیا ہے آذر.....؟''

''امید کے کمرے میں آجائیے۔ابھی آپ کو معلوم ہو جائے گا۔''

اس کی مدد کے طور پر کچھ چیزیں خالہ نے اٹھالیں۔ دونوں لدے پھندے امید کے کمرے میں آئے تو وہ بستر میں بیٹھی کھڑکی سے باہر اپنے ہرے بھرے اور باغ و بہار باغیچے کی طرف دیکھ رہی تھی۔

''ہیلو میری مریضہ! کیسے حال چال ہیں.....؟'' آذر نے اس کے بستر پر ہی سب ڈبے لڑھکا دیئے۔امید حیرت سے اسے دیکھنے لگی۔

''آپ بھی خالہ یہیں اپنا بوجھ ہلکا کر لیجیے۔''

''مگر ان سب میں ہے کیا.....؟''

''بس دیکھتی جائیے گا.....'' پھر وہ دوبارہ امید سے مخاطب ہوا۔''میں نے تمہارا حال پوچھا تھا.....؟''

''ٹھیک ہوں۔'' وہ نقاہت سے بھری مدھم آواز میں بولی۔

''ٹھیک ہوں۔'' آذر نے اس کی نقل اتاری۔''یہ آواز ایسی مردہ کیوں نکل رہی ہے۔ تم خود تو اچھی بھلی زندہ لڑکی ہو۔کیا آج ماں نے ناشتہ نہیں دیا۔''

''گھر میں جو کچھ تھا سب اس کے سامنے لا رکھا۔مگر یہ کھاتی ہی کچھ نہیں۔''

''ارے لڑکی! کھاؤ پیو اور جلدی جلدی تگڑی ہو جاؤ۔''

''کیوں۔میرا کسی کے ساتھ دنگل کرانا ہے.....؟'' امید مسکرائی۔

''ماشاءاللہ..... ماشاءاللہ..... اب تو خوب زبان چل نکلی ہے۔'' پھر وہ خالہ کی طرف مڑا۔''سچ مچ اس نے ناشتہ نہیں کیا.....؟''

''نہیں..... بالکل کچھ نہیں.....''

''تو پھر لے آئیے جو کچھ ہے۔دیکھتا ہوں کیسے نہیں کرتی۔''

حبیبہ امید کے لیے ناشتے کا بندوبست کرنے چل دیں اور آذر اس کا ٹمپریچر لینے لگا۔

''چلو شاباش۔منہ کھولو۔'' تھرمامیٹر جھٹکتے ہوئے وہ اس کے قریب آیا۔

''آپ تو میرے ساتھ بالکل بچوں جیسا سلوک کرتے ہیں۔''

''ایک ڈاکٹر کی نگاہ میں اس کا ہر مریض بچہ ہی ہوتا ہے۔چلو منہ کھولو۔''

حبیبہ جب ناشتہ لائیں تو وہ ٹمپریچر معلوم کر چکا تھا۔

''اب بخار کتنا ہے؟''

''شکر ہے آج نارمل ہو گیا۔''

''تو پھر میں آج باغیچے میں جاؤں گی نا۔''

''شام کو۔''

''ابھی کیوں نہیں؟ آپ نے کہا تھا جب بخار ٹوٹے گا تو تب مجھے باغیچے میں لے کر جائیں گے اور اب بخار ٹوٹ گیا ہے۔''

''ساتھ تمہیں بھی تو توڑ پھوڑ گیا ہے۔ذرا چلنے پھرنے کے قابل ہو جاؤ۔تو پھر صبح بھی باغیچہ ہوگا اور شام بھی باغیچہ ہوگا اور ساتھ تم ہو گی اور بس۔'' وہ بالکل بچوں کی مانند اسے بہلانے کی کوشش کر رہا تھا۔''پھر بیشک رات دن وہیں گزارنا۔''

''میرا دل بڑا اداس ہے۔''

''کہا نا ضرور لے چلوں گا۔مگر شام سے پہلے نہیں۔تمہارے بخار والے ڈاکٹر نے میرے کان مروڑ دینا ہیں کہ تمہیں اس ٹوٹی پھوٹی حالت میں چلنے پھرنے کیوں دیا.....؟''

''نہیں مروڑتے۔میں سفارش کر دوں گی۔''

''اچھا۔تم ناشتہ تو کرو۔پھر سفارش بھی ہو جائے گی اور باغیچے کی سیر بھی۔''

''نہیں پہلے وعدہ کریں۔پکا وعدہ۔''

''یار پکا وعدہ۔تم سے میں نے کبھی جھوٹا وعدہ کیا ہے.....؟'' آذر نے بڑے دلار سے بڑے پیار سے اس کی صبیح پیشانی پر سے اس کے بکھرے بال ہٹائے اور اپنے ہاتھ سے اسے ناشتہ کرانے لگا۔

امید بلا حیل و حجت جو کچھ اس نے کھلایا' کھائے گئی۔

''تمہارے ہاتھ سے تو فوراً لے لیتی ہے لیکن میرا کہنا بالکل نہیں مانتی۔'' حبیبہ نے پیار سے اس کی طرف دیکھتے ہوئے اس کی شکایت لگائی۔

''کیوں لڑکی.....؟ یہ میں کیا سن رہا ہوں۔ ماں کا کہنا نہیں مانتیں تم.....؟''

جواب میں امید سر جھکائے مسکراتی رہی۔

''آیندہ میں ایسی کوئی شکایت نہ سنوں۔'' وہ اسی رعب وجلال سے بولا۔

امید نے پھر کوئی جواب نہیں دیا۔ بس ناشتہ کرتی رہی۔ کس مشکل اور کتنی تگ و دو کے ساتھ اس نے حبیبہ اور امید کے درمیان سمجھوتہ کرایا تھا۔ اس رات کے بعد مزید دو دن امید کو بخار رہا تھا۔ ذہنی طور پر کچھ ہوش میں تو آ گئی تھی لیکن سوائے آذر کے کسی اور کو نہیں پہچانتی تھی اور نہ کسی سے بات کرتی تھی۔

آذر کے ہاتھ سے ہی دوا پیتی تھی۔ آذر کے ہاتھ سے ہی دودھ' چائے' یخنی وغیرہ لیتی تھی۔ آذر جانتا تھا کہ باقی سب سے فرار اس کی شعوری کوشش تھی۔ تب وہ ہولے ہولے' آہستہ آہستہ اور بڑے پیار سے اسے سمجھاتا رہا تھا۔

خالہ حبیبہ کی ندامت' شرمندگی' پچھتاووں اور توبہ استغفار کے متعلق بڑی وضاحت سے اسے بتاتے ہوئے انسانیت کے اصول اسے سمجھائے تھے کہ انسان اک غلطی کا پتلا ہے اور درگزر کرنے والا انسان اور دوسرے کے بڑے سے بڑے گناہ کو معاف کر دینے والا انسان بہت عظیم ہوتا ہے۔

اور بہت کچھ سمجھانے کے بعد آذر نے اپنی مثال بھی پیش کی تھی کہ کس طرح سب نے اسے ہمیشہ غلط سمجھا تھا۔ اسے بے درد اور ظالم جانا تھا۔ پھر اس کی طرف سے بے توجہی برتی۔ اسے کوئی حق نہیں دیا۔ اسے کوئی اہمیت مقام نہیں دیا مگر اس نے پھر بھی۔ ان سب کے ساتھ اچھا سلوک ہی کیا تھا۔

پردیس میں جا کر ٹھوکریں خود کھائیں۔ مشکلات کا مقابلہ خود کیا مگر کمایا جو کچھ' حاصل جو کچھ کیا وہ آ کر ان سب پر خرچ کر ڈالا کس لیے؟ انسانیت کے نام پر۔ انسانیت کے اصولوں کی خاطر کہ پروردگار نے اک انسان کو دوسرے انسان کا درد بانٹنے کے لیے بنایا ہے اسے درد دینے کے لیے نہیں۔

اور۔ جب آذر نے اپنی مثال پیش کی تو امید سب عداوتیں' سب دشمنیاں بھول بھال

موم کی طرح پگھل کر بہہ گئی۔

''یوں بھی۔اپنی آنکھوں سے حبیبہ کو اپنے آگے پیچھے پھرتا دیکھ رہی تھی۔اپنی خدمت کرتے دیکھ رہی تھی۔بات بات پر آنسو ٹپکاتے دیکھ رہی تھی۔اپنے لیے ڈھیروں ڈھیر دعائیں مانگتے دیکھ رہی تھی اور وہ بنیادی طور پر ایسی پتھر دل نہ تھی جتنا بننے کی کوشش کر رہی تھی۔

آخر ساری کدورتیں دل سے نکال کر وہ حبیبہ کے گلے لگ گئی۔اس لمحے۔حبیبہ تو جو روئی تھیں خود آذر کی آنکھوں میں کتنے سارے آنسو آ گئے تھے۔اور وہ انہیں چھپانے کی کوشش میں جلدی سے کمرے سے باہر نکل گیا تھا۔

''تم نے بتایا نہیں آذر! ان ڈبوں میں کیا ہے؟'' حبیبہ نے پوچھا۔

''اوہ.....!'' آذر اپنے خیالات سے چونکا۔

''امید بوجھے گی کہ ان میں کیا ہے.....؟''

''میں بوجھوں.....؟ میں.....مگر میں کیسے بوجھ سکتی ہوں.....؟''

''کیوں.....؟ تمہیں کیا ہے.....؟ استعمال کرو نا اپنا دماغ۔کب تک اسے فالتو چیز سمجھ کر کھوپڑی والے علیحدہ خانے میں سجا رکھو گی۔''

''تو پھر پہلے بیس سوال کروں گی۔اس کے بعد بتاؤں گی۔''

آذر نے یک لخت چونک کر اس کی طرف دیکھا۔اسی طرح ذہن تھا۔یاد تھا۔اسے سب کچھ۔

''ہاں ٹھیک ہے۔'' وہ خوشی سے چہکا۔

''بیس سوال کرنے تک میری ادھر ہنڈیا جل کر راکھ ہو جائے گی۔''

حبیبہ اک اک ڈبہ کھول کر دیکھنے لگیں۔

''ساڑھیاں، سویٹر، شالیں، سوٹوں کا کپڑا، یہ بندے یہ چوڑیاں۔'' یہ تعجب سے بولیں۔

''ارے! یہ سب کس کے لیے.....؟''

''جسے درست اسے مفت۔'' آذر ہنسا۔

''ہائے چوڑیاں کتنی خوبصورت ہیں۔'' امید نے جیسے پھڑک کر انہیں اٹھایا اور انہیں اپنے سپید سے گال کے ساتھ لگا کر آنکھیں میچ لیں۔

''میں کہانا جسے درست اسے مفت۔ پہن کر دیکھو۔ شاید تمہاری ہو جائیں۔''

''میں.....؟ میں پہنوں.....؟'' وہ ہکلائی۔

''ہاں ہاں.....تم.....''

''نہیں نہیں.....''

''نہیں نہیں کیا.....؟'' آذر نے اس کے ہاتھ سے چوڑیاں لے لیں۔ ''مجھے غیر سمجھتی ہو۔؟ لاؤ ادھر ہاتھ۔'' اور وہ خود اسے چوڑیاں پہنانے لگا۔

''کس کے لیے لائے تھے آپ.....؟''

''تمہارے لیے۔ خالصتاً تمہارے لیے۔ میرا اندازہ دیکھو۔ کتنا صحیح ناپ لایا ہوں۔''

امید کو چوڑیاں پہنانے کے بعد آذر اس کے بازو کو اس کی آنکھوں کے سامنے لہراتے ہوئے بولا۔ ''دیکھو سفید کلائی پر یہ رنگ کتنا اچھا لگ رہا ہے۔ ہیں نا خالہ!'' پھر اس نے خالہ کی گواہی دلائی۔ ''میری پسند اچھی ہے نا.....؟''

''بہت۔ بہت خوبصورت پسند بھی ہے۔ اور میری بیٹی کے بازو پر سجی بھی بہت ہیں۔''

''اور یہ خالہ! یہ سویٹر' یہ گرم چادر آپ کے لیے۔ یہ سویٹر' یہ ساڑھیاں' یہ سوٹ' یہ سب امید کے لیے۔''

''کیا.....؟'' امید بوکھلا اٹھی۔ ''یہ اتنا کچھ۔ نہیں نہیں۔'' وہ سٹپٹا کر بولی۔

''پھر وہی نہیں۔ ارے! مجھے غیر سمجھتی ہو؟''

''آپ کو غیر سمجھوں گی.....؟ آپ کو.....؟''

''تو پھر یہ گھبراہٹ' یہ بوکھلاہٹ' یہ تکلف' یہ سب کیوں.....؟''

''بیٹے! یہ زیادتی ہے۔'' حبیبہ ہولے سے بولیں۔

''یہ زیادتی نہیں ہے خالہ! قرض کی ادائیگی ہے۔''

''قرض کی ادائیگی.....؟ کون سا قرض.....؟''

''یہ آپ نہیں جانتیں اور نہ جان سکیں گی۔ مجھے اس گھر سے خالہ بہت کچھ ملا ہے۔ خالو حبیب کی ذات نے مجھے جینا سکھایا ہے۔ مجھے سچائی کے راستوں پر چلنا سکھایا ہے۔ میرے ٹوٹتے

بکھرتے حوصلوں اور ہمتوں کو تسلی دلاسے کے ستونوں سے استوار کیا ہے۔ یہاں تک' یہاں تک کہ آج میں جو کچھ ہوں صرف ان کے دم سے۔ میں تو خالہ! اپنا سب کچھ دے کر بھی ان کا قرض نہیں چکا سکتا۔ کبھی نہیں۔ اور آپ ان حقیر سی چیزوں کے لیے کہہ رہی ہیں۔ پلیز! خالہ دوبارہ یہ ذکر نہیں چھیڑیئے گا۔ مجھے تکلیف ہوتی ہے۔"

اور پھر اس نے جلدی سے موضوع بدل دیا۔

"امید! تم نے دودھ پیا.....؟"

"وہ۔ مجھے اچھا نہیں لگتا۔"

"میں جانتا ہوں تمہیں کیا اچھا نہیں لگتا اور کیا لگنا چاہیے۔ یہ لو پکڑو پیالی۔ فوراً....."

آذر نے پیالی اس کی طرف بڑھائی۔

"توبہ! بڑے زبردست ہیں آپ۔" امید نے جلدی سے تھام لی۔

"اک ڈاکٹر کو زبردست ہونا ہی چاہیے اور خاص طور پر اس وقت جب تم ایسی مریضہ سے مقابلہ ہو۔"

"بیٹے! تم بھی چائے کی اک پیالی پی لو۔"

"ہاں ہاں کیوں نہیں۔ ضرور پی لوں گا۔" پھر وہ مسکرایا۔ "مجھے تو کوئی ایسے کھلاتا پلاتا نہیں۔ اپنے تو دل میں حسرت ہی ہے اور یہ۔ ایسے لوگ۔" امید کی طرف اشارہ کر کے مسکرایا۔

"بڑے ناشکرے ہوتے ہیں منتیں التجائیں کرا کے بھی....."

"کیا کرا کے بھی.....؟" امید نے اس کی بات مکمل ہونے سے پہلے پکڑ لی۔

"منتیں التجائیں....."

"میں آپ کا کہنا نہیں مانتی؟ آپ تو اشارہ بھی کریں تو....."

"فرض ادا کرتی ہو۔" آذر نے بھی اسی طرح اس کی نامکمل بات پکڑی۔

"صرف فرض امید بی بی.....!"

"فرض.....؟ مجھ پر کون سا آپ کا فرض عائد ہوتا ہے جو ادا کرتی ہوں۔"

"مریضہ کی حیثیت سے تم پر فرض ہے کہ اپنے ڈاکٹر کی ہر بات مانو اور اپنا وہی فرض

تم ادا کرتی ہو۔''

''بس.....؟'' امید نے عجب معنی خیز سی نظر سے اسے دیکھا۔''آپ میں اور مجھ میں صرف ایک ڈاکٹر اور مریضہ ہی کا رشتہ،تعلق یا واسطہ ہے.....؟''

''نہیں نہیں..... '' آذر گڑبڑا سا گیا۔''صرف یہی کیوں.....؟ اور بھی بہت ہیں۔بہت ہیں۔تم میری خالہ کی.....''

''چلو چھوڑو بحث.....'' حبیبہ نے چائے کی پیالی آذر کی طرف بڑھائی۔

''اور لو چائے پیو۔''

یہ چائے کی پیالی جیسے غیبی امداد تھی۔آذر نے تھامتے ہوئے جلدی سے ہونٹوں کے ساتھ لگالی۔

امید اپنے سوال کا جواب سننے کی منتظر بیٹھی تھی اور وہ چائے پیے جا رہا تھا۔

''میں نے وعدہ کیا تھا نا۔ دیکھ لو کیسے وقت پر پہنچ گیا ہوں۔'' آذر اپنی آمد کا اعلان بلند آواز میں کرتے ہوئے امید کے کمرے میں داخل ہوا' مگر وہ وہاں نہیں تھی۔

''ارے! کہاں گئی۔ خالہ' امید!!'' وہ اسی طرح بلند سُروں میں انہیں پکارتے ہوئے اِک اِک کمرے میں جھانکنے لگا۔

''میں اِدھر ہوں!'' باورچی خانے سے امید کی آواز آئی۔ ''آذر ادھر ہی جا پہنچا۔''

''ارے! تم یہاں کیا کر رہی ہو؟''

''چائے بنا رہی تھی اور ساتھ بیسن کی پھلکیاں۔''

''کس کے لیے؟ گھر میں تو کوئی نہیں ہے!''

''آپ نہیں ہیں؟'' وہ مسکرائی۔ موتیوں ایسے سفید دانت بجلی کی طرح کوندے۔

''میں.....؟ نہیں تو!''

''اور یہ کون ہے؟'' امید اپنی نازک سی' سفید سی انگلی اس کے سینے پر رکھ کر مسکرا دی۔

''اوہ میرا مطلب تھا میں تو ابھی آیا ہوں نا۔ جب تم باورچی خانے میں آئی ہو گی۔ اس وقت تو نہیں تھا نا۔''

''نہیں تھے لیکن آپ کی آمد کے وقت کا تو مجھے علم تھا نا.....اور آپ نے وعدہ خلافی کبھی نہیں کی لٰہذا آپ ہی کے لیے بنا رہی ہوں۔''

''اوہ! شکریہ.....لیکن مس اُمید حبیب صاحبہ! کل تک تو آپ میرا سہارا لے کر چلتی

تھیں اور آج یکدم باورچی خانہ سنبھال لیا۔ یہ کیا حرکت ہے؟''

''بالکل نہیں سنبھالا۔ امی کو ساتھ والوں کے گھر ضروری جانا پڑ گیا تھا۔ میں نے سوچا آج میں بھی کچھ تھوڑی سی آپ کی خدمت کرلوں۔ ویسے آپ کی اطلاع کے لیے عرض ہے کہ میں اب بالکل ٹھیک ہوں۔ آخر آپ کب تک مجھے بستر پر ڈال چھوڑیں گے۔''

''ارے ارے!'' پھر وہ ایکدم چولہے کی طرف متوجہ ہوگئی۔ ''ساری پھلکیاں جلا دیں۔''

''میں نے جلائی ہیں؟'' آذر مسکرایا۔

''تو اور کیا۔ آپ نے ہی مجھے باتوں میں لگا دیا تھا۔''

''چلو..... دھر دو مجھی پر الزام۔''

''میں پاگل ہوں جو خواہ مخواہ الزام دھروں گی۔'' امید بڑی شوخی سے ہنس رہی تھی۔

''کافی دن یہ شغل بھی لگائے رکھا ہے۔ ہوسکتا ہے عادت پڑ گئی ہو۔''

''اوں!'' آذر کی ہنسی میں امید کی شرمیلی سی ہنسی بھی شامل ہوگئی۔

''اچھا بھئی میں چل کر تمہارے کمرے میں بیٹھتا ہوں تم چائے اور پھلکیاں بنا کر لے آؤ۔ دیکھتا ہوں میری غیر موجودگی میں کیسی شاندار اور اعلیٰ بنتی ہیں۔''

''ہاں یہ ٹھیک ہے۔ آپ چلیں میں ابھی، بس پانچ منٹ میں لے کر آئی۔''

آذر اسی کے متعلق سوچتے ہوئے اس کے کمرے میں جا بیٹھا۔ اچھے بھلے اخلاق اور مزاج والی لڑکی تھی۔ اچھی بھلی شکل وصورت بھی تھی۔ اچھی بھلی سلیقہ شعار اور سگھڑ بھی تھی۔ مگر بیچاری نے نصیب کیسے پائے تھے؟

آذر بڑے دُکھ سے سوچ رہا تھا۔ زمانہ بہت عجیب اور بہت خراب تھا۔ اس کی صفات کو کسی نے نہیں دیکھنا تھا۔ اب اس کے گزرے ہوئے تین برسوں نے اس کی باقی زندگی اور مستقبل پر سایہ بن کر چھا جانا تھا۔

''توبہ کرو! خوبصورت ہے تو کیا ہوا۔ میں تو کبھی اپنے بھائی کے لیے اس کے متعلق سوچوں بھی نہیں۔ گھروں میں سو سکھ دُکھ ہو جاتا ہے۔ کیا پتہ کب اس کا دماغ پھر آؤٹ ہو جائے

ساری زندگی کے لیے اپنے بھائی کے گلے میں دیوانگی کا پھندا لٹکا دو۔ نہ نہ!!''

جانے کس کے ساتھ شگفتہ بھابی بات کر رہی تھیں۔ آذر کے کانوں میں اب بھی اس کا فقرہ گونج رہا تھا۔

''یہ لیجیے! چائے اور پھلکیاں۔'' وہ اندر داخل ہوئی تو آذر اپنے خیالات سے چونک پڑا۔ نگاہ اُٹھی۔ ٹرے ہاتھوں میں تھامے کھڑی وہ مسکرا رہی تھی۔

آذر نے جو پیازی سوٹ لا کر دیا تھا وہ پہنا ہوا تھا۔ گوری کلائیوں میں اسی کی لائی ہوئی چوڑیاں تھیں اور کانوں میں سفید موتیوں والے چھوٹے چھوٹے بندے' لمبے لمبے کھلے بال شانوں پر' چہرے کے اردگرد بکھرے تھے۔ اتنی دیر آگ کے سامنے کھڑی رہی تھی۔ گال تمتما رہے تھے اور آنکھوں میں جیسے کئی شمعیں فروزاں تھیں۔ کسی اندرونی جذبے کے تحت اتنی چمک رہی تھیں۔

آذر کئی لمحے اسے بغور دیکھتا رہا۔ کوئی بہت ہی بدذوق ہوگا جو اس کے ماضی کی دیوانگی کو نگاہ میں رکھتے ہوئے اسے ٹھکرا دے گا۔ اس کی تو صرف خوبصورتی ہی سو فرزانگیوں پر بھاری تھی۔

''آپ! آپ اتنے غور سے کیا دیکھ رہے ہیں؟'' امید نے مزید سرخ ہوتے ہوئے ٹرے جلدی سے درمیانی میز پر رکھ دی۔

''اللہ کی قدرت دیکھ رہا تھا۔'' آذر اسی سادگی اور سچائی کے ساتھ بولا' جو ہمیشہ اس کی طبیعت کا خاصہ رہی تھی۔ ''بے حد خوبصورت ہو۔ لگتا ہے اللہ میاں نے اپنے ہاتھ سے تمہیں بنایا ہے۔ وہ بہت خوش نصیب ہوگا جس کے تم پلے بندھو گی۔''

''ہائے اللہ! آپ کیسے عجیب ہیں؟'' اس نے شرما کر چہرے پر ہاتھ رکھ لیے۔

''اس میں عجیب کی کیا بات ہے۔ تم تو جانتی ہی ہو میں لگی لپٹی نہیں جانتا۔ جو بات دل میں آتی ہے بڑی سچائی سے زبان پر لے آتا ہوں۔''

''مگر بعض باتیں ایسی ہوتی ہیں جو کھلم کھلا زبان پر نہیں لانا چاہئیں۔ مجھے شرم آئے جا رہی ہے اور اب میں چائے کیسے بناؤں؟'' وہ اسی طرح چہرے کو ہاتھوں سے ڈھکے ڈھکے بولی۔

آذر نے بڑے زور سے اِک قہقہہ لگایا ''بہت خوب! بہت اعلیٰ!!'' اس کی اس ادا سے

بہت محظوظ ہوتے ہوئے بڑھ کر اس کے دونوں ہاتھ چہرے پر سے ہٹا کر چائے کی ٹرے میں رکھ دیئے۔ ''لو! میں نے تمہاری مشکل آسان کر دی ہے۔ میں اب پھلکیوں کی طرف متوجہ ہوتا ہوں اور تم بے فکر ہو کر چائے بناؤ۔

آذر پھلکیاں کھانے لگا اور امید چائے بنانے لگی۔ ساتھ ساتھ وہ باتیں بھی کیے جا رہا تھا۔ بہت پھلکیاں کھائیں۔ بہت باتیں کیں۔

''تم بھی تو کھاؤ!'' وہ بیٹھی بس اسے دیکھے ہی جا رہی تھی۔ آذر نے اچانک ہی ایک پھلکی اس کی طرف بڑھا دی۔ وہ چونک پڑی۔

''میں؟''

''ہاں ہاں تم!''

''نہیں!''

''نہیں کیوں؟ کیا تم روزے سے ہو؟''

''اوہ!'' اور اس نے گھبرا کر آذر کے ہاتھ سے پھلکی لے لی۔

''مجھ سے خدمتیں کرا لو جتنی کرا سکتی ہو اور خود کر لو جتنی کر سکتی ہو۔''

''کیوں؟'' امید نے گھبرا کر' بے چین ہو کر اس کی طرف دیکھا۔

''میری واپسی میں بہت تھوڑے دن رہ گئے ہیں۔''

''جی؟'' یکا یک امید کا رنگ پیلا پڑ گیا اور پھلکی ہاتھ سے گر پڑی۔

''ارے! یہ ایسی بھی افسوسناک خبر نہیں ہے۔''

''افسوسناک کیوں نہیں؟ میرے لیے تو کم از کم بہت افسوسناک ہے۔ میں پھر اکیلی رہ جاؤں گی۔'' امید کی آنکھوں میں آنسو آ گئے۔

''نہیں' نہیں! اکیلی کیوں؟ تمہارے پاس تمہاری امی ہیں' پرویز ہے۔ دیکھا نہیں اب وہ کیسے راہِ راست پر آ گیا ہے اور کتنا تمہارا خیال رکھتا ہے۔''

''ہر ایک کا مقام علیحدہ ہوتا ہے۔'' اس کا فقرہ ذو معنی سا تھا۔

''کیا مطلب؟''

''آپ.....آپ تو نہیں ہوں گے نا۔''

''ارے کیوں نہیں.....'' آذر پرزور لہجے میں بولا ''سمجھنا میں ہر دم تمہارے پاس ہوں گا.....لاؤ کوئی کاغذ اور قلم.....تمہیں اپنا ایڈریس دے دوں۔ جب بھی کوئی مشکل پیش آئے، کوئی ضرورت پڑے، مجھے بلا تکلف خط لکھ دیا کرنا فوراً تمہاری مشکل حل نہیں کروں گا، ضرورت پوری نہیں کروں گا تو بیشک میرا نام بدل دینا۔''

امید سر جھکا کر رونے لگی۔

''ارے دیکھو نا میری طرف.....دیکھو بھی.....کمال کی لڑکی ہو تم بھی.....ارے سنو نا.....''

آذر اسے جوں جوں بہلانے کی، چپ کرانے کی کوشش کرتا اس کے آنسوؤں کی روانی اور تیز ہوئی جاتی۔

''امید سنو تو.....میری بات تو سنو.....''

اسی اثنا میں خالہ حبیبہ آ گئیں ''آذر آیا ہوا ہے۔ میں تمہارے متعلق ہی سوچتی آ رہی تھی۔''

''میرے متعلق کیا؟''

''یہی.....امید کو اکیلا چھوڑ گئی تھی۔ خدا کرے تم آ گئے ہو۔''

''ارے خالہ! ایسا کب ہوا ہے کہ آذر کو کوئی یاد کرے اور وہ پہنچے نہیں.....یہی میں ابھی ابھی اس کو بھی سمجھا رہا تھا۔'' آذر نے بات مذاق میں کی تھی، مگر حبیبہ سنجیدہ ہو گئیں۔

''سچ کہتے ہو.....تم ہو ہی فرشتہ.....'' پھر وہ گھٹنوں میں چہرہ دیئے بیٹھی اُمید کی طرف متوجہ ہوئیں ''تمہیں کیا ہوا ہے امید.....اس طرح کیوں بیٹھی ہو؟''

جواب میں اُمید کچھ نہیں بولی تو حبیبہ آذر کی طرف استفہامیہ نگاہوں سے دیکھنے لگیں۔

''میرے واپس جانے میں تھوڑے دن باقی ہیں۔ میں نے بتایا تو رونے لگ پڑی۔''

''تم سے مانوس جو بہت ہے.....روئے گی نہیں تو اور کیا کرے گی.....؟'' حبیبہ احسان مندی کے طور پر گزرے دنوں کا ذکر کرنے لگیں۔

''اتنا تم نے اس کا خیال رکھا ہے۔ اس کا علاج کیا ہے..... بیماری میں رات دن اس کے سرہانے بیٹھے ہو..... بیماری کی وجہ سے اتنی کمزور ہو گئی تھی، صبح و شام بازوؤں کا سہارا دے کر

باغیچے میں ٹہلاتے رہے ہو۔ اتنی اچھی اچھی، اتنی ہنسی کی باتیں سناتے رہے ہو۔ اتنا دل لگائے رکھا ہے، روئے گی نہیں تو کیا ہنسے گی.....؟ خود مجھے تمہارے جانے کا سن کر رونا آنے لگا ہے۔''

اور حبیبہ نے بھی سنجیدگی اور خلوص سے رونے کا شغل جاری کر دیا۔

''واہ بھئی واہ!! اے عورت تو عظیم ہے..... ارے خالہ! بجائے اس کو سمجھانے کے آپ خود بھی رونے لگیں۔ میری اچھی اچھی خالہ! آپ تو حوصلے اور ہمت سے کام لیں اور پھر میں آپ سے دُور کب ہوں گا..... دُور تو وہ ہوتے ہیں جو دل سے دُور ہوں۔ میرا بھی دھیان آپ دونوں ہی کی طرف لگا رہے گا۔ آپ کو اپنا پتہ دے جاؤں گا۔ جب یاد کریں گی فوراً حاضری دوں گا۔ سچ خالہ! صدقِ دل سے کہہ رہا ہوں۔''

اُمید اُٹھ کر پرے کھڑکی میں جا کھڑی ہوئی..... آذر خالہ کو سمجھاتا رہا اور وہ آنکھیں میچے کھڑی رہی۔

''اس تاریکی میں تمہیں باہر کیا نظر آ رہا ہے اُمید؟''

''باہر.....؟ باہر.....؟'' وہ اپنے آپ سے بڑبڑائی۔ ''میں باہر کب دیکھ رہی ہوں..... میں تو اپنے اندر دیکھ رہی ہوں..... اور یہاں..... تم ہی تم ہو آذر! صرف تم..... اور..... میں تمہیں ہی دیکھ رہی ہوں..... تمہیں ہی.....''

ثروت کی ضد تھی کہ سارے خاندان والوں کو، سب ملنے جلنے والوں کو اور سب دوستوں عزیزوں کو ایک ساتھ مدعو کر کے اس تقریب کو اِک یادگار تقریب بنا دیا جائے۔

''ارے آپا! میں ہمیشہ کے لیے تو رخصت نہیں ہو رہا۔'' آذر نہیں چاہتا تھا کہ صرف اِک اس کی خاطر اتنا خرچ کر دیا جائے۔

''خدا نہ کرے!'' ثروت نے بڑے غصے سے اسے دیکھا۔

''تو پھر تم کیوں یہ اتنا بڑا اور اتنا ارفع و اعلیٰ قسم کا اجتماع کر رہی ہو؟''

''یاد ہے نا میں نے کہا تھا کہ اُمید ٹھیک ہو جائے اور اس کی کامیابی کا سہرا میرے منا کے سر بندھے گا تو دو خوشیاں کروں گی اور اِن دونوں کو اگر ملا دیا جائے تو ایک اتنی ہی بڑی بنے گی۔''

''ہاں آذر! ثروت ٹھیک کہہ رہی ہے.....اب جب کرنے ہی لگے ہیں تو دل کھول کر کریں۔ یوں بھی بہت عرصہ ہوا کوئی خوشی کی تقریب نہیں ہوئی ہمارے ہاں، نغمی کی شادی کی آخری تھی۔''

''تو سچ مچ کی خوشی کی تقریب کر ڈالئے نا.....ابھی آپ کی سب سے چھوٹی اولاد باقی ہے.....مگر اسے تو آپ ہمیشہ ہی بھول جاتی ہے۔'' آذر شوخی سے بولا۔

''سب سے چھوٹی اولاد کہنے سننے میں ہی نہیں ہے.....جب سے آئے ہو کتنی لڑکیاں رومانہ بتا چکی ہے..... کتنی ہی نغمی نے منتخب کر کے رکھی ہوئی ہیں.....شگفتہ کی بہنیں ہیں.....تمہاری پھوپھی زلیخا کی دو لڑکیاں ابھی بیٹھی ہیں۔ کسی پر انگلی دھرو.....مگر تم تو نام ہی نہیں لینے دیتے۔'' امی

بولتی رہیں آذر ثروت کی طرف دیکھ دیکھ کر مسکراتا رہا۔

سوائے اس کے آذر کی پسند کا، انتخاب کا، محبت کا گھر میں کسی دوسرے کو کوئی علم نہ تھا۔ آذر نے بڑی تاکید سے ثروت کو منع کر رکھا تھا کہ ابھی کسی کو کچھ نہیں بتائے۔ وہ اچانک طوبیٰ کو پاکستان لاکر، ان سب کے سامنے پیش کر کے انہیں حیرتوں میں ڈالنا چاہتا تھا۔ طوبیٰ ایسی لڑکی، ایسی بہو سارے جہاں میں کسی کی نہ ہوگی۔

''کتنا حیران ہوں گے..... کس قدر خوش ہوں گے سب.....؟'' کئی راتیں یہی سوچ سوچ کر آذر لطف اندوز ہوا تھا اور جاگا تھا۔ نیند سے کہیں زیادہ لذت بخش تھیں یہ سوچیں...... طوبیٰ کی سوچیں..... دونوں کی محبت کی سوچیں.....

''اے آذر!'' امی نے کچھ سوچتے ہوئے ایک دم اسے پکارا ''کہیں اُمید پر تمہاری نظر تو نہیں..... آج کل رات دن اسی گھر کے پھیرے ہیں۔ مجھے تو دال میں کچھ کالا لگتا ہے۔''

امی کی اس بات پر ثروت اور آذر یکلخت ہی قہقہہ لگا اُٹھے۔ پھر دوسرے ہی لمحے آذر سنجیدہ ہوتے ہوئے کہنے لگا۔

''رات دن اس گھر کے چکر اس لیے لگ رہے ہیں امی! وہ میری مریضہ ہے۔ میں نے اس کا علاج کیا ہے۔ میرے پاس وقت کم تھا اس لیے رات دن ایک کرنا پڑے اور دال میں کالا والا کچھ نہیں۔''

''ویسے لڑکی تو اچھی ہے اگر اس کا دماغ آئندہ درست رہے۔ بہت اچھی..... شاید ان سب میں سے جو رومانہ اور نغمی وغیرہ نے پسند کی ہوئی ہیں۔''

امی کی بات پر ثروت پھر ہنسنے لگی۔ امی نے چونک کر استفسار کیا۔

''تم کیوں ہنس رہی ہو بہو.....؟''

ثروت نے ایک دم چپ ہوتے ہوئے آذر کی طرف اجازت طلب نگاہوں سے دیکھا کہ اگر وہ مناسب سمجھے تو اس وقت طوبیٰ کے متعلق امی کو بتا دیا جائے..... آذر نفی میں سر ہلاتے ہوئے ہولے سے بولا:

''اس طرح بتانے سے بات بگڑے گی۔ غیر ملکی کا سن کر سب سو سو باتیں بنائیں گے

اوران سب سے یہ بھی بعید نہیں کہ اسے بغیر دیکھے' جانے اور سمجھے میرے حق میں انکار کا فیصلہ سنا دیا جائے اور میں والدین کی حکم عدولی کرنے والا گناہ کرنے پر مجبور ہو جاؤں۔''

''پھر.....؟'' ثروت نے اسی کے سے سرگوشی کے انداز میں پوچھا۔

''اسے ساتھ لے کر آؤں گا.....تب بتاؤں گا.....سب کے سامنے موجود ہو گی تو مجھے ہزاروں دلیلوں یا ثبوتوں سے سب کو قائل کرنے کی ضرورت نہ پڑے گی۔ اس کی پرکشش ہستی' اس کا چم چم چمکتا وجود اور اس کا موہ لینے والا اخلاق خود ہی سب کو قائل کرے لگا.....اور نہ صرف قائل بلکہ یقیناً مطیع بھی آپا.....''

''اچھا؟''

''جی ہاں!''

''امید کے متعلق کچھ کہہ رہا ہے؟'' امی ذرا فاصلے پر بیٹھی تھیں۔ ان کی کھسر پھسر اور سرگوشیوں کا یہی مطلب اخذ کیا.....دونوں بہن بھائی پھر ہنس پڑے۔

''آپس میں ہی نجانے کیا کھسر پھسر کیے جا رہے ہیں.....مجھے کچھ بتاتے ہی نہیں۔'' امی بڑی خفگی سے بلند آواز میں بڑبڑائیں۔

''میرا خیال ہے امی!'' ثروت نے جلدی سے بات سلجھانے کی کوشش کی۔

''ابھی کوئی فیصلہ نہیں کرنا چاہیے۔ کل والی پارٹی کے بعد منا سے پوچھیں گے۔ خاندان کی سبھی لڑکیاں ہوں گی.....رومانہ اور نغمی کی سہیلیاں اور ملنے والیاں بھی ہوں گی.....دیکھیں بھلا منا کی پسند۔''

''ہاں یہ بھی ٹھیک ہے۔'' امی ثروت سے متفق ہو گئیں۔ ''آذر کی شادی تو خالص اس کی پسند سے ہونی چاہیے۔''

''کیوں امی.....؟ ہم نے کیا قصور کیا تھا..... ہمارے وقت آپ نے یہ سوچا ہی نہیں۔''

خاور نے اندر آتے آتے ماں کا فقرہ سن لیا تھا۔ کنکھیوں سے ثروت کی طرف دیکھتے ہوئے ہنس کر بولے۔

''ہاں امی! بھائی جان کا آخر کیا قصور تھا جو ان سے کہیں اچھی' کہیں پیاری' کہیں باسلیقہ بیوی انہیں لے دی..... یہ تو مجھ ایسے گناہگار اور بے درد کے گناہوں کی اتنی بڑی سزا ہونی چاہیے تھی۔''

آذر کی اس بات پر امی' ثروت اور خاور سبھی قہقہہ لگا اُٹھے۔

''اوئے! کہیں تیری نگاہ میری بیوی پر تو نہیں..... جب سے تو گھر میں آیا ہے آپا منا..... آپا منا ہو رہا ہے.....؟''

''ہاں بھیا! نگاہ تو ہے پر کیا کروں..... یہ میری بہن لگتی ہے۔ کچھ بس نہیں چل رہا۔'' ساتھ ہی آذر نے اِک ٹھنڈا سانس کھینچا۔ اس کا انداز بڑا پیارا تھا۔ بہت موہ لینے والا تھا اور بہت شوخ تھا..... اس کی طرف دیکھتے ہوئے سب ہنسنے لگے۔

''آپ نے سنا..... کل والی پارٹی کے بعد منا اپنی پسند کا اعلان کرنے والا ہے۔'' ثروت نے شرارت سے اس کی طرف دیکھا۔

''اچھا.....؟'' خاور کے لیے یہ خبر حیرت انگیز بھی تھی اور دلچسپ بھی۔

''نہیں بھائی جان! آپا مذاق کر رہی ہے..... اے آپا باز آ جا۔'' آذر نے شوخی سے' پیار سے ثروت کو گھورا۔

''اگر یہ صرف ابھی مذاق ہے تو سچ مچ کی حقیقت بن جانے میں کیا برائی ہے۔'' خاور سنجیدہ ہو گئے..... ''ٹھیک تو ہے آذر! سارے خاندان کی لڑکیاں ہوں گی اور نہ صرف خاندان کی بلکہ دوسری ملنے جلنے والی بھی۔''

پھر خاور ہنسے ''بڑی چوائس ہے بیٹا! یہ موقع گنوانا نہیں۔ ہمارے تو مقدر نے کوئی ایسا چانس دیا نہیں' ورنہ دیکھتے ہمارا کمال۔''

خاور نے اِک ٹھنڈا سانس بھرا۔

''آپ مردوں کے مذہب میں چار شادیاں جائز ہیں..... اب اپنا کمال دکھا دیں۔'' ثروت مسکرا کر بولی۔

''لو جی! معاملہ ہم جوانوں کا تھا اور یہاں بوڑھوں کی رال ٹپک پڑی۔ آپ بھائی

جان! پہلے چار پوری کرلیں۔ اتنی دیر میں ہم لبنان کا ایک چکر لگا آئیں۔'' آذر پھر ثروت سے مخاطب ہوا'' اور آپا! ایسی ایک تقریب پھر منعقد کر دینا۔ بھائی جان سے جو کچھ بچا ہوگا وہ ہم قبول کرلیں گے.....'' پھر ہنسی کا فوارہ چھوٹا۔

''ماموں! میرے چندا ماموں'' ٹوٹو بھاگتا ہوا اندر آیا۔ ثروت نے اسے بھی آذر کو ماموں کہنا سکھا دیا ہوا تھا۔

''جی ماموں کی جان!'' آذر نے بازو پھیلا دیئے۔ وہ آ کر دھڑام سے اس کے سینے کے ساتھ لگ گیا۔

''یہ آپ اتنی زور زور سے کیوں ہنس رہے ہیں؟''

''کل اس گھر میں تمہاری مامی آ رہی ہے..... چندا ماموں کی چاندنی۔''

خاور ہنستے ہوئے بولے'' بس اسی خوشی میں ہم سب ہنس رہے تھے بیٹا۔''

''بھائی جان! بھیا..... بچے کو ایسی بات نہ بتائیے۔ وہ سب سے کہتا پھرے گا۔'' آذر چونک کر سنجیدگی سے بولا۔

''پھر کیا ہے جو سب سے کہتا پھرے گا۔'' خاور لاپروائی سے بولے'' کوئی جھوٹ تو نہیں کہے گا۔''

''نہیں بھائی جان! یہ بات سچ نہیں ہے..... فی الحال ایسا کوئی معاملہ نہیں۔'' وہ پریشان سا ہو گیا۔ مذاق کی بات سنجیدہ ہوئی جا رہی تھی۔

''اوہو بھئی! تم سمجھتے کیوں نہیں..... تمہاری عمر بھی ہے اور موقع بھی ہے۔''

''مگر بھیا..... مگر.....''

''چلئے چھوڑیئے نا اس بات کو.....'' ثروت نے آذر کی گھبراہٹ اور اضطراب کو بھانپ لیا..... ویسے بھی یہ مذاق اس نے ہی شروع کیا تھا اور اب آذر کو اس پریشانی سے نکالنا بھی اسے ہی چاہیے تھا۔'' جب وقت آئے گا دیکھا جائے گا۔''

''فہرستیں بن گئیں؟'' خاور کے اس سوال پر آذر نے اطمینان اور تشکر کا سانس لیا۔ موضوع تو بدلا تھا۔

''سنا تم نے منا!'' ثروت نے آذر کو مخاطب کیا مگر وہ ٹوٹو پر جھکا ہوا تھا۔

''اب یہ آخر میں میٹھی والی پپی۔'' ٹوٹو اپنے چہرے پر انگلی رکھ رکھ کر آذر کو گائیڈ کر رہا تھا اور وہ اس کی پپیاں لے رہا تھا۔

''اے منا!'' ثروت نے دوبارہ اسے پکارا.....آذر نے جلدی سے سر اُٹھایا۔

''اپنے بھائی جان کی بات سنی؟''

''ان کی بات کبھی سننے والی بھی ہوتی ہے؟'' آذر شوخی سے ہنسا۔ ثروت بھی ہنس پڑی۔

''جہاں یہ دونوں بہن بھائی اکٹھے ہو جائیں وہاں پھر اپنا تو کوئی مقام نہیں رہتا۔'' خاور ہنستے ہوئے اُٹھ کر چلے۔

''ارے بھائی جان! بتائیے تو.....کیا کہہ رہے تھے؟'' آذر نے جلدی سے خاور کا بازو تھام لیا۔

''یہ پوچھ رہے تھے.....مہمانوں کی فہرست بن گئی؟'' ثروت ہنسی۔

''ارے بیٹے! کل دعوت ہے سب کو بلاوے بھی دو دن پہلے کے بھیجے جا چکے ہیں اور تم ابھی فہرست ہی کا پوچھ رہے ہو۔'' امی نے بات ختم کر دی۔ ''چلو جاؤ بہو! تم خاور کے لیے کھانا وغیرہ نکالو۔''

''اور ہم بھی چلے۔'' آذر ٹوٹو کو گود میں لیے لیے اُٹھ کر کھڑا ہو گیا۔

''تم کہاں جا رہے ہو؟''

''خالہ حبیبہ کے ہاں۔''

''ادھر کیا ابھی تک دعوت کا نہیں کہا؟''

''کہا تو تھا لیکن امید کے پاس اس تقریب میں پہننے والا شاید کوئی مناسب سا لباس نہ ہو۔''

''اور اس دن جو ساڑھیاں اور کپڑے دیئے تھے؟''

''وہ تو امی! روزمرہ کے استعمال والے تھے۔''

''آذر! میں نے دیکھا ہے تم بہت فضول خرچی کر رہے ہو۔''

''امی! پلیز اس معاملے میں کچھ نہ کہیے۔''

''ہاں، ہاں......مجھے نصیحت کرنے کا کیا حق ہے.....ساری زندگی تم نے مجھے کبھی ماں سمجھا ہی نہیں۔''

''یہ بات نہیں امی! دیکھئے نا ایک وقت تھا جب اُمید کے پیسے پر سارا گھر چلتا تھا۔ آپ کی بہن نے، آپ کے بھانجے اور بھانجی نے کتنے عیش کیے ہیں اور اس بیچاری نے ساری زندگی موٹا جھوٹا پہنا ہے.....اور اب، جب سارے خاندان کی لڑکیاں اپنی پوری سج دھج میں آئیں گی تو اِک وہی سب میں.....وہ بیچاری.....امی! وہ احساسِ کمتری میں مبتلا ہو جائے گی.....میں نے بڑی مشکل سے اس کے ذہن اور دماغ کی عمارت کو نئے سرے سے تعمیر کیا ہے.....اس گیلی عمارت کو کوئی ذرا سا بھی دھچکا لگا تو پھر ڈھے جائے گی۔ امی! اور آپ کو کیا خوشی ہوگی اس وقت جب میری کامیابی ناکامی کی صورت میں بدل جائے گی۔''

''اگر ایسا کوئی خدشہ ہے تو اسے اس پارٹی میں مت بلاؤ!'' امی کے اندر پھر وہی حق ملکیت جاگا.....آذران کا بیٹا تھا اور وہ محبتیں بھی دوسروں پر لٹاتا پھرتا تھا اور زرومال بھی.....

''نہیں، نہیں.....یہ نہیں ہوگا.....وہ میرا سب سے پہلا مہمان ہوگی.....اور نہ صرف میری بلکہ میں آپ سب سے بھی یہی توقع کروں گا کہ آپ بھی اس کے ساتھ بہت بہتر، بہت اعلیٰ اور سب سے منفرد سلوک کریں تاکہ اسے اندازہ ہو، اسے پختہ یقین ہو کہ ہمارا سارا خاندان اسے پیار کرتا ہے، اسے اہمیت دیتا ہے۔ اسے اپنا سمجھتا ہے اتنا اپنا.....جیسے ہمارے اور اس کے درمیان کوئی سوتیلا رشتہ نہیں ہے۔''

اور آذر کمرے سے باہر نکل گیا.....

سارے گھر کی سجاوٹ قابل دید تھی.....ترتیب و آرائش کے علاوہ چھوٹے چھوٹے رنگ برنگے قمقموں نے پورے گھر کو بقعۂ نور کیا ہوا تھا.....گھر کو روشنیوں نے اور چہروں کو خوشیوں اور مسرتوں نے سجایا ہوا تھا۔

رومانہ اور نغمانہ اور پھوپھی زلیخا کی لڑکیاں آ چکی تھیں اور اب باقی مہمانوں کے آنے کا وقت بھی ہوا جا رہا تھا۔ ثروت اپنے جمال و آرائش کے ساتھ چہکتی پھر رہی تھی۔ سارا انتظام اس نے اپنے ہاتھوں سے کیا تھا۔

''منا.....منا.....'' آذر ابھی تک اپنے کمرے سے نہیں نکلا تھا۔ اسے اب مہمانوں کے استقبال کے لیے باہر صدر دروازے پر موجود رہنا چاہیے تھا۔

''اے منا.....!'' ثروت اسے پکارتے ہوئے اس کے کمرے میں جا پہنچی۔

''ارے! تم ابھی تک اسی طرح بیٹھے ہو.....کیا کر رہے ہو؟''

وہ بیٹھا کچھ لکھ رہا تھا۔ ثروت اس کے قریب جا کھڑی ہوئی۔ جو کچھ وہ لکھ رہا تھا آذر نے جلدی سے اس پر ہاتھ رکھ کر چھپا لیا۔

''سچ سچ بتاؤ کیا لکھ رہے ہو؟''

''آپا! جب چھوٹے بھائی بڑے ہو جائیں تو ان کی کسی بات کی زیادہ کرید نہیں کرنا چاہیے۔''

''کیا مطلب؟''

''مطلب یہی کہ تمہارا منا جوان ہے اور بالغ ہے اور ایک عدد عشق وشق کے چکر میں

بھی ہے۔بس سمجھ جاؤ نا۔''

''اچھا.....تو کوئی پریم پتر لکھا جارہا ہے؟''

''میری آپا کی عقل ذرا موٹی ہے۔دیر سے معاملے کی نزاکت تک پہنچتی ہے۔''

''مگر یہ کوئی وقت ہے؟''

''رات کو پتہ نہیں فرصت ملے یا نہ ہی ملے۔رومانہ آپا اور نغمی وغیرہ آئی ہوئی ہیں۔ دعوت کے بعد میرے کمرے میں ہی سب دھرنا دے بیٹھیں اور گپیں مارنا شروع کر دیں تو؟ پھر تو یقیناً دن یہیں چڑھے گا نا؟''

''تو کل لکھ لینا۔''

''نہیں..... بزرگوں نے فرمایا ہے آج کا کام کل پر مت ٹالو کیونکہ پھر کل کا کام دگنا ہو جائے گا۔''

''کیا مطلب؟ یعنی کہ تم طوبیٰ کو آج کل روز اِک خط لکھ رہے ہو؟''

بڑے انداز سے سینے پر ہاتھ دھرتے ہوئے آذر تھوڑا سا جھکا۔

''باوفا عاشق ہوں آپا۔''

''ہت تیرے کی.....تو تو سچ مچ بڑا بے حیا ہو گیا ہے۔''

''کسی سے محبت یا عشق کرنا بے حیائی ہے تو میں اس کا اعتراف کرتا ہوں۔لیکن صرف اپنی آپا کے سامنے بس.....اس سے زیادہ بے حیا نہیں ہوں۔''

ثروت نے بڑے پیار سے اس کے سر پر ہاتھ رکھ دیا۔

''منا! تجھے کیسے بتاؤں میرا کتنا جی چاہتا ہے اپنی منی سی بھابی دیکھنے کو.....لگتا ہے جسے تو نے پسند کیا ہے وہ ساری دنیا سے انوکھی ہوگی۔''

''انشاءاللہ آپا! صرف چھ ماہ بعد ہی اسے ساتھ لے کر واپس پاکستان آؤں گا..... پھر اسے اچھی طرح دیکھ بھی لینا اور اپنے منا کے سر پر سہرا باندھنے کے بھی سارے ارمان پورے کر لینا۔''

''خدا وہ دن لائے۔''

''اور اب کیا حکم میری آپا سرکار لے کر آئی ہے؟''

''اوہ..... ہاں..... میں یہ کہنے آئی تھی سب تیار ہو چکے ہیں۔ گھر کی زیبائش اور آرائش بھی مکمل ہے.....روشنیاں بھی جگمگ جگمگ کر رہی ہیں اور اب تم بھی اپنی پوری زیبائش و آرائش اور روشنیوں کے ساتھ باہر نکل آؤ.....ستارے موجود ہیں اور میرے ٹوٹو کے چندا ماموں کا سب کو انتظار ہے۔''

''ارے!'' نامکمل خط دراز میں رکھتے ہوئے وہ یکایک گھبرا کر اُٹھ کھڑا ہوا۔

''مجھے تو ابھی اُمید کو بھی لینے کے لیے جانا ہے۔''

''وہ خالہ حبیبہ کے ساتھ نہیں آ جائے گی۔''

''میں نے خود ہی کہا تھا کہ گاڑی لے کر آؤں گا.....اب وہ انتظار کرتی رہے گی اور میں نے آج تک وعدہ خلافی کبھی نہیں کی۔''

''اور ابھی تم تیار بھی نہیں ہوئے.....پھر جلدی کرو نا۔''

''ابھی.....دو منٹ میں تیار ہوا.....'' وہ چٹکی بجاتے ہوئے غسل خانے کی طرف بھاگا۔

''اے منا! کچھ معلوم بھی ہے کہ تمہیں لباس کون سا زیب تن کرنا ہے؟''

''یہی ٹھیک نہیں؟'' اس نے پہنے ہوئے سوٹ کی طرف اشارہ کیا۔

''میری عقل اگر موٹی ہے تو تمہاری کون سی بڑی نازک اندام ہے۔''

''طوبیٰ کی ایک نہیں کئی تصویریں آپ کو دکھائی ہوئی ہیں اور ماشاء اللہ آپ کے خاور صاحب بھی دیکھے ہوئے ہیں، جو ایک نظر میں پورے دکھائی ہی نہیں دیتے کئی نظریں ڈالیں تو تب ان کا وجود مکمل ہوتا ہے۔ اب بتائیے کس کی عقل موٹی ہے؟''

''منا! تو بڑا بدمعاش ہے۔'' ثروت مسکرائی۔ ''چار دن ٹھہر جا..... ذرا تیری شادی ہو لے پھر دیکھیں گے تمہاری عقل بھی موٹی ہوتی ہے یا نہیں؟ ابھی اِترائے نہیں جاؤ۔''

''توبہ کرو آپا! تمہاری طرح نہیں ہوں..... دیکھ لینا کبھی بھی اپنی عقل کو موٹا نہیں ہونے دوں گا۔''

''اور جو تجھے بچے بہت پسند ہیں؟'' ثروت زور سے ہنسی ''نازکی میں تو بچے آ نہیں جائیں گے۔''

''ہائے اللہ! کیسی باتیں کرتی ہیں، چھی.....'' وہ لڑکیوں کے انداز میں شرماتے ہوئے

واپس غسل خانے کی طرف بھاگا۔ ثروت ہنس ہنس کر دوہری ہونے لگی۔

''اے منا!'' ہنستے ہوئے اس نے پھر اسے پکارا۔''میں تمہارے لباس کا پوچھ رہی تھی؟''

''یہ آج تمہیں میرے لباس کا اتنا فکر کیوں ہے..... میں پہلے کبھی تمہیں بے لباس نظر آیا ہوں؟'' وہ وہیں سے بولا۔ ثروت پھر ہنسنے لگی۔

''میں اس لیے پوچھ رہی تھی کہ تمہارا لباس میں نے تیار کروایا ہوا ہے۔''

''کیا مطلب؟'' وہ گھبرا کر باہر نکل آیا۔''میرے لیے کوئی خاص لباس تیار ہوا ہے؟ کوئی بنارسی، ٹشو یا کم خواب کی ساڑھی یا غرارہ سوٹ وغیرہ؟''

''ان کا وقت بھی آ جائے گا..... وہ بھی تیار ہو جائیں گے اتنے بیتاب کیوں ہو رہے ہو؟ دراصل تمہارے لیے شیروانی سلوائی ہے۔''

''شیروانی.....؟''

''ہاں!''

''یہ بھلا کوئی موقع ہے؟''

''دیکھ منا! میرے شوق کو کوئی بات نہیں بنانا..... وہ منا جو میرے ساتھ بے وفائی کر گیا وہ عید پر پہنا کرتا تھا..... بے حد وجیہہ اور شاندار لگا کرتا تھا اور تو عید سے پہلے ہی واپس جا رہا ہے..... اس لیے تجھے آج ہی پہنا کر دیکھوں گی۔''

''لاؤ پھر..... فٹافٹ..... دیر ہو رہی ہے۔''

''تجھے شیروانی پہننے پر کوئی اعتراض تو نہ ہوگا؟''

''ارے آپا! شیروانی تو پھر نوابوں والا لباس ہے تم اتنے پیار سے مجھے صرف لنگوٹی بھی پہنا دو گی نا تو تمہارے سر عزیز کی قسم ان سینکڑوں مہمانوں کے سامنے پہن کر پھروں گا۔''

''سدا سلامت رہو..... خدا تمہارے نصیب میں خوشیاں ہی خوشیاں کرے۔''

''پھر لاؤ نا جلدی سے..... ادھر امید انتظار کر رہی ہوگی۔''

''وہ تمہارے پلنگ پر کیا ہے؟''

''شیروانی..... شلوار اور قمیص.....'' آذر نے آگے بڑھ کر ایک ایک چیز دیکھی۔

''ارے! یہ سب کچھ کب یہاں لاکر رکھا تھا؟''

''تم اس وقت اپنے عشق کے حضور حاضری دے رہے تھے۔''

''اوہ!'' وہ شرما کر، مسکرا کر غسل خانے میں گھس گیا۔

''ارے!'' ثروت کو یاد آیا ابھی ٹوٹو کو تیار کرنا تھا..... بھاگی اپنے کمرے کی طرف..... ٹوٹو جیسے شریر بچے کو تیار کرنا کوئی آسان کام نہ تھا۔ پہلے اسے اتنے بڑے گھر میں ڈھونڈنا.....اور وہ بے حد منی سی چیز.....''

ثروت نے ایک ایک کمرے کی تلاشی لے ڈالی.....وہ کہیں نہیں تھا۔ پھر کسی سے سن گن ملی کہ اوپر چھت پر سب بچے تھے.....رومانہ.....نغمانہ.....زلیخا پھوپھو کی دو بڑی لڑکیوں کے بچے.....تقریباً پوری درجن بچوں میں سے اسے گھسیٹ گھساٹ کر نیچے لائی۔

مٹی سے اَٹا پڑا تھا.....اسے نہلایا۔ اس کے لیے بھی اس کے چندا ماموں جیسی ہی شیروانی سلائی تھی.....اسے پہنائی.....سر پر موتیوں ستاروں والی خوبصورت سی ٹوپی سجائی۔

''واہ بھئی واہ! ہمارے ٹوٹو صاحب تو اپنے چندا ماموں کا شہ بالا ہی لگ رہے ہیں۔'' خاور کسی کام سے اندر آئے تو اسے دیکھ کر بے اختیار پکار اُٹھے۔

''منا تیار ہو گیا؟'' ثروت نے عجلت سے پوچھا۔

''تھوڑی دیر پہلے وہ ٹوٹو میاں جیسی ہی سج دھج کے ساتھ اپنے کمرے سے باہر نکلا تھا۔ کوئی جلدی تھی اسے شاید.....رومانہ، نغمی اور افروز آوازیں ہی دیتی رہیں۔ وہ نہیں رُکا.....بس وہیں سے ہاتھ لہرا کر جلدی سے نکل گیا تھا۔''

''اچھا.....امید کو لینے گیا ہوگا.....کیسا لگ رہا تھا؟''

''بس ایسا ہی.....ٹوٹو کی انلارجمنٹ سمجھ لو۔''

''سچ؟''

''ارے ہاں سچ مچ..... باہر تو نکلو.....شاید واپس آ گیا ہو.....مجھ پر یقین نہیں تو اپنی آنکھوں سے دیکھ لینا۔''

''ٹوٹو.....!'' ثروت نے ٹوٹو کو ساتھ لے جانے کے لیے اسے پکارا مگر..... ماں اور

باپ کو باتوں میں مصروف دیکھ وہ تو نجانے کب کا فرار ہو چکا تھا۔ ''بدمعاش!''

ثروت مسکراتے ہوئے باہر نکلی..... اور..... وہ ایک دم وہیں کھڑی کی کھڑی رہ گئی..... جیسے اسے سکتہ ہو گیا تھا۔

سامنے والے بیرونی دروازے سے آذر اور امید پہلو بہ پہلو چلتے ہوئے داخل ہو رہے تھے۔

''اے آپا!'' آذر کی آواز نے ہی اسے ہوش دلایا..... آذر اور اُمید ہال میں جانے کے بجائے اسی کی طرف چلے آ رہے تھے۔

''ارے منا!'' ثروت گڑبڑا کر اس کی طرف لپکی..... آذر کو اس نے پہلی بار اس لباس میں دیکھا تھا۔ سیاہ شیروانی' سفید شلوار اور خوبصورت سلیم شاہی جوتے میں وہ واقعی کسی ریاست کا نوابزادہ لگ رہا تھا..... بے حد بانکا سجیلا..... بہت باوقار اور وجاہت و کشش کا مکمل نمونہ!! وجیہہ چہرے پر پھیلی مسکراہٹوں نے سونے پر سہاگہ کا کام کیا تھا..... اس پر نگاہ نہیں ٹک رہی تھی۔

اور اُمید..... اس کو ثروت نے بہت عرصہ بعد دیکھا تھا۔ یہ پہلے سے نہ معلوم ہوتا کہ آذر اسے ہی لے کر آ رہا تھا تو وہ اسے کبھی پہچان نہیں پاتی..... اس کا تو رنگ ڈھنگ ہی اور تھا۔ سفید پوت کی ساڑھی اور سفید کلیوں اور گجروں میں سجا اس کا سراپا اتنا خوبصورت لگ رہا تھا' اتنا..... جیسے وہ اس دنیا کی مخلوق نہیں تھی..... اللہ میاں نے اپنے ہاتھوں سے بنا سنوار کر جیسے ابھی ابھی آکاش سے اُتارا تھا اسے..... اتنی روشنی روشن' اُجلی اُجلی اور منور سی تھی وہ.....

''ارے امید! یہ تم ہو؟'' اور ثروت نے لپک کر دونوں کو اکٹھے ہی بازوؤں میں بھر لیا۔

''ارے آپا! اِک مدت بعد تم اس سے ملی ہو مجھ سے نہیں..... میں تو ابھی' تھوڑی دیر پہلے ہی تمہارے پاس سے گیا ہوں..... پلیز! مجھے تو چھوڑ دو!!''

''تجھے کیوں چھوڑوں؟ تیری تو ابھی نظر اُتاروں گی۔''

''کیوں.....؟ میری کیوں.....؟'' نظر اُتارو اس کی.....'' ثروت کی گرفت سے نکلتے ہوئے بڑی صاف دلی اور سادگی سے اس نے اُمید کی طرف اشارہ کر دیا۔

''نگاہ تو آج اس کی طرف نہیں اُٹھ رہی۔''

''دونوں ہی کی اُتار دوں گی منا! تیری طرف بھی نگاہ نہیں اُٹھ رہی.....آج میں نے تمہیں پہلی بار اس لباس میں دیکھا ہے..... ہائے رے! تُو تو بالکل میرا منا ہے.....رومانہ' نغمانہ اور افروز آؤ' دیکھو کون آیا ہے؟''

ثروت خوشی اور جوش میں چلا چلا کر سب کو بلانے لگی۔

رومانہ' نغمی اور زلیخا پھوپھو کی لڑکیاں گھبرا کر باہر نکل آئیں۔

''ارے! امید آ گئی ہے۔'' رومانہ مسکرائی۔

''ہائے' ہائے! کیسے دونوں کھڑے شرمائے جا رہے ہیں۔'' افروز ہنستے ہوئے بڑی شوخی سے بولی۔ ''جیسے کوئی نو بیاہتا جوڑا ہو۔''

امید لاجونتی کی طرح شرما گئی۔ چہرہ اور سرخ ہو گیا۔ مسکراہٹ اور گہری ہو گئی۔ آنکھوں میں جگمگ جگمگ کرتے ستارے اور بھی چمک اُٹھے۔

''افروز! دل میں حسرت ہی رہ گئی ہے کہ کبھی تمہاری طرف سے بھی کوئی عقل والی بات آئے۔ اگلی بار جب میں پاکستان آیا نا تو انشاء اللہ تمہارا علاج ضرور کروں گا۔ اُس وقت تک شادی نہیں کرانا ورنہ ایسی کوئی ایک آدھ بات بھی سسرال میں ہو گئی تو وہ تمہیں واپسی ڈاک میکے کو ارسال کر دیں گے۔''

''ہائے اللہ رومانہ آپا! آذر تو لبنان سے بڑا بدتمیز اور بے حیا ہو کر آیا ہے۔''

''ایمان سے کہیئے گا رومانہ آپا! اس میں کون سی بات بدتمیزی کی ہے.....اور کون سی بے حیائی کی؟''

''ارے چل چھوڑ اپنا جھگڑا اور ہمیں اُمید سے ملنے دے.....پیچھے ہٹو تو۔''

''واہ' واہ اسے لے کر میں آیا اور اب مجھے ہی پیچھے ہٹایا جا رہا ہے.....دودھ کی مکھی کی طرح نکالا جا رہا ہے.....کیوں؟''

''اچھا تو پھر تو ہی مل لے اس سے..... جب جی بھر جائے گا پھر ہمیں آواز دے لینا.....'' افروز نے شرارت سے اسے اُمید پر دھکا بھی دے دیا۔

''بدتمیزی اور بے حیائی اسے کہتے ہیں افروز بیگم!'' آذر نے بروقت خود کو سنبھال لیا تھا

ورنہ افروز کی شرارت سے اس نے اُمید پر گر جانا تھا۔

''دیکھا رومانہ آپا! کس قدر بدتمیز ہوگئی ہوئی ہے یہ افروز کی بچی۔''

وہ امید سے ذرا پرے ہٹتا ہوا بولا ''پتہ نہیں پھوپھو نے ابھی تک اسے بٹھا کیوں رکھا ہے..... اندر ہوں گی نا..... ابھی جا کر کہتا ہوں کہ اسے جلد از جلد دفان کریں۔''

''کوئی اچھا لڑکا ہے تمہاری نظر میں.....؟'' نغمی نے شوخی سے افروز کو آنکھ مارتے ہوئے پوچھا۔

''اس سے اچھا لڑکا اور کون سا ہوگا سارے شہر میں!'' آذر نے مسکراتے ہوئے اِک قدم بڑھ کر اپنے آپ کو پیش کر دیا۔ پھر بڑے انداز سے بولا۔

''مگر اس اچھے لڑکے کو افروز جیسی چڑیل قطعی پسند نہیں۔''

''اب ان کا جھگڑا تو جب تک یہ دونوں آمنے سامنے رہیں گے' چلتا ہی رہے گا..... آؤ اُمید! ہم اندر چلیں۔''

ثروت امید کو لیے ہال کی طرف بڑھ گئی جہاں سب مہمان تشریف فرما تھے۔ رومانہ' نغمی اور زلیخا پھوپھو کی دوسری دونوں بیٹیاں بھی ان کے پیچھے چل دیں افروز اور آذر وہیں کھڑے ایک دوسرے پر فقرے کسے جا رہے تھے۔

''منا..... اے منا!'' ثروت کے پکارنے پر آذر نے گردن موڑی۔

''جی آپا؟''

''بس کرو اب..... باقی پھر کسی وقت سہی..... مہمان آ رہے ہیں چل کر ان کا استقبال کرو۔''

''بھائی جان نہیں ہیں؟''

''وہ ادھر دوسرے انتظامات میں لگے ہوئے ہیں۔''

''اور یاور بھیا؟''

''وہ پتہ نہیں کہاں ہیں؟''

''تو پھر ان کو ڈھونڈ کر بھیج دو..... اور مجھے افروز سے دو چار باتیں کر لینے دو۔''

''دو چار باتوں کے کچھ لگتے۔'' ثروت نے آ کر اسے کان سے پکڑ لیا ''یہ وقت ہے

باتیں کرنے کا؟''

''بہت دنوں بعد ہاتھ لگی ہے اور پھر مجھے چلے جانا ہے۔'' آذر نے اپنا کان چھڑانے کی کوشش کی۔

''اور اس کے بعد پھر بھی تو آنا ہے۔''

''سچ؟'افروز خوش ہوگئی۔ ''آذر پھر کب آ رہے ہو اور کس لیے؟''

''شادی کرانے اور آؤں گا بھی اس وقت جب تمہاری طے ہو جائے گی۔ ایک ہی دن دونوں براتیں چڑھیں گی.....اچھا؟''

''ہٹ بدتمیز!'' افروز شرمائی۔

''اے منا! عقل کی بات کر.....افروز کی برات چڑھے گی؟''

''اوہ! سوری.....ڈولیاں اکٹھی نکلیں گی.....'' آذر جلدی سے بولا۔

''تمہاری ڈولی نکلے گی؟'' ثروت نے اسے پھر اس کی غلطی کا احساس دلایا۔ ''بیوقوف.....!''

''آج کل کے لڑکوں کی بھی ڈولیاں ہی نکلتی ہیں آپا! شادی کے بعد فوراً ہی تو بیویاں رخصت کرا کے لے جاتی ہیں۔''

''وہ لڑکی سر پر ہاتھ رکھ کر روئے گی جو تمہاری ڈولی لے کر جائے گی آذر!''

''تو پھر تم ہی لے جاؤ نا؟''

''استغفر اللہ! مجھے ساری عمر رونا نہیں ہے۔''

''ہاں! تمہیں تو ساری عمر صرف جھگڑنا ہے۔''

''ارے بس بھی کرو اب.....لڑاکے مرغوں کی طرح لڑے ہی جا رہے ہیں۔''

ثروت آذر کا بازو پکڑ کر اسے کھینچتے ہوئے پرے ہٹا لے گئی۔

''منا! تم نے اپنے ٹوٹو کو دیکھا آج؟''

''نہیں.....کہاں ہے وہ.....؟''

''بچوں میں کہیں کھیل رہا ہو گا.....سچ منا! بالکل اِک چھوٹا منا لگ رہا ہے۔ شکل بھی تم سے بہت ملتی ہے اور لباس بھی آج تمہارے جیسا ہی پہنا ہوا ہے۔ میں کتنی خوش قسمت ہوں جو خدا

نے مجھے ایسے ایسے چاند دیئے ہیں۔''

''اچھا آپا! تم ذرا ٹھہرو.....کوئی دوسرا کام کرنے سے پہلے میں اپنے بیٹے کو ذرا ڈھونڈ لاؤں.....اسے دیکھنے کو ایک ہی دم ہی دل بیتاب ہو گیا ہے۔''

سب مہمان آ چکے تھے جب سارے گھر میں ٹوٹو کو تلاش کرنے کے بعد آذر ہال میں داخل ہوا پورے ہال کا چکر لگایا مگر وہ وہاں بھی نہیں تھا۔ ایک طرف امی اپنی ہم عمر خواتین کے ساتھ گپ شپ میں مصروف تھیں۔ ایک طرف ابا اپنے ملنے والوں میں گھرے بیٹھے' جانے کون کون سی داستانیں بیان کر رہے تھے۔ ایک طرف خاور اور یاور بھائی کے دوست تھے۔ سیاست پر بڑی گرما گرم بحث ہو رہی تھی اور ایک طرف سارے خاندان کی ڈھیر ساری لڑکیوں کے قہقہے گونج رہے تھے۔ شاید لطیفہ بازی ہو رہی تھی۔

آذر ان سے ذرا فاصلے پر اِک ستون کی ذرا سی آڑ لے کر کھڑا ہو گیا اور اُمید کو دیکھنے لگا۔ بڑی خود اعتمادی کے ساتھ وہ سب میں بیٹھی باتیں کر رہی تھی۔ اس کے انداز میں کوئی ذرا سی بھی جھجک یا گھبراہٹ نہ تھی۔

وہاں آنے والے سبھی مہمانوں کے ملبوسات بڑے قیمتی تھے.....اچھا ہی کیا جو وہ اُمید کے لیے یہ ساڑھی' کچھ زیورات اور تازہ ادھ کھلی کلیوں کے گجرے وغیرہ خرید لایا تھا.....سب میں سے زیادہ اچھی لگ رہی تھی.....زیادہ خوبصورت اور زیادہ باوقار.....تبھی تو وہ اتنے اعتماد سے ہنس بول رہی تھی۔

ورنہ.....آذر کے دل کے کسی چھپے ہوئے کونے میں سے ایک خدشہ بھی سر اُبھار رہا تھا کہ امید اتنے بڑے اجتماع میں شاید چند لمحات بھی نہ ٹھہر سکے۔ وہ ایسی دعوتوں اور تقریبات میں بہت کم شریک ہوئی تھی۔

مگر آذر نے ایک بار نہیں ہزار بار خدا کا شکر ادا کیا کہ اس نے اُمید کو صحت کلی عطا کر کے اس کی' اس کی تعلیم کی' اس کے پیشے کی لاج رکھ لی تھی.....وہ وہیں کھڑا اسے دیکھے جا رہا تھا۔

''ارے ٹوٹو خبیث! تو کہاں تھا؟'' یکلخت ہی عین آذر کے سامنے سے ٹوٹو گزرا۔

''میں تو تجھے ڈھونڈ ڈھونڈ کر تھک گیا تھا۔'' آذر بڑبڑاتے ہوئے اسے پکڑنے کے لیے لپکنے ہی لگا تھا کہ وہ گولی کی سی تیزی سے لڑکیوں کے درمیان جا کھڑا ہوا۔ آذر وہیں رُک کر

اس کی واپسی کا انتظار کرنے لگا۔

''ہائے ہائے! دیکھوتو اِک چھوٹا سا دولہا ہی لگ رہا ہے.....''سب اسے دیکھ کر ہنس رہی تھیں۔افروز اس کے گال پر چٹکی لیتے ہوئے بولی۔ٹوٹو نے بڑے غصے سے اس کا ہاتھ جھٹک دیا۔

''شکل بھی چچا پر گئی ہے اور مزاج بھی ہو بہو ویسا.....!''افروز کی بات پر آذر کو ہنسی آ گئی۔وہ سامنے ہو یا نہ مگر افروز اس پر فقرہ کسنے کا کوئی موقع ہاتھ سے نہیں جانے دیا کرتی تھی۔

''شکر ہے جھگڑالو اور کن کھٹی پھوپھو پر نہیں گیا۔''آذر کے قریب ہوتی تو وہ یہ فقرہ ضرور اس کے کان میں انڈیل دیتا مگر اس وقت اسے دُکھ ہی رہا کہ وہاں لڑکیاں بہت تھیں اور وہ صرف سوچ ہی سکا تھا.....اس تک پہنچا نہیں سکا تھا۔

''نغمی! تمہارے خاندان کے مرد بڑے ہینڈسم ہیں۔''نغمی کی اِک سہیلی ٹوٹو کی طرف دیکھتے ہوئے بولی۔

''میں مرد نہیں بچہ ہوں.....''ٹوٹو کی اس بات پر سبھی قہقہے لگانے لگیں۔آذر کو بھی ہنسی آ گئی۔

''اس خاندان کے دو مرد تم نے نہیں دیکھے شاید ورنہ ایسی بات کبھی نہ کہتیں۔''نغمی کی سہیلی آصفہ افروز کی بھی واقف تھی۔

''کون سے؟''نغمی نے گھور کر افروز کو دیکھا۔

''اس خوبصورت بچے کا خوبصورت باپ جو ایک خوبصورت سی تو ند رکھنے کی وجہ سے اور بھی خوبصورت ہو گیا ہوا ہے اور اس خوبصورت بچے کا ایک خوبصورت چچا.....جو اپنی بدمزاجی اور بدتمیزی کی وجہ سے اتنا خوبصورت لگتا ہے کہ اسے آج تک کوئی رشتہ نہیں ملا اور وہ کنوارا ہی بوڑھا ہو چلا ہے۔''

''اے واہ، واہ! تم جیسی ہزاروں مرتی ہیں میرے بھائی پر.....''نغمی تیکھی نگاہ سے افروز کو دیکھتے ہوئے بولی''آصفہ! یہ جلن کے مارے ایسا کہہ رہی ہے۔''

آذر ان کی نوک جھونک سن رہا تھا اور محظوظ ہو رہا تھا اور ہنس رہا تھا۔ٹوٹو سب کے درمیان کھڑا متلاشی نگاہوں سے ایک ایک کو بڑے غور سے دیکھ رہا تھا۔اسے کسی کی ہنسی، کسی کی کسی

بات کی کوئی پروانہ تھی۔

وہ کسے تلاش کر رہا تھا؟ وہ کیوں اتنے غور سے ایک ایک کا چہرہ دیکھ رہا تھا؟ وہ کیا چاہتا تھا؟ آذر ابھی سوچ ہی رہا تھا کہ یکا یک ٹوٹو نے بڑھ کر اُمید کا ہاتھ تھام لیا۔ پھر اس کے کان میں جانے کیا کھسر پھسر کی کہ وہ ایک دم اُٹھ کر کھڑی ہوگئی.....اور پھر ٹوٹو کی انگلی تھامے تھامے اس کے ساتھ چل پڑی۔

آذر اب بھی کھڑا دیکھ رہا تھا..... جدھر جدھر سے وہ گزری۔ ہر نگاہ نے اُسے نگاہ تحسین سے دیکھا اور ہر نگاہ کا جواب اِک خوبصورت اور دلآویز سی اعتماد بھری مسکراہٹ کے ساتھ دیتی ہوئی آگے بڑھتی چلی گئی۔

ٹوٹو اسے نجانے کہاں لیے جا رہا تھا؟ ٹوہ لینے کی خاطر آذر ان کے تعاقب میں چلا..... چپکے چپکے.....چھپ چھپ کر.....ٹوٹو اُمید کو لیے سیدھا آذر کے کمرے میں جا پہنچا تھا۔

آذر کے تعجب اور حیرت کی انتہا نہ رہی۔ یہ اس کے کمرے میں آخر ٹوٹو میاں کو کیا کام تھا.....وہاں تو بہت ضروری چیزیں پڑی تھیں۔ میز کے دراز میں وہ خط ابھی نامکمل ہونے کی وجہ سے کھلا پڑا تھا جو وہ طوبیٰ کو لکھ رہا تھا۔ نچلے دراز میں طوبیٰ کی ساری تصویریں پڑی تھیں۔

گو طوبیٰ کے اور اس کے کوئی ناجائز تعلقات نہیں تھے۔ دونوں میں بڑی پیاری' انتہائی معصوم' پاک اور سچی محبت تھی مگر ابھی وہ یہ راز کسی پر برملا نہیں کرنا چاہتا تھا اور ٹوٹو بڑا اشریر تھا۔ نہ جانے کون سا خطرناک ارادہ لے کر اس کے کمرے میں گیا تھا۔

آذر بڑی تیزی سے پیچھے لپکا مگر اس کے پہنچنے سے پہلے کمرے کا دروازہ بند ہو چکا تھا۔ آذر نے قریب جا کر دروازے کو ہاتھ لگایا' تھوڑا سا دھکیلا مگر وہ کھلا نہیں۔ دروازہ کھٹکھٹا ہی لیتا لیکن تجسس بھی تھا۔ وہ جاننا چاہتا تھا کہ ٹوٹو یہ ایسی پراسراری حرکات کیوں کر رہا تھا؟ تب وہ جلدی سے کھڑکی کی طرف لپکا۔

کھڑکی کا پٹ تھوڑا سا دھکیلا تو وہ کھل گیا۔ شکر کیا کہ وہ کھلا تھا اور اب وہ بڑے اطمینان سے سب کچھ دیکھ سکتا تھا۔ اس کی پہلی نگاہ نے ہی جو منظر دیکھا وہ بے حد دلچسپ تھا۔ آذر کے لبوں پر اِک خوبصورت سا تبسم پھیل گیا.....امید کو آذر کے بیڈ پر بٹھانے کے بعد ٹوٹو بھی اس کی گود میں

چڑھ کر بیٹھ رہا تھا۔

''ٹوٹو! بتاؤ تو سہی.....تم مجھے یہاں تک کیوں لائے ہو؟'' امید اسے گود میں لیتے ہوئے پیار کرتے ہوئے پوچھ رہی تھی..... چہرے پر سے گھبراہٹ کے آثار عیاں تھے.....آذر کو ہنسی آ گئی۔ کیسی بے وقوف تھی جو اس چھوٹے سے بچے سے گھبرا رہی تھی۔

''بتاتا ہوں.....بتاتا ہوں.....ذرا ٹھیک طرح بیٹھ تو لوں۔'' بڑے پیارے اور بے حد معصوم انداز میں ٹوٹو بولا۔ امید کے خوبصورت ہونٹوں پر بھی مسکراہٹ پھیل گئی۔ بے اختیار ہوتے ہوئے اس نے جھک کر ٹوٹو کے پھولے ہوئے سرخ سرخ گال کی اِک زوردار پپی لے لی۔

''اِک میری طرف سے بھی.....'' آذر جی ہی جی میں بڑبڑایا۔ اس وقت یوں اس قدر پراسرار سا بنا ہوا منا سا ٹوٹو خود اسے بھی بے حد اچھا لگ رہا تھا۔ جی چاہ رہا تھا جس طرح اُمید نے اسے آغوش میں سمیٹا ہوا تھا' اسی طرح وہ بھی اسے اپنے سینے کے ساتھ لگا کر ڈھیروں ڈھیر پیار کر ڈالے۔ بچے اور پھول..... ہمیشہ اس کی کمزوری رہے تھے۔ آذر نے سوچا اور اُمید نے جھک کر اس کے دوسرے گال کو بھی چوم لیا۔

''اچھا اب بتاؤ قصہ کیا ہے؟ آپ مجھے سب میں سے اُٹھا کر کیوں لائے ہیں؟''

''کل مجھے میرے ابو نے بتایا تھا کہ آج ہمارے گھر میرے چندا ماموں کی چاندنی بھی آئے گی.....'' ٹوٹو انتہائی رازدارانہ انداز میں بولا۔ یکلخت آذر کے کان کھڑے ہو گئے۔

''کون سا چندا ماموں اور کیسی چاندنی؟'' امید کو یہ علم نہیں تھا کہ ٹوٹو اپنے چچا کو ماموں کہا کرتا تھا۔

''آپ میرے چندا ماموں کو نہیں جانتیں؟''

''وہ چندا ماموں جو آسمان پر چمکتا ہے؟''

''نہیں.....جن کا یہ کمرہ ہے.....اور جو لمبے سے ہیں۔'' ٹوٹو جلدی سے اس کی گود میں سے نکل کر پلنگ پر کھڑا ہو گیا۔ پھر ایڑیاں اٹھا کر اِک ہاتھ اپنی پوری بلندی تک لے جاتے ہوئے بولا ''اتنے لمبے.....''

اُمید ہنس پڑی ''سبھی مرد لمبے ہوتے ہیں۔''

”لیکن جو زیادہ لمبے ہیں۔ میرے ابو سے بھی زیادہ لمبے..... معلوم ہوا آپ کو؟“

”نہیں!“ امید نے نفی میں سر ہلایا۔

”ہائے اللہ! آپ کو تو کچھ پتہ ہی نہیں چلتا۔“ اب وہ پلنگ پر سے اُتر کر اس کے سامنے کھڑا ہو گیا۔ ”جو بڑے خوبصورت ہیں۔“ امید ٹانگیں لٹکائے بیٹھی تھی۔ بڑی اپنائیت سے اس کے گھٹنوں پر ہاتھ رکھے اسے دیکھے جا رہا تھا۔

”خدا کے بنائے ہوئے سب انسان خوبصورت ہوتے ہیں۔“

”نہیں نا.....ان کی شکل علیحدہ سے خوبصورت ہے۔“ ٹوٹو نے اپنے منے منے ہاتھوں کے ہالے میں امید کا چہرہ لے کر اسے سمجھانے کی کوشش کی..... ”یہ شکل!“

”اچھا.....تو پھر.....؟“ وہ سمجھ ابھی بھی نہیں سکی تھی.....اس کے چہرے کے تاثرات ہی بتا رہے تھے مگر صرف ٹالنے کی خاطر اس نے بات آگے بڑھائی۔ لیکن ٹوٹو کی قوتِ مشاہدہ اس کی قوتِ فہم سے شاید کہیں زیادہ تھی۔

”آپ نہیں سمجھیں.....“ آذر کو ٹوٹو کی معصومیت بھری حرکات پر بڑا پیار آئے جا رہا تھا اور امید کی نا سمجھی پر ہنسی.....ٹوٹو نے ایک اور پہچان اسے بتائی۔

”وہی.....جنہوں نے میرے جیسے کپڑے پہنے ہوئے ہیں.....بس اِک ایسی ٹوپی نہیں پہنی ہوئی۔“

”اوہ.....!“ اُمید کے چہرے پر عجیب سی مسکراہٹیں پھیل گئیں اور رنگ سرخ سا ہو اُٹھا..... ”لیکن ٹوٹو چاند وہ تو آپ کے چچا ہیں۔“

”پہلے چچا تھے مگر اب چندا ماموں ہیں۔“

”اچھا.....“ اُمید کو اس کی اس منطق کی سمجھ نہیں آئی اور پوچھ کر شاید وہ گفتگو کو مزید طوالت بھی نہیں دینا چاہتی تھی۔ ”تو آپ ان کی کیا بات بتا رہے تھے؟“ امید کے اس سوال سے دلچسپی نمایاں تھی۔

”میرے ابو نے بتایا تھا کہ ان کی چاندنی آج ہمارے گھر آ رہی ہے۔“

ٹوٹو کی اس بات پر آذر کے ہونٹوں پر بھی مسکراہٹ پھیل گئی..... کیسے اس نے خاور

بھائی کی بات یاد رکھی تھی..... ''شریر.....!''

''اچھا....'' آذر نے دیکھا امید بھی مسکرا رہی تھی۔ ''تو ٹوٹو! آپ ان کی چاندنی ہمیں نہیں دکھائیں گے؟''

آذر نے شکر کیا کہ اس بچے کے سامنے مزید کوئی بات کرنے سے اس نے بروقت آپا اور بھائی جان کو منع کر دیا تھا..... ورنہ اس نے تو سب کچھ ہی اسے بتا دینا تھا۔

''اسی لیے تو میں آپ کو یہاں لایا ہوں۔''

''کیا مطلب؟'' امید گھبرا گئی..... آذر بھی کچھ چونکا۔

''آپ سے پوچھنا تھا کہ کہیں آپ ہی تو میرے چندا ماموں کی چاندنی نہیں ہیں؟''

ٹوٹو کے اس سوال پر جہاں اُمید کے چہرے کی رنگت یکلخت سرخ ہو گئی تھی، وہیں آذر کا چہرہ فق..... ایک دم ہی پیشانی پر ٹھنڈا ٹھنڈا پسینہ آ گیا..... کیسا خطرناک بچہ تھا۔ کس قسم کی بات کر رہا تھا۔ آذر لپک کر دروازہ کھٹکھٹانے ہی والا تھا کہ ٹوٹو کی آواز پھر کان میں اُتری۔

''ایک دن میری امی بھی کسی خوبصورت لڑکی کی بات چندا ماموں سے کر رہی تھیں اور چندا ماموں ہنس رہے تھے..... اور مجھے لگتا ہے وہ آپ ہی ہیں۔''

آذر نے وہاں سے ہٹ کر دروازے تک جانا چاہا تو وہ جا نہ سکا..... اس کے پاؤں جیسے وہیں زمین میں پیوست سے ہو گئے تھے۔

''کیوں.....؟ وہ میں کیوں لگتی ہوں۔'' اُمید کی آواز میں ارتعاش سا تھا۔

''وہاں جتنی لڑکیاں بیٹھی ہوئی تھیں سب میں سے زیادہ اچھی، زیادہ خوبصورت مجھے آپ ہی لگی ہیں، اس لیے مجھے یقین ہے وہ آپ ہی ہیں..... اور پھر آپ آئی بھی ان کے ساتھ تھیں..... میں اوپر سے دیکھ رہا تھا۔''

''ٹوٹو چاند.....!'' امید نے بڑے عجیب انداز میں، انتہائی والہانہ انداز میں ٹوٹو کو کھینچ کر سینے کے ساتھ لگا لیا..... ''آپ لاکھوں برس تک جئیں، آپ نے ہمیں نئی زندگی بخش دی۔ آپ نے ہمیں یہ خبر سنا کر ہمارے شک کو یقین میں بدل دیا۔'' اسے گلے سے لگائے لگائے اس کے کندھے پر اپنی ٹھوڑی ٹکاتے ہوئے امید نے آنکھیں میچ لیں۔

''ہمیں بھی تو آپ کے چند اماموں بہت اچھے لگتے ہیں.....ہمیں بھی تو ان سے بہت پیار ہے.....اتنا.....اتنا ٹوٹو جان! کہ اگر وہ اپنی چاندنی کو اکیلا چھوڑ کر چلے گئے تو وہ ان کے بعد' ان کے بغیر بہت دن تک جی نہیں سکے گی۔''

امید کا فقرہ مکمل ہوتے ہوتے آذر کی آنکھوں میں پھیلا اندھیرا اس کی پوری حیات میں پھیل گیا.....یہ کیا ہو گیا.....یہ کیا ہو گیا؟ اس کا دل ڈوب رہا تھا۔ اس کا سارا وجود ڈول رہا تھا۔ اس نے جلدی سے دیوار کا سہارا لے لیا۔

یہ تو اس نے سوچا ہی نہ تھا کہ امید پر صرف کی ہوئی توجہ' ہمدردی اور عنایات یہ رنگ اختیار کر لیں گی۔ یہ تو اس کے خواب و خیال میں بھی نہ تھا.....وہم و گمان میں بھی نہ تھا.....اور اس لمحے.....کئی.....بہت سارے واقعات اس کی نگاہوں میں گھوم گئے۔ یہ بات تو بہت دنوں سے اس کے ہر ہر عمل اور ہر ہر فعل سے عیاں ہو رہی تھی۔

پھر.....؟ وہ سمجھا کیوں نہیں تھا؟ وہ اپنے جذبوں میں ڈوبا رہا۔ اپنے دل میں طوبیٰ کی محبت کا جہاں آباد کر کے وہ دوسروں کے جذبات و احساسات سے سراسر غافل ہو گیا۔ یہ اس نے اک لمحے کے لیے بھی نہیں سوچا کہ کسی دوسرے دل میں بھی ایسے جذبات موجزن ہو سکتے تھے۔ وہ عمر کے اس دور میں تھی کہ جب ہر انسان کے دل میں چاہے جانے کا بھی ارمان ہوتا ہے اور کسی کو چاہنے کی بھی تمنا۔

اور.....جس طرح اس نے امید کی دیکھ بھال کی.....اس کا علاج کیا.....اس پر اپنی تمام تر توجہات صرف کیں' اس پر ہمدردیاں اور عنایات بے تحاشا لٹائیں۔ کوئی بھی ہوتا اس کی جگہ.....ایسی غلط فہمی میں مبتلا ہو جانا کوئی غیر فطری بات نہ تھی۔

ہائے! یہ اس نے کیا کر دیا؟ یہ اس سے کیسی غلطی ہو گئی؟

''آذر میاں! خوب ماہرِ نفسیات بنے تھے.....یہی ہے تمہاری عقل اور سمجھ بوجھ۔''

وہ اپنے آپ ہی کو نفرین کرنے لگا۔ اندر سے ٹوٹو اور امید کی باتوں کی ابھی تک آواز آ رہی تھی۔ سب اسی کے متعلق تھیں۔ ٹوٹو کو اک ننھا سا' بے سمجھ اور معصوم سا بچہ جانتے ہوئے امید اپنے دل کے جذبوں کی کہانی اسے سنا رہی تھی۔

آج تک وہ خاموش رہی تھی.....اوراب ٹوٹو نے اسے چھیڑ دیا تھا تو.....وہ باتیں بھی' جو وہ کسی اور سے نہیں کرسکتی تھی اس سے کیئے جارہی تھی۔ وہ اپناتن من آذر کے قدموں میں نثار کیے دے رہی تھی اورآذر کے پاؤں زمین کی گہرائیوں میں دھنستے چلے جارہے تھے۔

''منا.....اے منا.....''ثروت اسے پکار رہی تھی۔

آذر کے کمرے کے ساتھ ہی اک چھوٹا سا برآمدہ تھا.....اس کے آگے صحن.....وہ اپنے وجود کو بڑی مشکل سے گھسیٹتے ہوئے برآمدے میں سے ہو کر صحن میں نکل گیا۔ آپا نہ جانے اسے کیوں پکار رہی تھی.....شاید کوئی ضروری کام تھا مگر.....اس میں اس وقت نہ کچھ سننے کی ہمت تھی نہ کوئی کام کرنے کی طاقت۔

چپکے سے جاکر اک کونے میں لگے امرود کے پیڑ کے نیچے سنگی بنچ پر بیٹھ گیا۔ ہال سے کبھی قہقہوں' کبھی کسی کے گانے اور کبھی باتوں کی آوازیں اس کے کانوں میں اُتر رہی تھیں..... لوگ کتنے خوش تھے اور اس کے لیے.....اس خوشی کے موقع پر بھی کوئی خوشی نہ تھی.....غم تھا.....درد تھا اور پریشانی تھی۔

کئی دن اور کئی راتیں لگا کر اس نے ٹوٹی بکھری اُمید کو جوڑا تھا۔ استوار کیا تھا۔ اس کے دل میں جینے کی تمنا جگائی تھی۔ اس کے دل و دماغ سے لوگوں کی لاپروائیاں اور بے توجہیاں کھرچ کھرچ کر محبتیں بھری تھیں۔ اس کے ساتھ باتیں کرکر کے اس کے دُکھوں اور غموں کو دُور کیا تھا۔ اس پر بے تحاشا توجہ اور خلوص صرف کرکے اسے اس کی اہمیت کا احساس دلایا تھا' اسے تحفے تحائف دے کر اپنے خلوص و محبت کا یقین دلایا تھا۔

مگر.....وہ تو اس سب کو ڈاکٹر اور مریضہ کے تعلق کے بجائے محبت سمجھنے لگ گئی تھی..... اب کیا ہوگا.....؟ اب وہ کس طرح اپنے اس سلوک کی تردید کرسکتا تھا۔ وہ اِک ذہنی مریضہ تھی..... اس صدمے سے اس کا دماغی توازن بالکل ہی بگڑ سکتا تھا.....اور وہ.....اپنے ہاتھوں ہی اسے بنانے والا کیسے اس کے دل کی آباد بستی کو اپنے ہی ہاتھوں برباد کرسکتا تھا۔

وہ گم سم بیٹھا رہا اور سوچتا رہا۔ کوئی راہ سجھائی نہ دے رہی تھی۔ جانے کتنا وقت اسی طرح بیٹھا رہا۔ گھر میں جو تقریب تھی اس کا بھی خیال نہیں رہ گیا تھا۔ خاص اسی کی خاطر' اسی کے اعزاز

میں یہ دعوت تھی۔ یہ بھی بھول گیا تھا وہ!!

آج دوپہر مصروفیت کی وجہ سے اس نے کھانا نہیں کھایا تھا..... رومانہ اور نغمی پہلے ہی آ گئی تھیں جو وقت ملا بھی تو ان کے بچوں کے ساتھ کھیلنے میں گزار دیا..... رونقوں اور خوشیوں نے اسے بھوک محسوس ہی نہیں ہونے دی تھی اور اب‘ اب غم اور پریشانی نے اُڑا دی۔

’’منا.....!‘‘ ثروت کی آواز بالکل قریب سے آئی۔ ’’جانے کہاں چلا گیا ہے۔ سارا گھر چھان مارا۔‘‘ ثروت اپنے آپ ہی خاصی بلند آواز میں بڑبڑا رہی تھی۔ ’’مہمان بھی کھانا کھا کر رخصت ہوئے جا رہے ہیں اور اسے کوئی پتہ ہی نہیں..... عجیب غیر ذمہ دار لڑکا ہے۔‘‘

’’آپا.....!‘‘ وہ خود تو پریشان تھا ہی..... کچھ اپنے مقدر کے ہاتھوں اور کچھ اپنی ہی حماقت اور ناسمجھی کے ہاتھوں مگر کسی دوسرے کو پریشان کرنے کا اسے کیا حق تھا۔ ثروت کی پریشانی اور فکر کا خیال آتے ہی وہ بولے بنا نہ رہ سکا..... ’’آپا میں یہاں ہوں۔‘‘

’’کہاں منا؟‘‘

’’یہ امرود کے پیڑ کے اس طرف۔‘‘

ثروت بھاگ کر قریب آئی۔ اس طرف کسی مہمان کے آنے کے امکان نہیں تھا اس لیے گھر کا یہ حصہ تقریباً ویران ہی پڑا تھا..... ساری روشنیاں اور جگمگاہٹیں اگلے حصے کی طرف تھیں۔

’’ارے منا! تم اکیلے یہاں کیا کر رہے ہو؟‘‘

’’طبیعت خراب ہوگئی تھی اس لیے ذرا کھلے میں اور تنہائی میں آ بیٹھا تھا۔‘‘

’’ہائے میں مر جاؤں..... میرے منا کی کیسے طبیعت خراب ہوگئی؟‘‘

ملگجے سے اُجالے میں وہ اچھی طرح دکھائی نہ دیا تو ثروت اسے تقریباً ٹٹول کر دیکھنے لگی۔

’’سارا میرا قصور ہے..... تمہیں نظر لگ گئی ہے..... سب ہی میرے منا کو بڑے غور سے دیکھ رہے تھے..... مجھے اسی وقت تمہاری نظر اُتارنا چاہیے تھی۔‘‘

ثروت نے اسے بازوؤں سے پکڑ کر اٹھایا ’’چلو اندر۔‘‘

’’نہیں آپا! ابھی یہیں رہنے دیں۔‘‘

''نہیں، نہیں..... یہاں سردی ہے بہت..... کہیں زیادہ ہی طبیعت خراب نہ ہو جائے۔''

ثروت اسے تقریباً گھسیٹتے ہوئے اندر لے گئی۔ تیز روشنی میں پہنچے تو وہ یکلخت ہی چلا پڑی۔

''اوئی اللہ! تمہارا رنگ تو بے حد پیلا ہو رہا ہے۔'' وہ اس کی پیشانی اور چہرے کو چھوتے ہوئے تشویش سے بولی۔ ''ٹھنڈے یخ ہو رہے ہو۔''

ثروت اسے تھامے تھامے ہی اس کے کمرے تک لے گئی۔ دروازے کے باہر آذر ٹھٹک سا گیا ''آپا! اندر وہ ہوگی..... میں نہیں جاؤں گا۔''

''وہ کون.....؟'' ثروت نے حیرت سے اور تفکر سے آذر کو گھورا ''منا..... منا تم ٹھیک تو ہو؟''

''ہاں آپا! میں ٹھیک ہوں۔''

''نہیں! تم کچھ عجیب سی باتیں کر رہے ہو۔''

''عجیب نہیں..... ابھی اُمید یہاں میرے کمرے میں تھی نا؟''

''ارے! وہ تو کب کی پرویز کے ساتھ چلی گئی..... سارے ہی مہمان رخصت ہو چکے ہیں، سوائے رومانہ اور نغمی کے..... تمہیں یہ بھی معلوم نہیں۔''

ثروت کی بات سن کر آذر نے کمرے میں قدم رکھا..... اس کے پاؤں ڈگمگا رہے تھے۔ وجود کپکپا رہا تھا۔ ثروت بڑی ہمدردی اور پریشانی سے اسے دیکھ رہی تھی۔

''ہائے ہائے منا! جب تمہاری طبیعت خراب ہوئی تو تم نے مجھے اسی وقت کیوں نہیں بتایا؟'' ثروت نے اسے لے جا کر بستر پر لٹایا اور پھر اچھی طرح کمبل اوڑھاتے ہوئے بولی ''تم لیٹو..... میں تمہارے بھائی جان سے کہہ کر ڈاکٹر کو بلواتی ہوں۔''

ثروت عجلت سے پلٹی مگر آذر نے جلدی سے اس کا ہاتھ تھام لیا۔

''آپا! مجھے اکیلا چھوڑ کر مت جاؤ۔''

''ڈاکٹر کو بلوا لوں نا۔''

''نہیں آپا! ڈاکٹر کی ضرورت نہیں ہے..... تم میرے پاس بیٹھو..... مجھے اس وقت اِک ہمدرد کی ضرورت ہے۔''

ثروت اس کی سرہانے بیٹھ کر اس کا سر سہلانے لگی۔ ''ایک منٹ کے لیے منا! مجھے اگر

جانے دیتے نا تو میں صرف ڈاکٹر کا کہہ کر خود فوراً واپس آ جاتی۔''

''نہیں..... بس آپ میرا سر سہلاتی جائیے..... اسی طرح..... اتنی دیر کہ میں سو جاؤں..... گہری نیند سو جاؤں..... پھر آپ چلی جائیے گا۔''

''لیکن کوئی دوائی......؟''

''نہیں!'' آذر نے ثروت کو خاموش کرا دیا۔

''اچھا کچھ کھا ہی لو۔'' ثروت دو منٹ بعد پھر بولی ''بڑی اچھی اچھی اور مزیدار چیزیں ہیں۔''

''نہیں بھوک بالکل نہیں ہے۔''

''منا! پلیز دودھ ہی پی لو۔'' ثروت روہانسی ہوئی بولی۔ ''تم نے دوپہر کو بھی کچھ نہیں کھایا تھا۔ ہو سکتا ہے یہ طبیعت کی خرابی' معدہ بالکل خالی ہونے کی وجہ سے ہو۔''

اور اب آذر کے منع کرنے کے اور روکنے کے باوجود ثروت رُکی نہیں۔ وہ کمرے سے نکلی تو نغمی مل گئی۔

''بھابی! آذر کا کچھ پتہ چلا؟''

''اندر اپنے کمرے میں ہے۔''

''کہاں چلا گیا تھا؟ پہلے تو کمرے میں بھی نہیں تھا۔''

''وہ..... پچھلے صحن میں تھا۔''

''اتنا مزہ آ رہا تھا اس لڑکے نے غائب ہو کر بڑی بدمزگی ڈالی۔''

''اس کی طبیعت خراب ہے۔''

''کیا ہوا؟''

''پتہ نہیں..... چپ چاپ سا ہے..... کچھ بتاتا بھی نہیں..... کھانا بھی نہیں کھایا۔ اسی لیے دودھ لینے جا رہی تھی میں۔''

''میں پوچھتی ہوں نا اسے۔'' نغمی دھڑام سے دروازہ کھولتے ہوئے دھپ دھپ پاؤں مارتی اندر جا پہنچی ''کیوں رے بے درد.....؟ یہ تجھے کیا نئی سوجھی؟''

نغمی بڑھ کر کمبل اس کے اوپر سے کھینچتے ہوئے بولی ''کہاں چھپ گیا تھا؟ سارا مزہ

کرکرا کر کے رکھ دیا۔"

آذر جواب میں خاموش رہا..... کہتا بھی کیا.....؟ پاس کچھ کہنے کے لیے تھا ہی نہیں..... بس بے بسی سے اسے دیکھتا ہی رہ گیا۔

"سب تمہیں پوچھتے پوچھتے رخصت ہوئے ہیں۔"

"مگر تم تو ابھی تک سر پر مسلط ہو۔" بڑی مشکل سے آذر نے خود کو بحال کیا۔

"ابھی تک کیا' میں تو دو دن تک مسلط رہوں گی..... میرا میکہ ہے یہ....." وہ اس کی بغل میں بیٹھ گئی۔

"ذرا پرے ہٹ کر بیٹھ نا..... میں ہوا سے اُڑ جانے والا کاغذ نہیں ہوں جو پیپر ویٹ سا میرے اوپر ہی چڑھا آ رہا ہے۔"

نغمی اوپر تلے دو بچوں کی پیدائش کے بعد کافی بھاری بھر کم ہوگئی ہوئی تھی۔ اور اس حقیقت کی طرف کوئی ذرا سا بھی اشارہ کر دیتا تھا تو وہ بہت برا منایا کرتی تھی۔ آذر نے اسی لیے اس کی اس دُکھتی رگ کو چھیڑا تھا کہ وہ بھناتی ہوئی' تاؤ کھاتی ہوئی اُٹھ کر چلی جائے گی۔ وہ اس وقت تنہائی چاہتا تھا۔

مگر..... آج نصیب ہی خفا تھا..... سب کچھ الٹا ہوا جا رہا تھا..... نغمی غصہ کرنے کے بجائے مسکراتے ہوئے اور بھی پھیل کر بیٹھ گئی۔ آذر پرے کھسک گیا "موٹی..... پوری ایک بھینس جتنی جگہ اسے درکار ہوتی ہے۔"

"آج جو بھی چاہے کہہ لو..... برا نہیں مناؤں گی۔"

"نغمی! او نغمی!!" باہر سے رومانہ کی آواز آئی۔

"رومانہ باجی! ادھر آذر کے کمرے میں آ جاؤ۔" نغمی نے وہیں بیٹھے بیٹھے باآواز بلند اس کی پکار کا جواب دیا۔

"اوئے' ہوئے..... دو نہ شد چہار شد۔" آذر پیشانی پر ہاتھ مارتے ہوئے بولا۔

"یہ تمہیں محاورے بھی بھول گئے ہیں کیا..... یک نہ شد دو شد ہوتا ہے۔"

"تمہاری جسامت کی طرح تمہاری عقل بھی موٹی ہے نغمی! تم ایک تو ہو نہیں اور رومانہ

باجی بھی آج کل دو کے برابر ہیں..... چار ہو گئے نا۔"

"بڑے خبیث ہو تم!" پھر نغمی بڑے انداز سے مسکرائی۔ "ہاں ٹھیک ہے اب بہنیں ایسی ہی دکھائی دیں گی..... آنکھوں میں وہ نازک چھیل چھبیلی جو سما گئی ہے۔"

"کون نغمی؟ کون نازک چھبیلی؟" آذر پریشان سا ہو کر پوچھنے لگا اور نغمی کچھ بتانے ہی والی تھی کہ رومانہ اندر آ گئی۔ اس کے پیچھے پیچھے امی، خاور، یاور اور شگفتہ وغیرہ سبھی چلے آ رہے تھے۔ آذر جلدی سے اُٹھ کر بیٹھ گیا۔

"ثروت نے بتایا ہے تمہاری طبیعت بہت خراب ہے۔" امی بیٹے کی پیشانی چھوتے ہوئے تشویش سے بولیں۔

"بکتا ہے امی! اس کی طبیعت بالکل خراب وراب نہیں..... بس یہ صرف اسی بہانے اکیلا رہ کر اس کے متعلق سوچنا چاہتا ہے۔" نغمی ہنس کر بولی۔

"اور جانے والے ہم بھی نہیں۔"

"کس کے متعلق سوچنا چاہتا ہوں؟" آذر نے پھر قدرے حیرانی سے پوچھا۔

"یہ تم کیا بار بار کہہ رہی ہو؟"

"کیوں رے بچو! اب بتا....." خاور نے مسکرا کر آنکھ سے اشارہ کیا۔

"کیا بھائی جان؟" یہ سب کی مسکراہٹیں، یہ اشارے کنائے..... وہ بے حد گھبرا گیا۔

"واہ بھئی واہ! خوب شاہکار تخلیق کیا ہے۔" یاور بولا "ہمیں تو اب معلوم ہوا ہے کہ ساری محنتیں اپنے ہی لیے تھیں..... تم بھی آخر زمانے کی طرح خود غرض ہی ثابت ہوئے نا۔"

"بات کیا ہے آخر؟ یہ آپ سب کیا کہہ رہے ہیں؟" سٹپٹا سٹپٹا کر اِک اِک کا چہرہ دیکھ رہا تھا۔

"اب بنتا ہے۔" رومانہ بھی خاموش نہیں رہی۔

"او خدایا..... کچھ بتایئے بھی تو۔"

"امی سے معلوم ہوا ہے کہ اُمید کو یہ ساڑھی اور یہ زیورات تم نے لے کر دیئے ہیں؟"

"جی.....؟ جی ہاں!!" وہ ہکلایا۔ پھر وہی ذکر چھڑ رہا تھا جس سے وہ بچنا چاہتا تھا۔

''ارے منا! تم اُٹھ کر کیوں بیٹھ گئے؟'' ثروت دودھ کا گلاس لے کر اندر آتے ہوئے بولی ''تمہاری تو طبیعت خراب تھی۔'' ثروت نے اس لیے کہا تھا کہ باقی سب کو احساس ہو جائے اور وہ اس کے پاس سے اُٹھ کر چلے جائیں۔''

''توبہ بھابی! ایک تو آپ کے چونچلوں نے اسے بہت نخرے دار اور نازک اندام بنا چھوڑا ہے۔'' نغمی بڑبڑائی۔

''کیوں رے..... پھر.....؟'' بھائی جان نے مستفسرانہ اسے دیکھا۔

''وہ.....وہ.....'' آذر پھر ہکلایا۔ پھر انتہائی بیچارگی سے ثروت کی طرف دیکھتے ہوئے بولا ''بھائی جان! وہ میری مریضہ ہے اور میں اس کا ڈاکٹر ہوں۔''

''بس اب ختم کر یہ ناٹک۔''

''چھوٹے بھائی سے یہ آپ کیسی باتیں کر رہے ہیں؟'' ثروت اصل حالات جانتی تھی اور آذر کی پریشانی بھی سمجھ رہی تھی..... جلدی سے اس کی مدد کے لیے شوہر کو گھورنے لگی۔

''چھوٹا بھائی بھی تو خود ہی بڑا بن بیٹھا ہے..... وہ اگر اسے پسند تھی تو سیدھی طرح ہمیں کہتا۔'' خاور اپنی مسکراہٹ ہونٹوں ہی ہونٹوں میں دباتے ہوئے بارعب انداز میں بولے۔ آذر نے ہاتھوں میں سر تھام لیا۔

''اوئے ہوئے..... خدا کے لیے میری بات کا یقین کریں۔ میں آج تک صرف اِک مریضہ کا ڈاکٹر بن کر اور اسے خالو حبیب جیسے اپنے محسن کی بیٹی جان کر اس پر توجہ صرف کر رہا تھا۔'' پھر اس نے ہاتھوں میں سے سر نکال کر بڑی رحم طلب نگاہوں سے سب کی طرف دیکھا۔

''اچھا اچھا..... اب خواہ مخواہ ہی جھوٹ سچ صفائیاں نہ پیش کیے جاؤ۔''

نغمی ہنس کر بولی ''ہم سب کا ووٹ تمہارے حق میں ہے..... بس اب خوش ہو کر یہ اٹوانٹی کھٹوانٹی چھوڑ دو..... بیمار بن بیٹھا ہے، مجنوں کہیں کا۔''

''کیا مطلب؟'' آذر ہکا بکا سب کو دیکھے ہی جا رہا تھا۔

''اوئے یار! اب سمجھ بھی جانا..... تمہیں زبان ہلانے کی ضرورت ہی نہیں پڑی۔''

''اُمید سب کو ہی بہت پسند آ گئی ہے۔''

''بس اِک آذر! اس کے دماغ کی کلیں سیدھی رہیں نا..... پھر سب ٹھیک ہے۔''

''کوئی بات نہیں ..... اگر کبھی کوئی ایسی ویسی بات ہوگئی تو اس کا ڈاکٹر خود بخود ہی پیچ کس سنبھال لے گا۔''

فقرے پر فقرے کسے جا رہے تھے۔ قہقہوں پر قہقہے گونج رہے تھے..... اور آذر کا سر چکرائے جا رہا تھا۔

''ویسے بھئی سو باتوں کی ایک بات..... داد دیتے ہیں تمہاری نگاہِ انتخاب کی۔''

''بھائی جان! آج تو ہر ایک کی نگاہ اس پر تھی۔''

''بھائی ایسا حسن میں نے زندگی میں نہیں دیکھا۔''

''میں تو جتنی دیر وہ موجود رہی بس اسی کی طرف دیکھتی رہی۔''

''میں دُعا کر رہا ہوں وہ خیریت سے گھر پہنچ جائے..... اس نغمی کی بچی کی نظر بڑی بری ہے..... آذر! شادی کے بعد اسے بس اس سے بچا کر رکھنا۔''

''یاور! میری نظر کی بات نہ کرو، ورنہ ابھی شگفتہ کے سامنے تمہارا پول کھول دوں گی کہ کس طرح تم اسے دیدے پھاڑ پھاڑ کر دیکھتے تھے۔''

''سچ نغمی؟'' شگفتہ نے یکا یک سنجیدہ ہوتے ہوئے شوہر کو گھورا۔

''ارے نہیں، نہیں!!'' یاور گڑبڑا گیا۔ ''یہ نغمی صرف شرارت کر رہی ہے ورنہ تم جیسی بیوی کے ہوتے ہوئے میں کسی اور طرف نگاہ اٹھا سکتا ہوں؟'' پھر ہولے سے بڑبڑایا ''مروا دیا نغمی کی بچی۔''

بڑے زور کا اِک قہقہہ پڑا۔

''اب میری نظر کو برا کہو گے؟'' نغمی نے اسے گھورا۔

''ارے پاگلو! مذاق کرنے، چھیڑنے، ستانے کا مقصد آذر کے لیے لے کر آئے تھے اور اپنے میں ہی پھوٹ ڈال کر بیٹھ گئے۔'' رومانہ کی بات سب نے سنی..... واقعی معقول تھی۔

''ہاں بھئی! تم سب اِدھر اُدھر کی ہانکنے لگے ہو..... آذر سے ٹھیک طرح بات کرو نا۔''

امی بڑی سنجیدگی سے بولیں ''میں تو کہتی ہوں نکاح ابھی ہو جائے اور پھر جب یہ دوبارہ آئے تو رخصتی کرا کے لے جائے۔''

''مگر امی!'' ثروت نے کچھ کہنا چاہا.....رومانہ نے جلدی سے اسے ٹوک دیا۔

''بس بھابی! اب بات ختم ہونے دو.....اگر مگر کی کوئی گنجائش نہیں ہے۔''

''تو پھر رومانہ اور شگفتہ تم کل جا کر انگوٹھی خرید لاؤ اور.....''

''ساڑھی تو وہ پہلے ہی حسن کی نذر کر چکا ہے۔'' نغمی نے پھر پھلجھڑی کو دِیا سلائی دکھائی۔ ''اور زیورات وغیرہ بھی.....اور.....'' پھر اس نے آذر کی طرف بڑی شوخی سے دیکھتے ہوئے اِک آنکھ دبائی اور جھک کر بہت ہولے سے بولی ''دل بھی.....چلو جی ساری دنیا ہی آ گئی باقی کیا رہ گیا۔''

''نغمی! تم کبھی سنجیدہ بھی ہو جایا کرو۔'' امی اسے ہلکی سی ڈانٹ دیتے ہوئے باقیوں سے مخاطب ہو گئیں ''آذر کے واپس جانے میں ابھی چھ دن ہیں.....اور جانے سے ایک دن پہلے کی تاریخ مقرر کر لی جائے.....ٹھیک رہے گا نا؟''

''لیکن امی! لڑکی اور لڑکے سے تو پہلے پوچھ لیں.....سب کچھ ہی طے ہوا جا رہا ہے۔'' ثروت ساری صورتحال سے پریشان سی ہو کر اور کسی قدر جھنجلاتے ہوئے بولی۔

''لڑکی سے تو اس کی پسند میں نے پوچھ بھی لی'' نغمی مسکراتے ہوئے فخریہ بولی ''ادھر معاملہ ٹھیک ہے۔''

''کیا.....؟'' آذر کو غش آنے والا تھا۔ بڑی مشکل سے اس نے خود کو سنبھالا۔

''کیسے پوچھا تھا؟'' رومانہ نے چونک کر پوچھا۔

''اب اتنی بھی بے وقوف نہیں ہوں رومانہ آپا کہ کھلم کھلا ہی آذر کا نام لے کر پوچھ لیتی۔''

''پھر؟''

''میں نے اسے دو تین بار بھابی بھابی کہہ کر چھیڑا.....اس نے برا نہیں منایا بلکہ بڑے پیارے انداز میں شرماتے ہوئے اس نے سر جھکا لیا تھا.....اس کے گال سرخ ہو کر شعلوں کی طرح دہکنے لگ گئے تھے اور ہونٹوں پر بڑا خوبصورت، بڑا دلآویز سا تبسم پھیل گیا تھا۔ سچ امی! آپا! اس روپ میں وہ بے حد حسین لگ رہی تھی۔ پہلے بھی خوبصورت ہوا کرتی تھی، مگر اتنی نہیں.....مجھے یقین ہے اس آذر کے بچے نے ضرور اس سے عشقیہ ڈائیلاگ مارے ہوں گے۔ تبھی وہ اتنی حسین ہو گئی ہوئی ہے۔''

سب ہنسنے لگے..... ہنستے ہنستے یکا یک رومانہ بولی۔

''مگر تمہیں کیسے پتہ ہے کہ محبت انسان کو حسین بنا دیتی ہے۔''

''مجھے ذاتی تجربہ ہے.....'' نغمی کندھے اُچکا کر شوخی سے بولی۔ ''آپ کے بہنوئی کو مجھ سے بڑی محبت ہے اور اسی اعتماد نے مجھے بھی.....'' اور وہ شرما کر لجا کر خاموش ہو گئی۔

''یہ حسن ہے؟'' یاور نے نغمی کو دیکھتے ہوئے زور سے قہقہہ لگایا۔

''نہیں..... حسین تو دنیا میں صرف اِک تمہاری بیوی ہے۔ عادی ہو گئے ہونا' ہر وقت حسن دیکھتے رہنے کے۔ تبھی پھر دوسری ہر حسین لڑکی کو بھی آنکھیں پھاڑ کر دیکھنے کا صرف اپنا حق سمجھتے ہو۔''

''یاور! میں نے کہہ دیا ہے اگر اب کبھی کسی ایسی پارٹی یا ایسی تقریب میں آپ نے جانے کا نام لیا نا تو مجھ سے برا کوئی نہ ہو گا۔'' شگفتہ کی دھمکی سے سبھی قہقہے لگا اُٹھے۔

''اس گوشت کے حسین پہاڑ نے ایک نہ ایک دن مجھے میری بیوی سے طلاق دلا کر ہی رہنا ہے۔'' یاور نے دانت پیستے ہوئے نغمی کو گھورا۔

''چلو یار! دوسرا تجربہ کر لینا۔'' خاور نے یاور کو آنکھ ماری۔ ''شاید بہتری ہو جائے۔''

''ہاں..... میں بہت بری ہوں..... میں اس خاندان کے قابل نہیں ہوں..... لے آیئے کوئی اور اچھی سی۔'' شگفتہ بڑبڑاتے ہوئے روٹھ کر اُٹھ کھڑی ہوئی۔

''ارے میری بھابی! خاور نے جلدی سے شگفتہ کا راستہ روک لیا.....'' فی الحال ایک ہی تو تم میری بھابی ہو..... تم سے مذاق نہیں کروں گا تو اور کس سے کروں گا۔''

''خاور ہنستے ہوئے شگفتہ کو واپس لے آئے۔

''بس بھئی کافی گپ شپ ہو گئی..... اب سنجیدگی سے کوئی پکا فیصلہ کرو۔'' امی سب کی باتیں سن سن کر مسکرا رہی تھیں۔

''لڑکی کا عندیہ نغمی نے لے لیا مگر منا سے بھی کسی نے پوچھا؟'' ثروت پھر بولی۔

''یہ انکار کر سکتا ہے؟ اس کی مرضی کا ہمیں پہلے ہی علم ہے..... ویسے بھی اُمید بڑی خوبصورت ہے۔''

''خوبصورتی ہی سب کچھ نہیں ہوتی۔'' ثروت نے پھر اس کی وکالت کی۔ ''دل کے معاملے کبھی خوبصورتی کو نہیں دیکھتے؟''

''وہ تو ٹھیک ہے' دل آیا گدھی پر پری کیا چیز ہے..... مگر یہاں دل پری پر ہی آیا ہے..... یہاں میری پیاری بھابی! دیکھی ہی خوبصورتی گئی ہے۔'' نغمی نے ثروت کو سمجھایا ''میں اس لڑکے کو اچھی طرح جانتی ہوں۔''

''اوہ.....!'' ثروت چپ سی ہوگئی۔ ہائے! اس کی بات کوئی سمجھ کیوں نہیں رہا تھا اور یہ منا بھی خاموش بیٹھا تھا..... کیا ہوگیا اسے؟ ثروت اُلجھ سی گئی..... بہت گھور کر آذر کو دیکھنے لگی۔

''ثروت اتنا ہی زور دے رہی ہے تو ایک بار آذر سے پوچھ کیوں نہیں لیتے؟'' امی نے معاملے کو جلد طے کرنے کے لیے کہا ''کیوں آذر! یہ کام تمہارے جانے سے پہلے ہی ہو جائے نا؟'' آخر امی نے خود ہی براہِ راست آذر سے پوچھ لیا۔ باقی سب تو ہر بات ہنسی مذاق میں اُڑائے دے رہے تھے۔

''جی.....؟ وہ.....؟'' آذر کو کچھ نہیں سوجھ رہا تھا..... ہکلائے جا رہا تھا۔

''ہاں' ہاں..... شرماؤ نہیں۔''

''وہ امی! کچھ سوچنے سمجھنے کا موقع بھی تو دیجیے.....!'' آخر بڑی مشکل سے وہ اتنی ہی زبان کھول سکا۔

''بہت دن اور راتیں اسے سوتی جاگتی' اُٹھتی بیٹھتی' کھاتی پیتی' پہنتی' اوڑھتی' بولتی چالتی کو دیکھتے رہے اور سوچتے رہے..... اب کس سوچ بچار کے لیے موقع کی ضرورت ہے؟'' نغمی نے تیکھی نگاہ سے اسے دیکھا۔

''ہاں' ہاں منا!'' ثروت اس کے پیچھے جا کھڑی ہوئی..... پھر اخلاقی سہارے کے طور پر اس کے کندھے پر ہاتھ رکھتے ہوئے بڑی نرمی اور پیار سے بولی ''جو کہنا ہے ابھی کہہ دو..... ہاں..... نہیں..... جو بھی کہنا چاہو.....''

ساتھ ہی ثروت نے اس کے کندھے کو دبایا جیسے اسے مطلع کر رہی تھی کہ یہی وقت تھا طوبیٰ کی بات' دل کی بات بتانے کا.... ''بول دے نا۔''

''وہ.....امی! میں کل جواب دوں گا۔''

''کل نہیں منا! ابھی کہہ دو۔'' ثروت نے پھر زور دیا۔

''نہیں آپا۔'' آذر نے کندھے پر دھرے ثروت کے ہاتھ پر اپنا لرزتا ہاتھ رکھ دیا۔

''ابھی نہیں.....تھوڑا سا سوچ لوں۔''

''چلو ٹھیک ہے کل سہی۔'' امی اُٹھ کھڑی ہوئیں اور ان کا کھڑا ہونا جیسے محفل برخاست کرنے کا اعلان تھا۔

''ارے! یہ تو دو بج گئے۔'' خاور نے وقت دیکھا تو اسے جمائی آ گئی۔

''مجھے تو صبح جلدی دفتر جانا ہے۔'' خاور کے ساتھ سبھی اُٹھ کھڑے ہوئے۔

''آپ چلئے.....میں ابھی منا سے ایک بات کر کے آتی ہوں۔''

سبھی کمرے سے نکل گئے.....ثروت وہیں کھڑی عجیب سی نظروں سے آذر کو دیکھے جا رہی تھی.....جب کمرہ خالی ہو گیا تو اس نے لپک کر دروازہ اندر سے بند کر لیا۔

''منا! تم نے اسی وقت طوبیٰ کے متعلق سب کچھ بتا کیوں نہیں دیا؟''

''وہ آپا! میں اُمید کے متعلق سوچ رہا تھا۔''

''کیا اُمید کے متعلق سوچ رہے تھے.....طوبیٰ کا معاملہ علیحدہ ہے' اُمید کا علیحدہ؟ کچھ بھی تو ان میں مشترک نہیں۔''

''علیحدہ نہیں آپا! دونوں میں مشترک میں ہوں.....میں آپا.....!''

''کیا.....؟'' ثروت نے اِک اچنبھے سے اسے دیکھا۔

اور پھر.....آذر کے ساتھ آج جو کچھ بیتی تھی وہ اس نے سب کچھ ثروت کو بتا دیا۔

''یوں آپا! کچھ میرے غلط طرزِ عمل نے اسے غلط فہمی میں ڈال دیا ہے' کچھ ٹوٹو کی باتوں نے اور کچھ نغمی کی چھیڑ چھاڑ نے.....مجھے یہی پریشانی تھی اور میری کوئی طبیعت خراب نہیں تھی.....وہ بہت سنجیدہ ہو چکی ہے آپا.....میں نے اپنی آنکھوں سے جو کچھ دیکھا ہے وہ میں آپ کو بتا نہیں سکتا۔''

''یہ تو واقعی پریشانی کی بات ہے۔'' ثروت اس کے پاس ہی بیٹھ گئی۔

''پھر اب؟''

''بس.....یہی میں بھی سوچ رہا تھا۔''

''کیا؟''

''اس سارے معاملے میں اُمید کا قصور کتنا ہے اور اسے اس بے قصور قصور کی کتنی سزا ملنی چاہیے۔''

''کون سا قصور اور کون سی سزا؟ یہ تم کیا کہہ رہے ہو منا؟''

''مجھ سے محبت کرنے کا قصور اور پھر اس کی محبت اُجاڑ دینے والی سزا۔''

''جانے کیا پہیلیاں سی بوجھوائے جا رہے ہو..... میں تو بس اتنا جانتی ہوں کہ ذرا طریقے سے اس کی غلط فہمی دُور کر دو اور تم جاؤ اپنی محبت کے پاس.....طوبیٰ کا روز اِک خط آتا ہے وہ تمہارا انتظار کر رہی ہے اور تم بھی روز اسے اِک خط لکھتے ہو اور واپسی کا اِک اِک دن بڑی بے تابی سے گن گن کر کاٹ رہے ہو۔''

''بڑا مناسب فیصلہ ہے تمہارا آپا.....لیکن صرف منا کی بہن بن کر کیا گیا ہے۔ اِک منٹ کے لیے ذرا اُمید کی بہن بھی بن کر سوچو نا.....ساری زندگی اسے محرومیاں ملی ہیں..... توجہات کی، محبتوں اور خلوص کی، باپ کی شفقت، ماں کی ممتا کی، بہن اور بھائی کے پیار کی، اِک دولت مند ماں کی بیٹی ہوتے ہوئے بھی ہر چیز کو ترسی ہے وہ، کھانے پینے سے لے کر پہننے اوڑھنے تک اور آج.....آج آخری صدمہ، آخری دُکھ، آخری محرومی میں بھی اسے دے دوں؟''

''لیکن منا.....تم پھر کیا کر سکتے ہو؟''

''وہ ذہنی مریضہ رہ چکی ہے آپا.....اس کا ذہن اس صدمے کا متحمل نہیں ہو سکے گا.....اس کی زندگی یہ والا دُکھ برداشت نہیں کر سکے گی.....پہلے صرف زبان خاموش ہوئی تھی، اب اس کی زیست خاموش ہو جائے گی آپا.....ہمیشہ ہمیشہ کے لیے.....اور اس کا ذمہ دار میں ہوں گا.....میں آپا!''

''پھر.....؟ یہی تو پوچھ رہی ہوں کہ تم کیا کر سکتے ہو؟''

''وہی.....جو ابھی سب نے فیصلہ کیا ہے.....'' آذر کے لہجے میں کپکپاہٹ تھی اور آواز میں ارتعاش سا۔

”نہیں منا نہیں..... میں تمہیں ایسا کبھی نہیں کرنے دوں گی۔“ ثروت ایک دم ہی چلا پڑی ”دل کی دنیا اُجڑ جائے تو سب کچھ ہی ختم ہو جاتا ہے..... تمہاری اتنی بڑی بربادی میں نہیں ہونے دوں گی۔“

”نہیں آپا! بربادی نہیں ہوگی۔“ آذر نے اپنی آنکھوں کی نمی ثروت سے چھپا کر صاف کی۔

’اور جب کوئی انسان اپنا فرض ادا کرے تو وہ برباد نہیں ہوتا..... آباد ہوتا ہے آپا۔“

”نہیں منا! مجھے علم ہے تمہیں طوبیٰ سے کتنی محبت ہے..... مجھے وہ سب باتیں یاد ہیں جو تم اس کی محبت میں ڈوب کر مجھ سے کیا کرتے تھے..... مجھے تمہاری ان سب حرکات کا بھی علم ہے جو تم سے اس کی جدائی میں سرزد ہوئیں..... تم اس کی یاد میں پوری پوری رات جاگے ہو..... اس کے خط کو اِک دن دیر ہوئی ہے تو تم نے کھانا پینا چھوڑ دیا۔ اس کی بیماری کا پتہ چلا ہے تو ماہیٔ بے آب کی طرح تم تڑپے ہو..... اتنی تکلیف اس نے نہیں اٹھائی ہوگی جو میں نے تم پر گزرتے دیکھی ہے..... نہیں منا! نہیں!! میں ایسا فیصلہ تمہیں کبھی نہیں کرنے دوں گی۔“

”آپا! انسان صرف اپنے لیے جیا تو کیا جیا..... صرف اپنے ہی جذبات کا احساس کیا تو اس جیسا بے حس کوئی دوسرا نہ ہوگا۔“

”ٹھیک ہے۔“ آخر ثروت جھنجلا کر بولی ”تم اپنے جذبوں کو، اپنی محبت کو قربان کر دو مگر طوبیٰ..... اس کی زندگی سے، اس کے جذبات، اس کی محبت سے کھیلنے کا تمہیں کیا حق ہے.....؟ بتاؤ منا..... جواب دو؟“

”کوئی حق نہیں..... مانتا ہوں۔“ بہت گمبھیر اور سنجیدہ لہجے میں آذر بولا۔

”لیکن آپا! اس کی ساری زندگی محرومیوں میں نہیں گزری..... وہ کبھی ایسی ذہنی مریضہ نہیں رہی..... اور اس کے باپ کا مجھ پر کوئی اخلاقی قرض بھی نہیں ہے۔“

”اوہ منا!“ ثروت نے ہاتھوں میں سر تھام لیا۔

”ساری دنیا کے درد میرے چاند! تمہارے ہی لیے رہ گئے تھے..... تمہارے ہی لیے۔“ اور ثروت نے روتے ہوئے گھٹنوں میں چہرہ گھسا لیا۔

''آپا.....اے آپا.....'' آنکھوں میں آنسوؤں کی نمی اور ہونٹوں پر مسکراہٹ لیے وہ ثروت کا چہرہ گھٹنوں میں سے نکالنے لگا۔

''تم نے پہلی بار جب امید کو دیکھا تھا تو تم نے سوچا تھا کہ تم اسے اپنی بھابی بناؤ گی.....اپنے منا کی دلہن.....اے خوش ہو جانا.....تیری خواہش پوری ہو رہی ہے۔''

''نہیں منا نہیں.....میں نہیں چاہتی کہ میری یہ خواہش پوری ہو۔''

''ارے کیا تمہیں امید پسند نہیں؟''

''پسند ہے.....بہت پسند ہے.....مگر اپنے منا کے دل سے' اس کی زندگی سے زیادہ نہیں.....بالکل نہیں.....میں تمہاری قیمت پر تو کبھی بھی اپنی پسند پانا نہیں چاہتی تھی۔''

''آپا! جب انسان دوسرے کے لیے کچھ کرتا ہے تو اسے چاہیے آنسوؤں کے بجائے مسکراہٹوں سے کرے.....اور میں اپنی آپا سے بھی یہی توقع رکھوں گا۔''

''تو یہ تمہارا آخری فیصلہ ہے؟''

''میرا نہیں.....میرے خدا کا.....جس نے ایک انسان کو دوسرے انسان کا درد لینے کے لیے بنایا ہے' درد دینے کے لیے نہیں۔'' اس نے ثروت کے آنسو پونچھے۔

''میرے جانے میں صرف چھ دن باقی ہیں.....آج سے پانچویں دن اپنے منا کو سہرا باندھنے کی تیاریاں کرو آپا۔''

''اتنی جلدی؟''

''اس سے پہلے کہ کوئی اور سوچ مجھے خود غرض بنا دے' مجھے اپنا یہ فرض ادا کر لینے دو.....مجھے اِک زندگی بچانے والی نیکی سے روکو نہیں۔''

''لیکن اتنی جلد تیاری وغیرہ۔''

''کرو آپا! جس طرح ہو سکے کرو.....جانے سے پہلے پہلے.....مجھے ڈر ہے میں اکیلا واپس گیا تو کہیں طوبیٰ کو دیکھ کر میرا ارادہ ڈانواں ڈول نہ ہو جائے.....انسان بہت کمزور ہوتا ہے آپا۔ میں چاہتا ہوں' میں امید کو بحیثیت اپنی بیوی کے ساتھ لے کر ہی جاؤں۔''

سب کچھ ایسے یکا یک اور اتنی جلد ہوا کہ سب کو ہی خواب کے سے عالم سے گزرنے کا گمان ہو رہا تھا..... رومانہ اور نغمانہ نے اگلے ہی دن اپنے اپنے گھروں کو لوٹ جانا تھا' مگر وہ وہیں رہ پڑیں..... افروز کو بھی بلا لیا گیا۔

رات دن' انارکلی اور مال روڈ کے چکر لگا لگا کر تین دنوں میں انہوں نے آذر کی عالیشان بری تیار کر لی۔

''دونوں گھروں میں ہر رسم پوری دھوم دھام سے منائی جانی چاہیے۔'' آذر کی ضد کے آگے سب کو ہی سر تسلیم خم کرنا پڑا۔

اور کرتے بھی کیسے نہیں..... سب اخراجات اس نے اپنے ذمہ لے لیے تھے..... روپیہ پانی کی طرح بہا رہا تھا۔

سب ہنستے رہے..... مذاق کرتے رہے..... کبھی آذر ان مایوں' ابٹن اور مہندی وغیرہ کی رسومات کا قائل نہیں تھا اور اب..... پسند کی دلہن تھی نا..... کیسی بے تابیاں تھیں..... کیسے شوق تھے..... سب کچھ کہہ کہہ کر کرا رہا تھا..... افروز کے خیال میں اتنا عرصہ ملک سے باہر رہنے کی وجہ سے خود غرض اور بے حیا ہو گیا تھا۔

بہنوں' بھائیوں اور شگفتہ اور افروز نے اسے چھیڑ چھیڑ کر' اس پر فقرے کس کس کر برا حال اپنا بھی کر لیا تھا اور اس کا بھی کر دیا تھا..... مگر..... کیا مجال جو اِک لمحے کے لیے بھی اس کی تیوری پر کوئی بل آیا ہو یا ماتھے پر کوئی شکن..... یا اس نے کسی ذرا سے غصے ناراضگی یا رتی بھر بھی کسی اندرونی دُکھ کا اظہار کیا ہو..... یا خود بخود ہی ہو گیا ہو۔

اس کی ہمت اور اس کے حوصلے دیکھ دیکھ کر ثروت خود بے حوصلہ ہوئی جا رہی تھی۔ یہ اس کا منا اتنے بڑے دل گردے کا مالک تھا..... اس نے تو اسے اتنا بڑا انسان کبھی بھی نہیں سمجھا تھا..... ثروت کے آنسو تھمنے کا نام ہی نہیں لیتے تھے۔

اس اتنی بڑی خوشی کے موقع پر جانے اسے کیا ہو گیا تھا..... سب حیران تھے..... وہ ہر وقت آنسو ہی بہاتی رہتی تھی..... خوشیوں سے کرنے والے کاموں کی بھی ابتدا وہ آنسوؤں سے ہی کرتی تھی۔ اچھی بہن بنائی تھی آذر نے..... کبھی کسی بہن نے یوں رو رو کر بھی بھائی کی خوشی منائی تھی..... ایسے ایسے کئی طعنے بھی ملے۔ جب بھی دونوں بہن بھائی خاموش رہے۔

مایوں کی رسم ہوئی۔ اُبٹن کھیلا گیا..... دلہن کے گھر سات سہاگنیں، سات تھال مہندی کے لے کر اُتریں..... ناچ گانے ہوئے..... بہت کچھ ہوا..... سب کچھ ہوا۔

''میری آپا مجھے سہرا لگائے گی۔'' سہرا بندی کے وقت سب بزرگوں کے سامنے ہی وہ بے باکی سے بول پڑا تو افروز نے اس بے حیائی پر اسے چٹکیاں بھی بھریں مگر وہ اپنی اس ضد پر اڑا ہی رہا۔

تب سب کو یہ بھی ماننا پڑا۔ ثروت ہاتھوں میں سہرا لیے، اس کے سامنے آئی تو یکا یک چیخیں مار مار کر رونے لگی۔

''اے بہو! یہ کیا بات ہے؟'' امی نے ثروت کی اس حرکت کا زیادہ ہی برا منا لیا تھا ''ایسی بدشگونی تو نہ کرو!''

''وہ..... وہ.....'' ثروت کوئی جواز نہ پیش کر سکی۔ روتی ہی رہی۔

''کتنی عجیب بات ہے؟'' امی غصے سے اسے گھورتے ہوئے بڑبڑائیں۔

''اس میں برا منانے کی کیا بات ہے امی؟'' آذر ہولے سے بولا۔

''آپ کو آپا کی عادت کا ابھی تک اندازہ نہیں ہوا؟''

''کس عادت کا؟''

''یہ ہر خوشی آنسوؤں سے مناتی ہے..... ویسے اچھی بات ہے..... خوشیوں پر سے آنسوؤں کا صدقہ اتار دیا جائے تو وہ دائمی ہو جاتی ہیں۔''

کتنی پیاری بات منّا نے کہہ کر اپنی آپا کو سرخرو کر دیا تھا..... اِک تشکر سے ثروت نے اس کی طرف دیکھتے ہوئے اس کی خوبصورت پیشانی پر سہرا سجانے کے لیے ہاتھ بلند کیے۔ نگاہیں

آذر کی آنکھوں میں جمی تھیں۔ گو اس کے ہونٹوں پر بڑا دلآویز سا تبسم تھا مگر ان دونوں میں اِک اِک ستارہ بھی اٹکا ہوا تھا۔

''تم ان ستاروں کو خوشیوں پر تصدق نہیں کرو گے منا؟'' ثروت نے سہرا لگاتے ہوئے بہت ہولے سے اس سے کہا۔

''اپنے پاس آپا! کوئی خوشی بچی ہوتی تو ضرور کرتا۔''

''یہ دیور بھابی کیا کھسر پھسر کیے جا رہے ہیں..... ان کی تو باتیں ہی ختم ہونے میں نہیں آتیں۔''

''آج سب ختم ہو گئیں افروز۔'' آذر کی مسکراہٹ کراہ اُٹھی۔

''تو چلو پھر آگے بڑھو..... تمہاری لیلیٰ، تمہاری شیریں، تمہاری سوہنی، تمہاری ہیر تمہارے انتظار میں ہو گی..... برات کا وقت ایک بجے دیا تھا اور دو بج رہے ہیں اب!''

بڑی دھوم دھام سے، باجے گاجے سے برات چڑھی..... رونقیں اور مسرتیں لے کر دُلہن کی ڈولی آنگن میں اُتری..... سب کے چہرے خوشیوں سے منور تھے اور ہونٹوں پر مسکراہٹیں رقصاں تھیں۔

''شکر ہے، سب کچھ ٹھیک ٹھاک ہو گیا ورنہ اس بے درد نے تو جلدی ڈال کر ہماری عزت کو اِک بہت بڑے امتحان میں ڈال ہی دیا تھا۔'' امی اطمینان کا سانس لیتے ہوئے کہہ رہی تھیں۔

''بے درد!''

آذر کو دیئے گئے امی کے اس خطاب نے ثروت کے ہونٹوں پر اِک آنسوؤں بھری مسکراہٹ پھیلا دی..... بڑے پیار سے وہ بڑبڑائی ''بے درد.....!''

اور اگلے دن آذر سوائے اپنے درد کے باقی سب کا درد دل میں سمیٹے بیروت کی طرف پرواز کر گیا۔

''پاکستانی مرد بڑے باوفا ہوتے ہیں..... اس لیے آذر! میں نے تم سے محبت کی تھی۔''

پہلو میں ایک دن کی بیاہی نئی نویلی دُلہن بیٹھی مسکرا رہی تھی اور خیال میں طوبیٰ کھڑی کہہ رہی تھی:

''مگر تم نے تو بے وفائی کی ایسی مثال قائم کر دی جو دنیا میں کہیں اور نہ ملے گی..... ظالم..... بے درد.....!!''

آذر نے ہونٹ بھینچتے ہوئے آنکھیں میچ لیں۔

O-----O-----O